KB195919

# 미적 근대의 주변부

## 추방당한 자들의 귀환

한순미

전남대학교 국어국문학과 및 동대학원 졸업.
전남대학교 호남학연구원 HK연구교수를 거쳐
현재 조선대학교 자유전공학부 조교수로 재직 중이다.
주요 저서로는 『가(假)의 언어: 이청준 문학연구』, 『동시대인의 산책: 문학과 사유이미지』, 『우리 시대의 사랑』(공저) 등이 있다.

e-mail | specialcloud@naver.com

미적 근대의 주변부: 추방당한 자들의 귀환

**초판 1쇄 찍은 날** 2014년 7월 22일
**초판 1쇄 펴낸 날** 2014년 7월 30일

**지은이** 한순미
**펴낸이** 송광룡
**펴낸곳** 문학들
**주소** 503-821 광주광역시 동구 천변우로 487(학동) 2층
**전화** 062-651-6968
**팩스** 062-651-9690
**메일** munhakdle@hanmail.net
**등록** 2005년 8월 24일 제2005 1-2호

**값** 20,000원
**ISBN** 978-89-92680-84-4 03800

이 저서는 2010년 정부(교육부)의 재원으로 한국연구재단의 지원을 받아 수행된 연구임(NRF-2010-812-A00226)
This work was supported by the National Research Foundation of Korea Grant funded by the korean Government(NRF-2010-812-A00226)

Marginality of Aesthetic Modernity

# 미적 근대의 주변부

한순미 지음

김승옥 서정인 이청준 한승원 임철우

## 추방당한 자들의 귀환

Return of the displaced

문학들

## | 책머리에 |

이 책은 작가 서정인, 한승원, 이청준, 임철우 소설의 미적 근대성을 주변부와 감성을 매개로 읽기 위해 기획된 것이다. '중심에서 주변으로, 인식에서 감성으로'를 주요한 연구 방법과 지향점으로 설정한 것은 중심과 인식에 주로 관심을 두었던 기존의 시각에서 주변과 감성으로 논점을 전환하려는 요청을 담고 있다. 이는 그동안 한국문학의 미적 근대성 논의가 대개 보편적이고 일반적인 수준에서 이루어졌다는 반성에서 출발한 것이기도 하다. 이러한 요청과 반성 속에서 이 책에서는 한국문학의 미적 근대성을 주변부적 존재로서의 근대 경험과 감성의 변별적 차이를 통해 살피려 했다.

2010년, 이 연구 과제를 제출하면서 스스로에게 던진 물음은 다음 두 가지였던 것으로 기억한다. 무엇이 서로 다른 소설세계를 펼쳐 온 이 작가들을 한 자리에 배치하여 읽게 하는가. 왜 주변부의 시각과 감성을 통해 이들의 소설의 미적 근대성을 읽을 필요가 있는가. 이런 물음에 대해 작가들이 호남 지역에서 나고 자랐다는 전기적 사실이나 호남 지역을 주요한 배경으로 하여 소설을 써왔기 때문이라는 이유를 들어 간단하게 답할 수는 없다. 물론 그와 같은 점들이 본 연구를 시작한 계기가 되었지만, 보다 결정적인 계기는 서로 다른 빛깔과 목소리를 지닌 소설들에서 전해지는 통증이 어딘가 닮아 있다는 느낌이 들었기 때문이다.

그러면 그 통증은 대체 어디에서 흘러나온 것인가. 나는 통증의 진원이 작가들의 문학 터전인 호남의 지역적 소선 즉 공간, 역사, 언어와 무관하지 않다는 점에 먼저 착안하였다. 이들의 문학에 흐르는 공통의 주조음을 호남의 주변부적 위치에서 읽음으로써 미적 근대성의 특수한 면모를 헤아려 보고 싶었다.

잘 알다시피 김승옥, 서정인, 한승원, 이청준 등은 1960년대 이후 본격적으로 문단 활동을 시작한 호남 지역 출신 작가들이다. 이 시기 호남 지역은 서울 중심의 근대화에 의해 소외된 주변부적 상황에 놓여 있었다. 더불어 이 지역은 일제 식민지배, 제주4·3, 여순사건, 분단과 전쟁, 광주5·18 등 일련의 사건들을 내리 겪으면서 지울 수 없는 역사적 상흔이 새겨진 곳이기도 하다. 이러한 정치적, 경제적, 역사적 상황은 이 지역 작가들의 문제의식을 이루는 밑바탕으로 자리했다.

나는 이들의 소설을 가로지르는 통증을 중심부와 주변부 사이에 놓인 긴장, 달리 말해 보편적 근대화와 지역적 특수성이 충돌하는 곳에서 다시 읽기 시작했다. 이들의 소설은 공통의 목소리를 지니고 있으면서도 이질적인 경향을 보인다. 통증은 슬픔, 우울, 억울, 분노, 복수, 증오, 원한, 저주, 사랑 등 다채로운 감성의 결로 분할되어 나타난다. 그런 감성의 차이를 '추방과 귀환' 이라는 두 가지 징후로 포착해 읽음으로써 미적 근대성의 다면을 입체적으로 드러내고자 했다.

미리 말해 '추방당한 자들의 귀환' 은 이들의 소설세계를 관통하는 중심 내용이자 형식이라고 할 수 있다. 이들의 소설에는 국가폭력과 개발근대화에 의해 고향을 떠나야만 했던 사람들이 고향과 도시 사이에서 '떠남과 되돌아옴' 을 반복하는 여정이 두드러진다. 이 기나긴 귀환은 '현실과 유토피아' 의 간극을 질문하는 바탕이 된다. 지속적인 귀환의 여정은 고향도, 사회도, 국가도 결국 우리의 "진정한 천국"이 아니라는 사실을 말해 준다.

이들의 귀환과 함께 역사 속의 '그날들' 은 이곳으로 회귀한다. 1980년 광주오월에서 정점에 달한 폭력의 기원을 찾아서 한국전쟁, 제주4·3, 여순사건, 일제강점기의 역사 기억으로 거슬러 올라간다. 여기에서 읽을 수 있는 슬픔과 고통, 억울함과 서러움, 증오와 복수, 저주와 원한, 저항과 분노는 아직 우리 곁에 여전히 살아있는 역사적 현실이다. 가해자와 피해자 간의 진정한 용서와 화해의 자리는 지연된다. 우리가 보고 듣는 것은 적절한 말의 몸을 찾지 못한 통증의 잔해(殘骸)다.

이렇듯 귀향은 단지 고향으로 돌아오는 것이 아니다. 귀향은 역사와 현실을 동시에 진단하고 성찰하는 더딘 과정이다. 그것은 저 먼 역사 기억과 지금 여기의 현실을 조망하면서 우리를 추방시킨 역사와 현실에 대해 전면적인 문제를 제기한다. 귀환의 과정에서 지역의 공간, 언어, 역사를 읽고 쓰는 작업은 폭력의 기억과 자본주의 근대의 모순을 직시함으로써 대안적 근대를 모색하는 시도에 다름 아니다.

이 책에서는, 이들의 소설에서 읽을 수 있는 '추방당한 자들의 귀환' 여정이 고향의 역사 기억을 다시 읽기-쓰기 함으로써 근대를 비판적으로 성찰하고 대안을 탐색하는 미적 기획이었음을 주목한다. 이를 읽기 위해 우리는 다음과 같은 질문들을 더 던져볼 것이다. 귀환의 몸짓은 잃어버린 과거를 향한 낭만적 향수인가. 가혹한 역사와 현실의 굴레를 벗어나기 위한 유토피아적 갈망인가. 지금 여기를 넘어설 수 있는 비판적 대안인가.

이런 질문들과 함께, 추방당한 자들의 귀환이 어떻게 전개되었는지를 살피는 일은 우리 시대에 대한 또 하나의 문제제기가 될 수 있다. 지나간 역사가 우리 몸에 새긴 고독, 실패, 상실, 무기력, 증오, 복수, 원한, 실어증 등 여러 증상들은 처분해야 할 잉여물이 아니라 새로운 전복적 사유를 여는 어떤 가능성의 장소가 아닐까. 이들의 소설에서 울리는 공통(共痛)의 소리가 공명(共鳴)하는 자리에서 그 응답을 구할 수 있었으면 한다.

2014년 7월

한순미

| 차례 |

## 2부. 고통의 언어: 상처와 흔적

## 4부. 전통의 변용과 근대에 대한 탐문: 구원과 치유의 (불)가능성

## 서론

# 중심에서 주변으로, 인식에서 감성으로

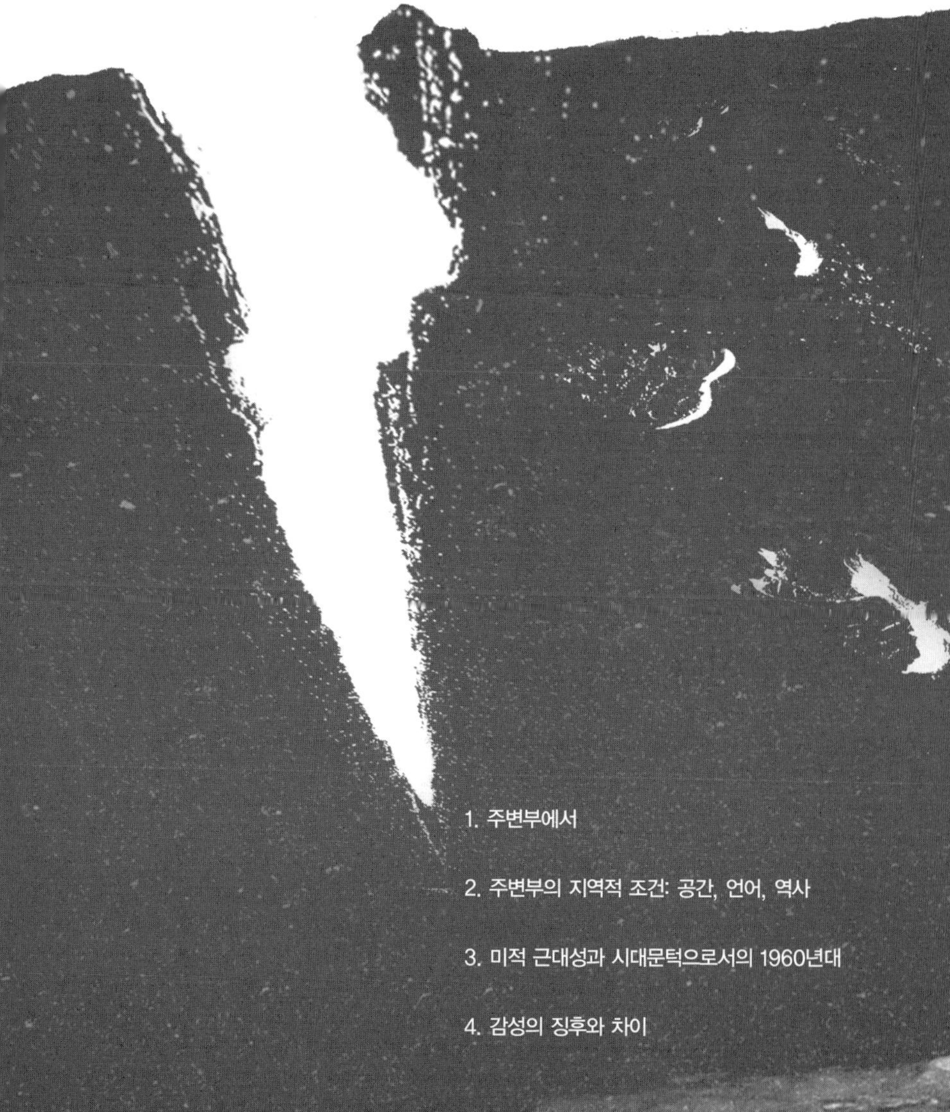

1. 주변부에서

2. 주변부의 지역적 조건: 공간, 언어, 역사

3. 미적 근대성과 시대문턱으로서의 1960년대

4. 감성의 징후와 차이

## 1. 주변부에서

1960년대 이후 국가 주도의 자본주의적 근대화가 본격적으로 추진된 이래 서울과 지역 간의 경제적, 문화적 차이는 더욱 심화되었다. 서울과 지역은 상하 수직의 공간으로 재편됨과 동시에 지역 나름의 특수성은 근대화의 동일한 물결 속으로 흡수되기에 이르렀다. 이 시기의 근대화가 표면상 지역 간의 균형 있는 발전을 목표로 내세웠음에도 지역의 소외 현상은 두드러지게 나타났다. 사투리와 표준어, 구술문화와 문자문화, 판소리와 한문학 등 전통적 요소와 근대적 요소가 서로 상충하면서 공존하고 있었던 지역의 입장에서 보면, 근대화란 실상 중심부 서울에 종속, 편입됨으로써 결국 중심으로부터 주변화 되는 과정이나 마찬가지였다.

이 주변부적 위치는 1960년대 이후 문단 활동을 시작한 호남 지역 출신 작가들의 문학세계를 조망하는 자리로 삼을 만하다. 알

다시피 김승옥, 서정인, 이청준, 한승원의 소설에는 작가들의 유년 시절 고향에서 겪은 여순사건과 6·25전쟁, 그리고 근대화의 기억이 근원적인 문학적 사건으로 수용된다. 김승옥과 서정인의 말을 차례대로 들어 보자.

> 첫 데뷔작품이 내가 겪은 6·25가 어떤 의미를 갖고 있는가, 나에게 6·25란 어떤 의미인가 하는 주제로 대학교 2학년 때 쓴 「생명연습」이었어요. 말이 나왔으니까 좀 얘기하자면 우리 세대의 문학은 어떤 의미에서는 6·25문학이라고 봐야 해요. 4·19세대의 문학이라고들 하지만 사실은 우리 세대가 어린 시절에 겪은 6·25 이후의 체험담들이 결국은 우리 1960년대 문학의 기본적인 배경이 된다고 봐야 하지 않을까. 적어도 나의 경우에는 6·25를 어떻게 봐야 할 것인가 하는 주제를 가지고 6·25 이후 한국인은 아버지를 상실한 세대, 민족대혼란의 전쟁과 이데올로기 때문에 성리학적 전통문화가 깨져 버리고 아직은 새로운 것이 붙잡히지 않은 세대, 이렇게 압축시켜 보자 해서 그렇게 썼던 거죠. 데뷔작 이후에 쓴 소설들도 거의 모두 그런 주제들이었죠.[1)]

> 임진왜란은 저에게 완전히 추상명사지요. 그런데 여러분 중에는 저 6·25도 추상명사인 분들이 있지요. 안 겪었으면 추상

1) 최원식·임규찬 엮음, 『4월혁명과 한국문학』, 창작과비평사, 2002, 32면.

명사지요. 저에게는 구상명사입니다. 피부에 와 닿아요. 14연대 사건도 그렇고. 옛날 돌아가신 우리 할머니가 '피내도랑' 논에 새 보러 가라고 그래요. 난 보통으로 들었어요. 그런데 그 피내도랑에 동학란 때 사람들을 많이 죽여서 피가 흘러 내렸다고 그래요. 그게 나한테는 추상명사거든요. 우리 할머니한테는 그 당시를 떠올려 주는 구체적인 명사지요. 6·25나 14연대 사건이 나한테 그러는 것처럼. 추상명사면 아무런 감흥이 없지요. 난 몸으로 배웠거든요.[2)]

김승옥은, 자기 세대의 문학을 일반적으로 4·19세대 문학이라고 부르지만 그 문학의 기본 배경은 4·19체험보다 6·25 이후의 체험담에 바탕을 둔 것이라고 설명한다. 즉 60년대 문학은 한국전쟁의 경험과 기억이 과연 어떤 의미를 주었는가를 분석하고 해석하는 과정을 기반으로 한 것으로서, 6·25 이후 아버지를 상실한 세대, 선생과 이데올로기 때문에 전통문화가 파괴된 채 아직 새로운 것을 마련하지 못한 세대의 기록이다.

한편 서정인은 이야기로만 들었던 임진왜란이나 동학이 아무런 감흥이 없는 '추상명사' 처럼 여겨진다면 14연대 사건(여순사건)과 한국전쟁은 구체적인 몸의 경험이 담긴 '구상명사' 로 다가온다고 말한다. 서정인 문학이 직접 온몸으로 겪었던 역사적 사건

2) 서정인·한순미 대담, 「남도의 빛과 흙으로 빚어낸 말과 글」, 『호남 이야기』(전남대학교 호남학연구원 엮음), 전남대학교 출판부, 2013, 342~343면.

의 경험을 사실적으로 기록하고 고향 사람들의 일상을 드러내는 작업에 집중한 것은 그와 같은 인식이 투영된 결과라 할 수 있다.

이 같은 작가들의 발언에서 우리는 이들의 문학적 자의식과 감수성이 고향에서의 원체험을 다시 분석하고 해석하는 과정에서 만들어졌음을 어렵지 않게 짐작할 수 있다. 작가들은 고향을 비롯한 호남 지역에서 일어난 제주4·3, 여순사건, 6·25한국전쟁, 광주5·18의 경험과 기억을 새로운 각도에서 재구성하기 시작한다. 이청준과 한승원, 임철우는 그날의 흔적을 이렇게 되새겨 쓴다.

> 그 가슴 떨리는 울력터의 얼굴 없는 사람들의 환각이 지금까지도 머리에서 지워지질 않고 있는 것이었다. 생각해 보면 그것은 아마 저 무서운 6·25의 경험이 겹쳐서인지 모른다. 그 6·25 때 나의 이웃 마을 사람들은 밤마다 몽둥이를 메고 마을회관으로 몰려나갔다. 그리고 어디론가 수런수런 몰려들 갔다가 산 사람들을 흙구덩이 속에다 파묻어 두고 돌아왔다. 나는 며칠 동안 그 이웃 마을 외가에서 지내면서 그럴 수 없는 일이 실제로 일어날 수도 있다는 엄청난 사실을 경험한 것이다. 옛날의 그 울력판에서도 산 사람들을 정말로 흙구덩이 속으로 던져 넣을 수 있었으리라는 끔찍스런 생각이 뒤늦게 되살아났다.[3)]

> 광주에서 그 일이 있은 지 며칠 뒤에 나는 미국문화원에 자

3) 이청준, 「머릿그림」, 『가위 밑 그림의 음화와 양화』, 열림원, 1999, 17면.

주 출입하곤 하는 친구를 따라가서 미국의 잡지 최신호들을 들추어 보았었다. (…)

나는 그 잡지들 속에 실리어 있는 사진들이 어느 잔혹무쌍한 영화의 스틸사진같이만 생각될 뿐, 그 일이 정말로 이 땅의 한 도회지 안에서 일어난 일일 것이라는 실감이 나지를 않았었다. 그러나 그 이후 며칠 동안 밤마다 바람벽에 비친 검은 그림자 같은 도깨비들이 머릿속을 가득 점거하고 있곤 했었다. 그 도깨비들 수천수만이 융기하고 우쭐거리고 어시럽게 춤추는 모습과 맹수처럼 쫓아오는 시꺼먼 그림자 때문에 나는 가위눌려 깨곤 했었다.

중학교 1학년 되던 해 겨울의 어느 날 밤에 유치산골에 들어사는 반란군들이 경찰서를 습격하고 기마대의 막사를 불태운 적이 있었다. 그날 밤에 쌍방이 쏘아 날리는 총포는 콩을 볶는 듯했는데, 그때 나는 이불을 뒤집어쓴 채 눈을 힘주어 감고 그와 같은 도깨비 떼의 이합집산이나 어둠녕이나 벌를에 내안 생각들을 했었다. 언제부턴가 나는 어리숙하게도, 땅과 하늘이 갈라지기 이전의 혼돈 같은 어둠의 아수라장이 어쩌면 그런 것이었을지도 모른다는 생각을 하곤 했었다.[4)]

이청준은 8·15해방 전 울력터의 얼굴 없는 사람들의 환각이 지워지지 않았던 이유가 그 환각이 6·25 당시 이웃 마을 사람들이 산

4) 한승원, 「당신들의 몬도가네」, 『해변의 길손』, 문이당, 1999, 301~320면.

사람들을 흙구덩이에 파묻던 장면과 겹쳐 떠올랐기 때문이라고 생각한다. 울력터의 공포는 그대로 남아 있다가 6·25의 두려운 폭력의 현장이 덧붙여져 더욱 명료해진다. 이렇듯 이청준에게 두려운 환각 혹은 환상의 기억은 경험적 사실에 의해 재해석된다. 환상은 오히려 역사적 폭력의 현장을 사실적으로 드러내는 역할을 한다. 사실과 환상, 역사적 진실과 심리적 기억의 경계는 흐릿해진다.

한승원은 5·18 당시의 혼란스러운 거리의 풍경을 찍은 사진을 보면서 그 사건이 실제로 일어난 일이라고 실감나지 않았는데 이후 그것은 '그림자 같은 도깨비들'이 점거한 상황으로 이해된다. 여기서 도깨비는 좌우 대립으로 인한 '혼돈 같은 어둠의 아수라장'과 광주 오월의 잔인한 거리를 동시에 매개하는 상징이다. 이 도깨비는 한승원의 소설에서 '어둠', '안개' 등과 함께 역사의 상흔을 환기하는 한편 민중적 저항의 힘을 나타내는 이미지로 등장한다.

임철우는 광주의 오월을 생각할 때마다 "부끄러움과 죄책감"에 짓눌려 살아야 했고 아직까지 어떤 "화해"도 "용서"도 해 줄 수 없다고 단호하게 고백한다.

> 한 사람의 생애에서 더러는, 저 혼자 힘으로는 결코 건널 수 없는, 운명과도 같은 거대한 강물과 맞닥뜨리기도 하는 법이다. 그해 5월, 그 도시에서 바로 그 강과 마주쳤을 때 나는 스물여섯 살의 대학 4년생이었다. (…) 어느 사이엔가 내 두 손이 누군가가 흘린 붉은 피로 흥건히 젖어 있음을 난 깨달았다. 한동안 그 불길한 핏자국을 지워내려고 몸부림쳤지만, 그것은 끝끝내 내게 낙인처럼 남아 있었다. 결국 그것은 내 몸의 일부가 되

> 었고, 조금씩 흐릿해지기는 할망정 그것과 함께 앞으로도 평생 보내게 이제 나는 안다. (…) 고백건대, 그 열흘 동안 나는 아무 일도 하지 못했다. 몇 개의 돌멩이를 던졌을 뿐, 개처럼 쫓겨 다니거나, 겁에 질려 도시를 빠져나가려고 했거나, 마지막엔 이불을 뒤집어쓰고 떨기만 했을 뿐이다. 그 때문에 나는 5월을 생각할 때마다 내내 부끄러움과 죄책감에 짓눌려야 했고, 무엇보다 내 자신에게 '화해' 도 '용서' 도 해 줄 수가 없었다.[5]

임철우에게 광주의 오월은 분단과 전쟁의 상처가 여전히 지속되고 있음을 구체적으로 확인시켜 준 비극의 정점으로 각인된다. 그에게 5·18이라는 사건은 그와 같은 역사적 폭력과 희생이 더 이상 반복되지 않도록 폭력의 근원을 추적하는 출발점에 해당한다. 임철우의 소설쓰기는 "그 불길한 핏자국"을 평생 잊지 못할 저주의 "낙인"으로 "몸의 일부"에 각인시켜 주었던 오월의 경험을 분단과 전쟁의 트라우마를 해석하는 원점으로 삼는다.

이처럼 작가들은 호남 지역에서 겪은 역사적 사건과 기억을 저마다 다른 방식과 의미로 재현한다. 동일한 역사적 사건은 어떤 입장에서 무엇을 어떻게 초점화 하느냐에 따라 다양한 서사와 이미지로 재구성된다. 하나의 역사적 사건을 서사화하는 순간, 거기에는 이미 서사 주체의 해석적 욕망이 개입되기 마련이다. 즉 "사건을 '기술' 하는 모든 시도는 다양한 형식의 상상력에 의존할 수밖

5) 임철우, 「작가의 말」, 『봄날』 1권, 문학과지성사, 1997/2006, 9~11면.

에 없다"[6]는 것이라면, 이 과정에서 사건의 한 단락은 강조되거나 망각될 여지가 있다. 기억과 망각이 재구성되는 과정의 동일성과 차이를 비교하는 것은 이들의 소설이 제기한 문제의식을 구체적으로 가늠할 수 있는 방법이 된다. 주변부의 위치에서 이들의 소설의 미적 근대성을 읽는 이유는 그런 변별적 차이를 살피기 위해서다.

그런데 얼핏 보아 주변부의 위치에서 미적 근대성을 논의하려는 시도는 중심과 주변의 이분법적 대립 자체를 방법의 틀로 수용하는 것처럼 보일 수 있다. 하지만 여기에서는 주변부를, 중심부와 대립하는 고착된 장소로서가 아니라 중심부와 분리되지 않은 채 중심부와의 관계 속에서 움직이는 유동적 장소로서 사유하고자 한다. 이러한 주변부의 위치적 성격은 중심부와 주변부를 동시에 바라볼 수 있는 유효한 지점이 된다. 다시 말해 중심부와 분리되어 있으면서 중심부에 종속되어 있는 주변부의 위치는 중심부에의 동일화를 지향한 제도로서의 근대성과 중심부로부터 소외된 주변부의 상황을 비판적으로 바라볼 수 있는 시각을 준다.

따라서 이 글에서 주변부의 위치에 선다는 것은 주변부의 위치를 매개로 중심부의 논리를 성찰하면서 미적 근대성의 특수성을 밝혀 읽기 위한 은유적 공간으로 설정하는 것을 의미한다.[7] 그것

---

6) "사건에 대한 모든 설명에 허구적, 상상적 차원이 담겨 있다는 것은 사건이 실제로 일어나지 않았다는 것을 뜻하는 것이 아니라 (사건이 발생할 경우에 조차) 사건을 '기술'하는 모든 시도는 다양한 형식의 상상력에 의존할 수밖에 없다는 것을 뜻한다. 더구나 역사적 실재에 대한 모든 설명은 불가피하게 역사 철학에 의존한다"(로이드 S. 크레이머), 린 헌트 엮음·조한욱 옮김, 「문학, 비평 그리고 역사적 상상력」, 『문화로 본 새로운 역사, 그 이론과 실제』, 소나무, 2000, 146~188면.

은 중심부에 의해 억압된 주변부를 중심부와 대등한 위치로 복권하려는 시도와 거리가 멀다. 이러한 전제는 다음의 논의와 맥락을 같이한 것이다.

> 제도로서의 근대성은 동질적이고 단일한 체계화를 추구한 것이었다. 근대성에 의한 통합은 또 그것이 계몽주의적 보편성을 장악하고 행사하는 과정을 통해 진행되었다. 그러나 이 통합의 과정은 '중심'이 '주변부'를 확대해 간 양식으로 나타났다. 주변부로 관철된 모더니티가 보편적인 것이 됨으로써 주변부를 중심에 종속시켰던 것이다. 식민지에서 쓰인 일단의 모더니즘 소설들은 모더니티를 보편적인 것으로 만든 중심을 바라보지 않을 수 없었고, 그런 방식으로 주변부의 위치를 확인해야 했다. 이것이 내가 식민지의 모더니즘을 주변부 모더니즘으로 명명한 이유이다. 주변부는 중심이 아닌 곳이었다. 그렇지만 모더니티가 관철된 주변부는 중심과 이어진 곳이 되었다(주변부와 이어져 있지 않은 중심은 중심일 수 없다). 나는 주변부 모더니즘이 확인한 주변부라는 위치가 위계적 격절과 연속의 모순된 이중성을 갖는 것이었다고 생각한다. 분열은 주변부라는 모순된 위치가 작용하고 드러나는 양상이었다. 다시 말해 그것은 중심의(에 의한) 동일성을 부정하는 상태이자 증거였다. 보편적인 것으로서의 모더니티가 동질적이고 단일한 체계

---

7) 구모룡, 『지역문학과 주변부적 시각』, 신생, 2005, 8면.

화를 추구한 시간은 또 내면적 분열이 진행된 시간이기도 했던 것이다.[8)]

신형기는 식민지 시기 모더니티가 작동하는 방식을 살핀 자리에서 주변부 모더니즘을 위와 같이 설명한 바 있다. 그는 제도로서의 근대성을 중심부가 주변으로 확대해 간 현상을 "모더니티를 보편적인 것으로 만든 중심으로 바라봄으로써 주변부의 위치를 또한 확인했"던 의미에서의 "주변부 모더니즘(modernism on the periphery)"이라고 명명한다. "위계적 격절과 연속의 모순된 이중성을 갖는" 주변부의 위치에서 이상, 최명익, 박태원, 허준, 유항림, 현덕 등 식민지 시대 모더니즘 소설의 미적 근대성을 "지구적으로 확산된 당대성과 파열된 지역적 과거의 불균등한 공존이 일으키는 소란을 기록하는 방식", 즉 '분열(schizophrenia)의 기록'으로 읽은 것이다.[9)] 주변부의 위치에 대한 독특한 이해를 바탕으로 주변부의 징후를 통해 미적 근대성의 작동 방식을 읽은 것은 본 연구에 시사하는 바가 크다.

나아가, 우리는 주변부의 시각에 대해 좀 더 적극적인 의미를 부여할 수 있을 것이다. 즉 이 글에서 쓰고자 하는 주변부라는 용어는, 중심 지역의 사람들이 자신들이 자리하고 있는 문화에 이미

---

8) 신형기, 「책머리에」, 『분열의 기록–주변부 모더니즘 소설을 다시 읽다』, 문학과지성사, 2010, 5~6면.
9) 신형기, 「주변부 모더니즘과 분열적 위치의 기억」, 『분열의 기록–주변부 모더니즘 소설을 다시 읽다』, 앞의 책, 14~15면.

익숙해져 있는 반면 중심에서 멀리 떨어져 이질적인 문화를 접촉한 주변부의 사람들은 문화의 상대성을 오히려 의식하고 자신들의 문화에 대해서 반추할 기회를 가진다는 견해와 이웃한다. 본 연구에서는 주변인의 "비판적·변화지향적 시각이야말로 새로운 문화를 생산하는 창조적 동력"[10]으로 작용한다는 의미에서의 주변부의 시각을 수용할 것이다.

위에서 언급한 내용을 바탕으로 여기서는 주변부의 위치를 중심과 주변을 동시에 살필 수 있는 '사이' 공간으로 설정한다. 또 중심부의 가장자리에 놓인 주변부성(marginality)에 특히 주목함으로써 보편적이고 일반적인 층위에서 잘 드러나지 않았던 미적 근대의 특수성을 읽을 것이다. 작가들 나름대로 근대에 대한 비판적 사유를 어떤 방식으로 전개해 왔는지를 주변부적 존재로서의 경험을 통해 봄으로써 1960년대 이후 중심과 주변의 이분법적 경계로 재편된 자본주의 근대의 흐름에 대응한 미적 근대의 면모를 부피감 있게 드러낼 수 있으리라 기대한다.

## 2. 주변부의 지역적 조건: 공간, 언어, 역사

문학예술은 시대를 초월한 보편적인 표현 양식이기도 하지만

---

10) 백영서, 「주변에서 동아시아를 본다는 것」, 『주변에서 본 동아시아』(정문길·최원식·백영서·전형준 엮음), 문학과지성사, 2004, 17면.

작품의 원형질을 이루는 지역의 풍토성, 역사적 배경과 밀접한 특수한 성질의 것이기도 하다.[11] 그런데 해당 지역의 특수성은 고유한 실체가 아니라 그 지역에서 살아가고 있는 사람들의 경험과 기억에 의해 변화한다. 또 지역성은 다른 지역 간의 관계를 통해 해명된다. 즉 지역성은 그곳에서 살아가는 사람들의 구체적인 경험과 기억에 의해, 그리고 다른 지역과의 관계를 통해 구성된다고 할 수 있다. 그러기에 지역문학 연구는 변형과 생성을 거듭하는 지역성의 다층적 맥락과 흐름에 관심을 가져야 한다. 다음에 인용한 두 편의 글은 이에 대한 유의미한 지점을 예시해 준다.

> 다시 쓰기로서의 지역문학은 지역적 유산을 드러내고 기념하는 것이 아니라 지역의 문제가 근대의 문제이고 세계의 문제임을 밝혀내는 기획이다. 이것은 안이하게 기존의 역사적 사실을 재구성하는 것이 아니며 지역을 새롭게 이해하려는 지역연구와 병행하는 글쓰기의 모험이라 할 수 있다.[12]

> '지역문학이란 무엇인가' 라는 문제제기는 철회되어야 한다. 문제는 정체성을 규명하고 정의를 내리는 데 있지 않다. 정작 문제는, 지역문학이 어떻게 작동되어야 하는가, '문학의 위기' 상황에 대한 돌파구로서의 역할을 어떻게 해야 할 것인가

---

11) 와쓰지 데스로우, 박건주 옮김, 『풍토와 인간』, 장승, 1993, 20면.
12) 구모룡, 「세계화와 지역문학의 여러 층위들」, 『이청준과 남도문학』, 소명출판, 2012, 228~229면.

> 하는 점에 있다. 데리다의 표현을 빌리건대, 지역문학이란 정의내릴 수도 정체를 규명할 수도 없는 유령과 같은 것이지만, 그것이 미치는 효과는 실로 광범위할 수 있는, '실체 없는 효과' 이다.[13)]

위의 논의에 따르면, 지금 지역문학 연구가 지녀야 할 태도는 유산으로서의 지역성을 드러내고 기념하는 것이 아니라 지역의 문제를 근대의 문제와 세계의 문제로 사유하는 것이다. 아울러 우리 시대에 지역문학 담론이 감당할 문제는 단순하게 지역성과 지역문학에 대한 정의를 내리는 일에 있지 않다. 그것보다 '문학의 위기' 상황에 대한 돌파구로서 지역문학의 위치를 점검하는 일이 더 중요하다. 즉 지역문학 연구는 지역을 새롭게 이해하기 위한 글쓰기의 모험을 그치지 않으면서 지역성과 지역문학을 정의내리는 것보다 그것이 어떠한 실천적 물음을 제기하는지, 나아가 이 시대에 지역문학의 새로운 작동 방식과 역할을 고민할 필요가 있다.

이와 같은 지역문학에 대한 반성적 논의를 바탕으로, 이 책에서는 우선 서정인, 한승원, 이청준, 임철우 소설을 지역적 조건에 의해 살피되 호남의 지역성을 밝히는 것을 궁극적인 목적으로 설정하지 않는다. 그보다 지역적 조건이 어떤 문제성을 함축하고 있는지, 또 지역에 관한 지속적인 관심이 곧 근대를 어떻게 비판적으로

---

13) 김형중, 「지역문학 담론에 대한 비판적 고찰」, 『이청준과 남도문학』, 앞의 책, 286~287면.

사유하는 지점이 되고 있는지를 검토하는 데에 관심을 둘 것이다.

따라서 우리가 주목할 부분은 호남의 공간, 역사, 언어, 이 세 가지 지역적 조건이 교차하는 지점이다. 이들의 소설에서 공간, 역사, 언어는 공간과 역사, 역사와 언어, 언어와 공간, 공간과 역사와 언어 등으로 교직되어 있기 때문이다. 작가들마다 지역의 공간, 역사, 역사를 서로 다른 미적 사유와 전략으로 삼아 왔는지를 살핌으로써 주변부적 특수성에 대한 작가들의 지속적인 관심이 곧 사회적, 정치적 근대성에 대항한 미적 기획이었음을 한층 드러내 읽게 될 것이다.

문학 속의 공간은 실재 공간이 그대로 등장한다 하더라도 작가가 그 공간을 어떻게 경험하고 지각하느냐에 따라 다른 의미를 띠는 미적 공간이다. 에드워드 렐프가 말한 장소감(sense of place)은 바로 그런 공간에 대한 인간 심리체험을 드러낸 개념인데, 인간이 장소를 어떻게 지각하고 경험하고 의미화 하는가에 따라 하나의 장소에 대한 느낌과 의식은 다르게 형성된다는 것이다.[14] 따라서 지리 공간과 문학 공간을 일대일로 대응하여 그 일치 여부를 확인하는 것은 일차적인 일에 속한다.

중요한 것은 작가들이 지리 공간을 경험, 지각하는 방식과 태도가 역사 인식과 언어 인식의 심층을 어떻게 구성하는지를 함께 읽는 작업이다. 가령, 작가들은 나고 자란 고향을 다양한 상징적 의미를 지닌 장소로 형상화한다. 그래서 문학 속의 고향은 작가들의

14) 에드워드 렐프, 김덕현·김현주·심승희 옮김, 『장소와 장소장실』, 논형, 2005, 309면.

원초적 경험과 기억이 그대로 보존된 곳이라기보다 정체성과 역사 그리고 시대현실에 대한 문제를 새롭게 제기하는 장소가 된다. 다시 말해 고향을 재발견하는 과정에서 전통과 근대의 양면을 반성적으로 성찰하는 작업이 동시에 이루어진다.[15)]

역사적 사건으로 인한 경험과 기억을 재구성하는 과정에서 원체험은 적지 않게 변형된다. 게다가 동일한 역사적 사건은 작가들의 언어 인식과 글쓰기의 태도에 따라 각기 다른 의미로 재현된다. 따라서 소설 속에 신술된 역사적 사건과 경험은 솔직한 자서전적인 진술과 같은 것이 아니며 사건에 대한 직접적인 증언은 더욱 아니다.

그런데 흥미로운 점은 이들의 소설 안에 담긴 역사적 기억에 관한 진술들이 1990년대를 전후하여 활발하게 전개된 증언채록과 구술사 연구에 의해 밝혀진 내용과 겹치는 부분이 적지 않다는 것이다. 이로 미루어 볼 때, 이들의 문학이 역사적 진실과 고통의 기억을 말하는 자리에서 그저 동떨어진 일이거나 아주 무의미한 일만은 아니라고 생각된다.

또, 작가들의 지리 감각과 공간 인식은 지역의 역사문화적 상황과 밀접하게 관련되어 있다. 작가들은 지역의 역사문화적 전통에서 지나간 역사와 동시대의 현실을 성찰하는 준거점을 마련한다.[16)] 그러므로 호남 지역의 사찰공간을 무대로 한 서정인, 한승원, 이청준의 소설에서 눈여겨보아야 할 것은 사찰의 역사성을 통

---

15) 동국대 문화학술원 한국문학연구소 엮음, 『'고향'의 창조와 재발견』, 역락, 2007. 참조.

해 어떤 문제의식을 끌어내고 있는가에 있다. 아울러 지역의 불교 전통을 참된 언어와 문학의 길을 탐색하는 하나의 방법론으로 삼았다는 점을 주의 깊게 읽어야 한다. 같은 맥락에서 작가들이 호남 지역의 무가, 씻김굿, 설화, 판소리 등 공동체의 문화 기억을 새로운 각도에서 읽은 것은 전통 모티프에서 미학적 사유와 상상력의 원천을 모색하기 위한 노력의 일환이었다. 1970년대의 군부 독재와 경제개발 정책, 또 1980년 광주항쟁을 연이어 겪은 이 지역의 작가들이 호남 지역의 전통문화를 재해석한 것은 바로 폭력적인 역사에 대한 깊이 있는 성찰과 맞닿아 있는 것이었으며 자본주의 근대에 대한 비판과 그 극복을 위한 시도였다는 점을 밝히는 작업이 요구된다.[17]

이처럼 작가들은 지역의 전통문화에서 비극적인 세계상의 징후를 읽어 내고 그것을 역사적 폭력과 자본주의적 근대의 모순을 성찰하는 매개로 수용한다. 우리는 이 작가들이 어떠한 미적 태도 하에 전통 모티프를 수용, 변용했는지를 읽어 봄으로써 근대 비판의 심층을 볼 수 있을 것이다. 아울러 전통을 새기는 방식이 서로 다르기에 동일한 모티프를 수용, 변용하는 과정에서 차이를 보이

---

16) 1960년대 이후 작가들은 이전 세대의 전통론이 고유한 '조선적인 것' 혹은 '한국적인 것'을 찾으려 한 나머지 일종의 복고주의나 숭고주의에 머물렀던 것과는 다르게, 전통의 긍정적 요소와 부정적 요소를 동시에 사유하여 반성적 성찰에 이를 수 있었다. 1960년대 전통론에 관해서는 김주현, 「1960년대 한국적인 것의 담론 지형과 신세대 의식」, 『상허학보』 17집, 상허학회, 2006. 참조.

17) 한순미, 「고통의 시대와 저항담론으로서의 불교사상」, 『호남문화연구』 51집, 전남대학교 호남학연구원, 2012.

고 있다는 점에도 주목할 필요가 있다.

이러한 변별적 차이에 의지해 작가들의 전통 수용 양상을 다음과 같이 간략하게 비교해 볼 수 있다. 이청준은 무속과 설화, 판소리 등 전통문화와 토마스 만과 카프카 등 독문학의 접점에서 소설의 주제와 형식의 확장을 시도했다면 서정인은 그리스 로마 신화와 동서양의 사상을 비판적으로 수용하여 서양의 알레고리와 유가의 정명론에 바탕을 둔 언어관과 문학관을 지향했다. 한승원은 신화와 무속, 불교와 노장 등을 융합하여 민중의 원초적 생명력과 운명의 문제를 천착하였다. 임철우는 고향섬 사람들의 설화와 이야기를 재구성함으로써 지속되는 분단의 트라우마를 분석하였다. 이런 과정에서 어머니, 고향, 한(恨), 부끄러움, 죄책감, 용서, 사랑, 구원 등이 주요한 문학적 화두가 된다.

이상에서 간단하게 살핀 것처럼 주변부 호남의 지역적 조건, 즉 공간, 언어, 역사는 작가들의 소설에서 서로 다른 맥락과 의미로 변수된다. 앞으로 우리는 작가들이 주변부의 지역적 조건을 어떤 방식으로 견인해 왔는지를, 주변부적 존재로서의 근대 경험에 자리한 내면적 충돌과 정신적 혼란을 어떤 미적 태도로 전유함으로써 근대에 응전했는지를 함께 읽어 볼 것이다. 주변부 호남의 지역적 조건이 바로 근대의 모순을 성찰하면서 그 극복의 가능성을 모색하는 이중 매개였다는 점을 포착해 읽는 것이 우리에게 남겨진 과제다.

## 3. 미적 근대성과 시대문턱으로서의 1960년대

미적 근대성(aesthetic modernity)은 한국 근현대문학사에서 제기된 주요한 쟁점 가운데 하나다. 일반적으로 문학의 미적 근대성은, 과학과 기술의 진보, 산업혁명, 자본주의에 의해 야기된 광범위한 사회 경제적 변화의 산물과 미적 개념으로서의 모더니티, 이 두 가지 모더니티의 균열을 통해 설명된다.[18] 그런 한편 리얼리즘과 모더니즘의 대립을 넘어 근대성이라는 포괄적인 틀로 문학사를 재구성할 수 있는 시각이 근대성 논의의 주요한 입장으로 수용되었다.[19] 또 근대성을 어떤 '태도'로 여기면서 "동시대의 현실에 관련되어 있는 어떤 (존재) 양식, 사람들의 자발적인 선택, 그러니까 사유하고 느끼는 방식"으로 이해하는 관점이 있다.[20]

그동안 한국문학의 미적 근대성 연구는 앞서 요약한 미적 근대성 논의를 토대로 사회적 근대성의 반대항으로서 미적 근대성과 당대의 현실에 어떻게 문학이 실천적으로 대응했는지를 고찰하는 등 다양하게 전개되었다.[21] 그중에서 몇 가지 논의를 정리해서 읽고, 본 연구의 방법론을 그려 보고자 한다.

미적 근대성이 발생론적으로 정치 경제 사회적 근대성의 소

---

18) 마테이 칼리니스쿠, 이영욱·백한울·오무석·백지숙 옮김, 『모더니티의 다섯 얼굴』, 시각과 언어, 1998, 53~71면.

19) 마샬 버먼, 윤호병·이만식 옮김, 『현대성의 경험』, 현대미학사, 1994. 참조.

20) 미셸 푸코, 김성기 엮음, 「계몽이란 무엇인가」, 『모더니티란 무엇인가』, 민음사, 1994, 349~356면.

산이라는 점 자체는 부인되기 힘들 것이다. 현실의 급격한 변화는 자연스럽게 심미적 경험의 변화를 초래하였고 이는 다시 문화 예술의 다양한 분야에서 출현한 미적 근대성의 토대가 되었다. 그러나 미적 근대성은 현실적 근대성의 단순한 종속변수로 머물기보다는 그러한 근대성에 대한 근원적 반성이자 비판으로 자신을 정립시켰고 끊임없이 근대 근대성 근대화의 정당성에 대해 의문부호를 제기하는 이단 세력으로 자리 잡았다.

미적 근대성은 부르주아가 자랑해 마지않는 사회 각 부문의 성과에 대해 항상 회의와 냉소를 던지고 그것의 타당성을 그 근저에서부터 전복하고자 하는 반란의 몸짓을 포기하려 하지 않았다. 그런 의미에서 사회적 근대성과 미적 근대성은 근대라는 야누스적 얼굴의 반대면이라고 할 수 있다.[22)]

미적 근대성이란 계몽주의적 합리성을 기반으로 한 '논리의 세계', '보편의 세계'가 은폐하는 차이와 특수성을 드러내는 장치이며, 애초에는 육체와 감각을 기반으로 삼았던 정신,

---

21) 나병철, 『한국문학의 근대성과 탈근대성』, 문예출판사, 1996; 하정일, 『20세기 한국문학과 근대성의 변증법』, 소명출판, 2000; 이광호, 『미적 근대성과 한국문학사』, 민음사, 2001; 김민수, 『환멸의 세계, 매혹의 서사』, 거름, 2002; 구모룡, 「한국근대문학과 미적 근대성의 관련 양상-미적 근대성론의 한계를 중심으로」, 『국제어문』 29집, 국제어문학회, 2003; 김춘식, 『미적 근대성과 동인지 문단』, 소명출판, 2003; 상허학회 엮음, 『1960년대 소설의 근대성과 주체』, 깊은샘, 2004; 김영찬, 『근대의 불안과 모더니즘』, 소명출판, 2006; 우찬제 이광호 엮음, 『4·19와 모더니티』, 문학과지성사, 2010 등.

22) 남진우, 『미적 근대성과 순간의 시학』, 앞의 책, 37~39면.

관념, 합리주의적 이성의 기원을 폭로하는 장치이다. 미적 근대성은 이 점에서 고정화된 합리주의적 규율·제도·윤리·도덕 등의 선험성을 의심하고 주체의 경험세계를 무엇보다도 신뢰한다.

균질화(homogenization)된 세계의 등가성, 교환 가능한 가치 등 합리주의적 계산법을 부정함으로써 일상(생활세계)의 이데올로기와 관습적 신념을 회의하고, 주체의 내면에 새로운 감각, 감정, 정서, 정조, 사상을 구축하는 원동력이 근대가 발견한 '미의 영역'이다. 따라서, 미적 근대성은 합리주의의 규율을 근대성 안에서 의심하고 회의하는 전통이며, 제도와 합리주의적 가치 규율 이전의 원초적 경험, 체험을 통한 주체의 자기 갱신을 강조함으로써 압도적인 제도와 체계로부터 개인을 분리시킨다.[23)]

앞서 인용한 글에서 핵심적인 대목을 요약하면 다음과 같다. 미적 근대성은 "건설과 파괴, 해방과 구속, 발전과 타락"의 양면적인 얼굴을 한 근대에 대한 회의감에서 출현하였다. 그것은 현실적 근대성에 종속되는 것에 머물지 않고 그에 대한 전복적 반란이자 폭로의 장치로 기능하는 이단 세력으로 자리 잡았다. 그런 한편 미적 근대성은 계몽주의적 합리성을 기반으로 한 보편과 논리의 세계가 은폐한 차이와 특수성을 드러내는 장치가 되었다. 미적 근대성은

---

23) 김춘식, 『미적 근대성과 동인지 문단』, 소명출판, 2003, 33면.

근대의 제도와 체계 안에서 그것에 대한 회의와 부정을 추구하면서 "주체의 내면에 새로운 감각, 감정, 정서, 정조, 사상을 구축하는 원동력", 즉 "미의 영역"을 발견하는 것에 관심을 두었다.

이러한 미적 근대성의 개념을 기반으로 하여 한국문학에서의 미적 근대성 논의는 다양한 각도에서 이루어졌다. 아울러 미적 근대성 연구의 구체적인 방향도 함께 모색되었다.

> 미적 근대성이란 미적 경험(experience)이고 미적 태도(attitude)인 동시에 미적 기획(project)이다. (…) 미적 근대성을 통한 문학사의 재구성이란 역사적으로 나타난 미적 근대성의 여러 측면들, 즉 자기 시대의 현실 상황에 대응하는 미적 경험과 태도 및 기획을 살피고 역사화한다는 것을 의미한다.[24)]

> (…) 문학사의 공간 내에서 작품과 이론들이 근대적 지표를 무엇으로 설정했는가 하는 개별적인 사례들에 대한 탐색이 먼저 진행되어야 하며, 이를 통해 한국문학의 근대적 문학 의식이란 과연 어떠한 것이었냐를 밝히는 작업이 진행되어야 한다. 미적 근대성이란 그러니까 완성되고 실체화된 문학 이념이 아니라 그 안에 다양하고 이질적이며 모순된 문학적 지향들을 포함하고 있는 탄력적인 문제의 틀이며 담론의 공간일 뿐이다.[25)]

---

24) 김민수, 『환멸의 세계, 매혹의 서사』, 앞의 책, 11~12면.
25) 이광호, 『미적 근대성과 한국문학사』, 앞의 책, 131~132면.

문학의 미적 근대성은 정서, 감각, 체험을 통해 구성된 미적 주체와, 추상적인 층위에서가 아니라 작품들을 대상으로 하여 구체적인 미적 실현의 양상들에 대한 분석을 수반한다. "미적 경험과 태도 및 기획을 살피고 역사화"하는 작업, 그리고 현실 차원에서의 근대성과 문학 예술에서 추구된 미적 근대성이 어떤 관련을 맺고 있는지를 그리고 미적 근대성 연구가 왜 필요한지에 대해 관심을 둔다. 미적 근대성을 세밀하게 살피기 위해서는 모더니티의 "개별성"과 "복수성"을 사유함으로써 "한국근대문학의 특수성 안에서 다양한 미적 근대성의 움직임"을 밝혀 읽는 작업이 중요하다.

이와 같은 미적 근대성 개념과 연구의 방향을 참조하면서 우리의 논의를 본격적으로 전개하기 위해 한국문학의 미적 근대성 논의에서 왜 1960년대라는 시기가 주목되는지를 간단하게 정리해 본다.

김현은 이전의 세대와 구별되는 1960년대 작가들의 변별적 자질을, 그 상황을 뚜렷이 인식함으로써 그 상황을 극복하려는 데에 있다고 설명했다.[26] 이어서 김병익은 1960년대 작가들이 "경악에서 성찰로, 체험에서 언어로, 물리적 현상에서 내적 결단으로, 실존주의에서 시민의식으로, 패배감에서 극복에의 의지로 거대한 전환"[27]을 시도한 점에서 그 가능성을 읽었다. 이 시기의 작가들은 모든 인간들의 삶의 방식과 그 사회적 연관성을 검토하고자 한 결과,[28] 문학 나름의

---

26) 김현, 「구원의 문학과 개인주의」, 『현대한국문학의 이론/사회와 윤리』, 문학과지성사, 1995, 383~384면.

27) 김병익, 「60년대 문학의 가능성」, 『한국현대문학의 이론』, 민음사, 1972, 264면; 김주연, 「새시대 문학의 성립-인식의 출발으로서의 60년대」, 『68문학』, 1968 등.

28) 권영민, 『한국현대문학사 1945-1990』, 민음사, 1993, 199면.

문제의식을 가지고 체험의 직접성을 지양해 '서사성의 회복' 하였다는 점에서 1950년대 소설과 차별성이 있다고 할 수 있다.[29)]

요컨대 1960년대는 "사회경제적 문화적 차원에서 현재까지 지속되고 있는 한국사회 근대성의 성격이 본격적으로 주조(鑄造)되고 내면화되는 시작한 시기인 데다가 다른 한편으로 그에 대한 미학적 반응 양식이라 할 수 있는 분단시대 한국 모더니즘 소설의 현재적 전통이 본격적으로 개화하는 시기"[30)]다. 이 시기에 이르러 한국문학은 비로소 해방과 한국전쟁에 대한 반성적인 시각을 확보할 수 있었고 미흡하게나마 근대적 개인의식과 주체성의 자각이 이루어졌으며 미적 주체들의 글쓰기가 본격적으로 전개되었다. 근대적 주체, 개인의식, 자유의 실현 등 다양한 테제들이 1960년대 이후 한국문학의 중심 화두가 된 것이다.

1960년대의 서막을 열었던 4·19혁명은 한국문학의 미적 근대성 논의에 있어서 간과할 수 없는 사건이다. 4·19와 5·16의 잇따른 경험은 혁명의 순간에 잠시 만난 듯한 '유토피아' 에 대한 기대가 곧바로 좌절되는 '상실감' 을 동시에 안겨 주었다. 김현이 4·19세대 작가들의 문학세계를, '좌절과 가능성' 이라는 양가감정으로 포착하고 그 대립적 질서가 한 몸을 이룬 '겹' 의 구조로 분석하고 해석한 것은 그와 같은 맥락에서였다.[31)] 김윤식은 1960년대 세대

---

29) 하정일, 「주체성의 복원과 성찰의 서사」, 『1960년대 문학연구』, 깊은샘, 1998, 14면, 13~44면.

30) 김영찬, 『근대의 불안과 모더니즘』, 소명출판, 2006, 15면.

31) 김현, 「60년대 문학의 배경과 성과」, 『분석과 해석/보이는 심연과 안 보이는 역사 전망』, 문학과지성사, 2003, 239면.

의 문학을 4·19의 자유와 5·16 이후의 근대화, 즉 "현실 원칙"과 "환상 원칙" 사이에 놓여 있는 세대의 표현으로 보았다.[32] 두 가지 의식이 상충되면서도 보족하고 있는 형국을 정과리는 '유혹과 공포' 라는 양가 의식으로 포착하고 그것이 현실의 왜곡된 상황을 재구성하는 방법을 구조적으로 보여준다고 했다.[33] 성민엽은 4·19 세대의 의식을 '자기 긍정' 과 '자기 부정' 으로 구분하여 1960년대 문학의 성격을 김승옥, 이청준, 최인훈과 같은 관념성과 허구성의 미학을 중시하는 계열과 이호철, 박태순, 김정한, 이문구와 같은 현실 변혁의 실천적 의지를 중시하는 계열로 나누어 논했다.[34]

양면 대립의 감정이 하나의 겹을 이룬 인식의 구도는 당대 작가들의 내면의식과 문학세계의 근본 원리로 자리한다. 4·19는 이전 세대의 문학과 단절된 전환점이자 새로운 문학적 고뇌를 생성시킨 '시대문턱' [35]이라 할 수 있다. 무엇보다 4월혁명은 "역사적 사실로서의 4·19라기보다는, 차라리 4·19를 둘러싼 의식과 감각이 글쓰기의 내적 지향성과 결합하는 문제"와 "4·19의 모더니티를 말할

---

32) 김윤식, 「60년대 문학의 특질」, 『한국문학의 근대성과 이데올로기 비판』, 서울대학교 출판부, 1987.

33) 정과리, 「유혹, 그리고 공포」, 『문학, 존재의 변증법』, 문학과지성사, 1985.

34) 성민엽, 「4·19의 문학적 의미」, 『문학과 빈곤』, 문학과지성사, 1988.

35) '시대문턱' 이라는 용어는 한스 로베르트 야우스에게서 가져왔다(『미적 현대와 그 이후-루소에서 칼비노까지』, 김경식 옮김, 문학동네, 1999, 85~130면). 야우스는 '시대문턱' 이라는 개념으로 서구의 미적 현대의 역사를 정리하고 있는데, 그의 논의에 따르면 서구 미학사는 18세기 중엽의 시대문턱, 1789년 프랑스혁명 이후의 문턱, 1848년 이후의 문턱, 1912년경, 탈현대로의 전환이 이루어진 최근의 시대문턱 등에 따라 전개되었다. 이 글에서는 4·19를 한국문학사에서 미적 전환을 가져온 하나의 계기점이라 보고, 이 용어를 사용한다.

때도, 그것은 역사상의 한 시대라기보다는 4·19 이후에 나타난 태도의 문제"와 연관된 '미학적인 사건' 이었다고 할 수 있다.

다시 말해, "4·19를 미학적인 사건이라고 규정한다는 것은 4·19의 정치사회적인 의미를 제거하겠다는 것이 아니다. 역사철학적 층위와의 연관 속에서 기존의 제도화된 지식과 문법과는 '다른 시간' 을 도래시키는 미적 사건이라는 측면에서 4·19를 이해한다는 것이다."[36] 우찬제는 "4·19에서 불지핀 "자존" 혹은 "자존감"이 5·16로 인해 "불안" 혹은 "무력감"으로 선환되는 "이런 감정들의 길항 속에서 4·19세대의 삶과 문학적 감수성이 새롭게 형성되고, 그 진자운동 속에서 나름대로 '자기 세계' 를 형성하려는 문학적 수고를 통해 미완의 혁명을 진행형의 혁명으로 계기하고자 한 것이 4·19세대의 문학이 아닐까"라고 덧붙인다.[37] 그런 관점하에 그는 김승옥, 최인훈, 이청준, 서정인 소설의 '자유' 의 스타일을 통해 모더니티의 새로운 지평과 근대적 개인, 자유의 이념을 독해한다.

혁명의 기억은 차츰 그 순간의 사실성과 결별하면서 어떠한 의미도 지니지 않는 텅 빈 기표가 된다. 그래서 시대경험은 그 시대를 직접 살고 겪은 자들의 것과 다를 수밖에 없다. 설령 그 사건의 순간을 직접 겪었다 할지라도 그 순간의 경험과 기억은 점차 추상화된다. 따라서 어떤 시대의 생생한 감성구조와 감성표현에 접근

---

36) 이광호, 「4·19의 '미래' 와 또 다른 현대성」, 『4·19와 모더니티』, 앞의 책, 42~46면.
37) 우찬제, 「자유의 스타일, 스타일의 자유」, 『4·19와 모더니티』, 앞의 책, 62~63면.

할 수 있다 하더라도 그것은 '언제나 이미' 그 시대의 것일 수 없다. 사건의 경험과 기억을 사후적으로 재구성함으로써 그 사건에 근접할 수 있을 뿐이라는 생각은 결코 회의적이거나 비관적인 태도가 아니다.

4·19혁명을 작가들의 감성에 다양한 파문(波紋)을 새긴 미적 사건으로 여길 때, 시대결정론이나 본질주의적인 태도로 감성에 접근하는 방식을 벗어날 수 있다. 4·19혁명과 5·18 광주항쟁과 같은 역사적 사건을 작가들의 문학적 감성을 주조하는 외적 요인이라고 할 수 있겠지만, 시대적인 상황이라는 외부적인 계기와 함께 작가 나름의 내적 고뇌가 전개되는 과정을 독해할 때 감성의 다층을 드러내 읽을 수 있다.

이와 같은 시각에서 앞으로 우리는 작가들이 역사적 경험과 기억을 형상화하는 태도와 방식을 비교하면서 서정인, 이청준, 한승원, 임철우 소설의 미적 근대성을 읽을 계획이다. 감성적 차이를 통해 작가들의 미학적 자의식과 사유 원리를 검토하는 것을 목적으로 한다. 이러한 방법과 목적은 그동안 보편적이고 일반적인 수준에서 이루어진 미적 근대성 논의에 대한 적절한 대안이 될 수 있다. 미적 근대성의 변별적 차이를 읽을 때 이들의 문학세계에 자리한 지역성을 지역문학의 특수한 성격이나 경향으로 해석하는 것에 한 걸음 나아갈 수 있으리라 기대한다.

## 4. 감성의 징후와 차이

예술가들은 인식의 주체이기 이전에 상상의 주체이며 또한 감정의 주체이기도 하기 때문에 세계에 대한 '관(觀)'을 가질 뿐 아니라 세계에 대한 영상의 구조를 의미하는 세계 '상(像)' 그리고 세계에 대한 감정의 구조를 의미하는 세계 '감(感)' 또한 갖는다.[38] 따라서 개별 작가들의 문학세계를 이루고 있는 섬세한 감성의 결들을 읽기 위해서는 작가들이 공통의 시대경험을 동일한 방식으로 구조화하지 않는 지점, 즉 동일한 시대경험이 다양하게 분할되는 지점을 살펴야 한다. 그들의 문학세계를 동일한 문법으로 환원하지 않으려는 태도를 취할 때 작가들의 작품세계가 지닌 개별성과 특수성, 그리고 그 감성적 차이를 드러낼 수 있다.

이를 읽기 위해 다음에서는 벤야민, 하이데거, 들뢰즈, 레비나스의 철학과 미학, 레이먼드 윌리엄스의 사회학을 간략하게 개관하여 감성론의 밑그림으로 삼고자 한다. 여기서 정리된 내용은 앞서 언급한 주변부의 지역적 조건, 즉 언어, 공간, 역사에 대해 감성적 시각을 보충하는 자리로서도 의미가 있을 것이다.

하이데거의 정조(情調, stimmung)가 그러하듯이, 감성은 분명히 있지만 언어로 재현될 수 없는 미분절적인 것이라고 할 수 있다. 하이데거가 제시한 정조 개념은 소리(stimme)라는 어근을 안

38) 김홍중, 「멜랑콜리와 모더니티 : 문화적 모더니티의 세계감(世界感) 분석」, 『한국사회학』 40집 3호, 한국사회학회, 2006. 1면 참조.

고 있는데, 하이데거는 이 정조의 개념이 철학적 사유에 내포되어 있다는 사실을 제기함으로써 로고스와 파토스의 대립적인 위계질서를 전도시킨다. 그리하여 사유와 의지에 종속되어 왔던 느낌, 즉 감정의 질서를 학문적으로 회복하려 시도했다. 이처럼 하이데거는 인간의 감정을 단순한 심리학적 소여가 아니라 주체가 역사적으로 세계와 관계 맺는 가장 본원적인 차원이며 집합적인 체험의 구조라는 사실을 논구하기 위해 '정조' 라는 개념을 사용한다.[39)]

벤야민은 보들레르의 시에 대한 해석을 통해서 근대성과 멜랑콜리의 문제를 모더니티의 주요한 테마로 부각시킨 바 있다. 그는 우울(Spleen)이라는 정서를 "보들레르의 모든 시선을 규정하고, 인식을 형성시키고, 수사(修辭)를 주조하며, 이미지를 창조하는 일종의 기조 화성"으로 읽는다. 벤야민에게 멜랑콜리는 근대의 경험을 압축하는 하나의 정조로서, 감정, 열정, 정념, 충동, 정서, 파토스 등 다양한 느낌의 문제를 구조적으로 접근하게 해 주는 개념이다. 그것은 한편 세계와 맺는 한 가지 방식이며 세계를 감각하는 미적 전략이기도 하다. 그리하여 근대 이후 세계감으로서의 멜랑콜리는 현실의 질서를 외면하는 슬픔, 우울, 무기력, 고독, 광기 등과 같은 병적이고 소극적인 정서가 아니라 자본주의적 세계질서의 핵심을 드러내고 또 그것에 대항하는 미적 근대성의 핵심이자 유효한 방법이 된다.[40)]

---

39) 김홍중, 앞의 글, 6면.
40) 김홍중, 앞의 글, 6~21면.

들뢰즈의 철학에서 말하는 감성(sensiblité)은 수동성보다 더 수동적인 경험으로서 그것은 비표상적인 기호에 해당한다. '이성'을 발화될 수 있는 음성언어에 비유할 수 있다면, '감성'은 스스로 소리를 내지 못하는 문자언어와 흡사하다. "고통을 느끼는 우리의 감성은 기호의 의미와 기호 속에서 육화하는 본질을 찾아내도록 지성에게 강요한다."라고 들뢰즈는 말한다. 들뢰즈의 감성론은, 감성을 매개되지 않고 직접 주어지는 기호로 여긴다. 즉 기호로서의 감성은 어떤 개념에 의해서도 매개되지 않음으로써 그것의 정체를 탐색하도록 마음을 자극하는 어떤 것, 그것은 바르트가 말한 "나를 끌어당기거나 상처를 주는 어떤 세부적인 요소", 즉 푼크툼(punctum)과 다르지 않다. 사진의 정보와 지식, 사진가의 의도를 전하는 '스투디움(studium)'과 달리 푼크툼의 라틴어 어원에는 "상처(blessure), 찔린 자국(piqûre) 혹은 날카로운 도구에 의한 흔적(marque)"의 뜻이 담겨 있다.[41)]

현대철학에서 감성은 곧 '상처받을 수 있음(vulnérabilité)'이라는 수동성의 개념, 매개 없이 주어지는 상처의 경험이다. 주체는 자신이 아닌 타자의 지배를 받듯 상처와 고통에 의해 수동적으로 지배받는다. 감성은 타인과 만나는 장소가 된다. 이를 레비나스는 "감성은 타자에 대한 노출이다"라고 표현하면서 고통 혹은 상처받

41) 서동욱은 "트라우마를 표상이 부재하는 자극"으로 정의하고, 트라우마를 바르트가 말한 '푼크툼(punctum)'과 연관하여 해석한다(서동욱, 「상처받을 수 있는 가능성」, 『차이와 타자』, 문학과지성사, 2001, 121~123면). 푼크툼과 스투디움에 관해서는 롤랑 바르트, 김웅권 옮김, 『밝은 방』, 동문선, 2006. 41~43면 참조.

음을 자아 안에 있는 타자와의 만남으로 설명한다.[42)]

한편, 감성은 인간의 존재가 그러하듯이 개인적이면서도 사회적인 것이다. 감성의 사회성을 레이몬드 윌리엄스는 '느낌으로서의 사상(thought as felt)', 혹은 '사유로서의 느낌(feeling as thought)'이라는 감정구조로 설명한다.[43)] 또 감성의 사회성은 감정을 일종의 "관여(involvement)의 경험을 자아내는 것", 즉 "감정은 사람들의 경험에 대한 주체의 사고도 아니며, 그러한 경험에서 나오는 자기 설명의 언어도 아니다. 감정은 자기가 관여하는 세계와의 직접적 접촉이"[44)]라고 말한 잭 바바렛의 논의에서도 읽을 수 있다.

앞서 정리한 내용에 의하면 감성은 세계를 경험하고 느끼고 분절하는 근본감정이자 미적 태도라 할 수 있다. 또 감성은 단지 한 개인의 감정과 사고가 아니라 세계와 접촉, 세계에 관여하는 방식이자 태도다. 즉 감성은 개인적인 것이면서 사회적인 것이다. 문학에서 감성 연구는 감각, 감정, 이미지, 상상력, 그리고 그 시대의 윤리, 가치, 규범, 풍속, 관습 등을 함께 살피는 역동적인 작업을 수반한다.

이들의 문학에서 호소하는 주변부적 존재로서의 트라우마는 인식의 층위가 아닌 감정으로, 문자화할 수 없는 이미지로, 의식화

---

42) 손유경, 『고통과 동정』, 역사비평사, 2008, 37면.
43) 레이몬드 윌리엄스, 성은애 옮김, 『기나긴 혁명』, 문학동네, 2007, 93~94면.
44) 잭 바바렛, 박형신 옮김, 「왜 감정이 중요한가」, 『감정과 사회학』, 이학사, 2009, 7~8면.

될 수 없는 몸의 감각으로 표현된다. 증오, 분노, 저주, 원한, 서러움, 슬픔, 복수, 증오, 사랑, 용서, 구원 등 다채로운 감성의 결은 색채, 소리, 냄새 등 감각적 이미지를 동반한다. 섬, 바다, 포구, 길, 소문, 소리 등의 다양한 이미지들은 작가들마다의 설화적 상상력, 역사의식, 언어관, 소설관 등과 긴밀하게 결합되어 있다.

가령, 한 작가의 소설에 자주 등장하는 이미지가 있다면 그것은 작가의 미적 사유와 상상력, 그리고 소설 속의 문제의식과 연관된 감성의 산물이다. 이미지는 그동안 역사/신화, 비감성적인 것/감성적인 것, 사실/환상 등의 대립 속에서 비합리적이고 비이성적인 신화적 환상에 근접한 것으로 여겨왔으나 감성의 시각에서 바라보는 이미지는 그 대립의 질서를 새롭게 사유하는 과정이 된다. 이미지는 보이는 어떤 것이 아니라 보이지 않는 것들을 생생하게 밖으로 나올 수 있게 해 주는 것이다.[45] 존재하는 것들을 밖으로 현상하게 하는 것, 그래서 보이게 하는 것이 이미지의 본질이다. 이때 이미지는 동시적인 의미를 지닌다.[46] 또 이미지는 또 "우리가 이미지의 세계에 끌리는 것은 지식에 대한 알 수 없는 어떤 은밀한 반항심 때문이 아닐까?"[47]라고 벤야민이 묻고 있는 것처럼 미지

---

45) 질베르 뒤랑은 이미지가 실재가 아닌 거짓된 환상이라는 관점으로 이미지에 대해 개념의 인식론적 우위를 주장하는 실증주의를 비판하면서, 과학적 실증주의가 직접적인 사고만을 진리로 인정하여 상상과 초월의 세계에 대해서 평가절하 하는 태도는 인간이 초월적 세계에 다다를 수 있는 끈을 스스로 놓아버리는 결과를 낳는다고 경고한 바 있다(질베르 뒤랑, 진형준 옮김, 『상징적 상상력』, 문학과지성사, 1988, 27~49면).

46) 김동규, 『하이데거의 사이-예술론』, 그린비, 2009, 234~280면.

47) 발터 벤야민, 김영옥·윤미애·최성만 옮김, 「멀리 떨어져 있음과 이미지들」, 『일방통행로/사유이미지』, 길, 2007, 223면.

의 세계에 대한 지적인 물음들을 생산한다.

이러한 감성적 자질, 즉 감각, 감정, 이미지, 상징 등을 독해함으로써 우리는 이들의 소설에 자리한 통증에 근접해 갈 것이다. 그 통증은 간추려 보면 아픈 역사적 사건이 남겨 준 상처와 흔적, 부당한 현실에 대한 거침없는 항의와 새로운 사회를 향한 끝없는 열망, 즉 슬픈 현실과 이상적 꿈, 분노와 유토피아의 접점에서 분출된 결과일 것이다. 이 책에서는 작가들의 소설에 자리한 통증을 '추방과 귀환', 이 두 가지 징후로 포착하여 읽게 된다.

이 책의 본론은 크게 4부로 구성되어 있다. 1부 '공간의 역사: 두꺼운 역사 기억', 2부 '고통의 언어: 상처와 흔적', 3부 '추방당한 자들의 귀환: 애증의 변증', 4부 '전통의 변용과 근대에 대한 탐문: 구원과 치유의 (불)가능성'에서 주요하게 논의할 내용을 미리 제시하면 다음과 같다.

1부 '공간의 역사'에서는 작가의 고향을 비롯한 호남 지역의 공간을 중심으로 무대로 한 소설들을 중심으로 작가의 언어 인식과 공간 인식, 그리고 그 내적 변모 양상을 주로 살핀다. 특히 산, 바다, 포구, 섬 등 자연 공간에 대한 작가들의 독특한 사유와 미적 전략에 관심을 둘 것이다.

이어지는 2부 '고통의 언어'에서는 작품에 흐르는 감성과 문제의식을 서로 연관시켜 읽는다. 서정인의 우울과 권태를, 이청준의 유토피아와 공동체에 관한 문제와 함께 읽고, 한승원의 원한과 복수를 임철우의 저주와 낙인의 표지와 겹쳐 본다. 이미지, 감각, 감정, 정조 등 감성의 심층을 독해함으로써 미적 근대성의 면모를 부피감 있게 드러낼 수 있으리라 생각한다.

3부 '추방당한 자들의 귀환' 은 전반부의 논의를 요약하면서 다음 논의를 준비하는 간주곡에 해당한다. 여기에서는 분단과 전쟁, 그리고 자본주의 개발근대화와 유신독재 하에서 고향과 도시에서 추방된 사람들의 귀환 여정을 펼쳐 읽는다. 그리고 작가들은 고향을 왜 쓰는가라는 물음을 던지면서 작가들에게 고향 쓰기가 무엇을 의미하는지를 집중적으로 살필 예정이다.

미지막 4부 '전통의 변용과 근대에 대한 탐문' 에서는 작가들이 호남 지역의 전통문화를 어떤 맥락에서 변용함으로써 근대 비판의 미적 전략으로 삼았는지를 살핀다. 도깨비, 이어도, 아기장수, 바리데기 등 설화와 역사 기억을 다시 쓰기 함으로써 용서, 자유, 사랑, 구원 등 근대적 가치와 이념에 대한 깊은 성찰에 이르고 있음을 볼 수 있다. 아울러 남도소리에 대한 다층적인 해석을 통해서 한(恨)의 정서를 새롭게 해석하고 있는 점을 눈여겨볼 것이다. 여기에서 지역의 전통을 읽고 쓰는 작가들의 작업이 근대 비판의 미학적 응전의 방식이었다는 점이 좀 더 명료해지리라 본다.

## 1부

# 공간의 역사: 두꺼운 역사 기억

1. 잃어버린 것을 찾아서

2. 혼돈의 역사를 사실적으로 기록하는 일: 서정인

3. 역사의 이면을 읽는 설화적 상상력: 한승원

4. 떠남과 되돌아옴, 그리고 기다림: 이청준

## 1. 잃어버린 것을 찾아서

문학지도[48]에 등장하는 고향을 비롯한 호남 지역의 공간은 작가 나름의 의도에 의해 변형 혹은 상상된 미적 공간이다. 작가들은 실재 공간을 다르게 변형시키거나 아예 다른 의미로 바꾸어 읽음으로써 공간의 역사적, 사상적, 문화적 맥락을 새롭게 재해석한다. 그래서 작가가 선택한 공간은 소설의 주제와 작가의 미적 전략을 함께 살필 수 있는 매개가 된다. 여기에서 우리의 논점은 실재 공간과 문학 공간이 일치하느냐의 여부가 아니라 그 사이에 자리한 불일치와 간극에 있다. 작품 속의 공간을 통해 궁극적으로 무엇을

48) 서정인, 이청준, 한승원의 문학지도는 남도문학기행(www.gonamdo.or.kr, 순천대학교 남도문화연구소 기획 제작)을 참조.

말하고자 하는지를 읽는 것이 우리의 관심 사항이다.

서정인의 고향 순천(順天), 한승원과 이청준의 고향 장흥(長興), 임철우의 고향 완도 평일도(平日島)는 작가의 원체험이 스며 있는 곳이다. 이들의 고향은 동학과 의병, 일제강점기, 제주4·3과 여순사건, 분단과 전쟁, 근대화로 인한 비극적인 역사 경험이 깊숙하게 자리해 있다. 문학 속의 고향은 이렇듯 작가 개인의 경험은 물론이고 지역공동체가 겪은 두꺼운 역사 기억을 환기시킨다.

서정인 소설의 중심 무대는 그의 고향 순천과 섬진강, 지리산 일대다. 고향 순천을 무대로 한 소설로는 「벌판」(1973. 겨울), 「행려(行旅)」(1976. 6), 「사촌들」(1978. 가을), 「무자년의 가을 사흘」(1994), 「팔공산」(1994. 겨울), 「화포, 대포」(1994. 겨울), 「생일」(1997. 여름) 등이 있다.

지리산(智異山)은 서정인의 문학을 이해하는 데에 있어서 빼놓을 수 없는 장소다. 지리산을 처음 오른 후 썼다는 연작 『철쭉제』[49] 에 대해 작가는 "산의 삶과 역사에 대한 명상"[50]을 기록한 것이라고 말한다. 다음 세 편의 연작 『철쭉제』(1986), 『달궁』(1~3)(1985. 9~1990. 여름), 『모구실』(2004)[51]은 지리산이라는 실재 공간과 소

---

49) 이 글에서는 「철쭉제」(1983. 가을), 「장터목」(1984. 10), 「세석」(1984. 가을), 「한신계곡」(1984. 12), 「백무동」(1985. 봄), 이 다섯 편의 소설이 실린 『철쭉제』(동아출판사, 1995) 참조.

50) 서정인, 「산과 삶」, 『지리산 옆에서 살기』, 미학사, 1990.

51) 서정인의 『모구실』(현대문학, 2004)에는 「모구실」(2000년 가을), 「섬진강」(2001. 봄), 「의료원」(2001. 가을), 「되고개」(2002. 6), 「휴양림」(2004. 1), 「벽소령」(2002. 11), 「쟁몽두」(2003. 여름), 「장명등」(2003. 가을) 등이 수록되어 있다.

설 전체의 구성, 그리고 주제의식 등을 밀접하게 연관시키고 있어 더욱 주목되는 작품들이다.

서정인 소설의 공간이 갖는 전략적 의미는 작품집 『모구실』에 실린 단편들의 제목에서 잘 나타난다. 순천, 섬진강, 지리산 일대를 배경으로 취한 소설들의 제목에서 작가가 공간과 지명을 사유하는 방식을 읽을 수 있다. 미리 말해 서정인의 소설은 호남 지역의 공간과 지명을 지역문화의 상실된 흔적과 혼돈의 역사를 비추는 매개물로 활용한다.

한승원 소설의 공간은 신상리 바다와 회진포, 수문포, 완도 약산 등으로 넓게 펼쳐져 있다. 「가증스런 바다」(1966)에서부터 『안개바다』(1979), 『불의 딸』(1983), 『목선』(1989), 『해일』(1991), 『새터말 사람들』(1993), 『해산 가는 길』(1997) 등에 이르기까지 장흥의 바다는 한승원의 문학 전체를 지배하는 심층 원리라 해도 틀린 말이 아니다.

한승원의 소설은 장흥의 바다와 섬, 포구의 노을, 안개, 바람, 파도와 같은 자연을 인간의 언어로 옮겨놓는다. 그런 가운데 그의 소설은 고향 바다가 지닌 원초적 생명력과 바닷가 사람들의 삶과 역사를 묘사한다. 여기에 샤머니즘, 설화, 노장과 불교 등 다양한 사상적, 문화적 전통이 결합되어 있다.

흥미로운 것은 한승원 소설에 등장하는 여러 유형의 지명들이다. 「폐촌」(1976)의 하룻머릿골, 각시봉, 서방봉, 「울려고 내가 왔던가」(1978)의 장구섬, 흘레바위, 쇠섬, 학섬, 『해일』(1991)의 개포, 아기봇골, 새텃몰, 용머리 바위, 노루목, 대섬(죽도), 지재산, 도리섬, 임슬 연안, 흘레바위, 새텃몰, 넓바우 선창, 장수바위, 소록도, 녹동반도, 금당도, 약산도, 꽃섬, 장구섬, 『포구』(1997)의 십리포구, 안개섬 혹은 해매도 등 다양한 지명들이 한승원 소설을 빼곡하게 채우고 있다. 『우리들의 돌탑』(1989)의 완도군 약산면 황룡사, 『사랑』(2000)의 보림사와 『키조개』(2007)의 수문포, 그리고 「잠수거미」(2007)의 장재도 등을 더하면 그의 소설에서 지명이 얼마나 높은 비중을 차지하고 있는지를 알 수 있다.

한승원 소설에는 고향 마을의 실제 지명을 비롯해 실제 지명을 변형시킨 지명, 그리고 이미 사라진 지명, 혹은 새롭게 만들어 낸 허구적인 지명, 형상을 본떠 만든 지명, 사람들이 부르는 대로 적은 지명 등 여러 유형의 지명들이 혼재되어 있다. 특정한 지명에 대한 설화 혹은 이야기가 곁들여져 있는 부분이 특히 인상적이다.

지명에 대한 독특한 해석과 함께 그의 소설에서 전면화 된 바다 공간은 그저 단순한 소설의 무대가 아니다. 한승원 소설에서 공간과 지명, 특히 바다는 세계(우주)의 본질은 무엇이며 소설가란 어떤 존재이고 소설쓰기란 무엇인가에 대한 물음을 제기하고 그 해답을 모색하는 특별한 곳이다. 다음에서는 그 다층적인 함의를 차례대로 읽어 볼 것이다.

이청준의 소설 길은 장흥의 산과 바다, 섬을 중심으로 하여 호남 지역의 곳곳으로 펼쳐져 있다. 「바닷가 사람들」(1966), 「침몰선」(1968. 2), 「석화촌」(1972. 6), 『당신들의 천국』(1976), 「눈길」(1977), 연작 『남도사람』(1976~1981), 「시간의 문」(1982. 1), 「여름의 추상」(1982. 4), 『인간인』(1·2, 1985~1991), 『흰옷』(1990), 『신화를 삼킨 섬』(2003), 『신화의 시대』(2008) 등은 작가의 고향 진목 마을에서부터 천관산, 보림사, 회진포, 해남 대흥사, 고흥 소록도,

제주도 등지를 무대로 삼고 있는 작품들이다.

이청준 소설의 기나긴 행로는 말에서 소리로, 역사에서 신화로 나아가는 과정으로 요약할 수 있다. 이러한 여정은 그의 귀향소설 속의 주요한 문제의식과 함께한다. 「귀향 연습」을 기점으로 하여 연작 『남도사람』에서 전면화 되고 있는 문제는 어떻게 고향으로 다시 돌아갈 것인가에 관한 것이다. 고향으로 되돌아오는 것은 곧 어머니에게로 가는 길이며 그것은 또 실체 없이 떠도는 말이 아니라 소리와 문학의 참모습을 찾는 일을 의미한다.

남도 곳곳은 이청준 소설에서 역사적 폭력으로 인한 상처와 개발근대화에 의해 잃어버린 고향을 환기시키는 곳이다. 그는 남도가 바로 '소리'의 고향인 것도 그 수난의 역사에서 비롯된 것이라고 본다. 남도소리는 부끄러움과 회한의 마디를 앉혀 준 고향에서 그 맺힌 마디를 풀어내는 지혜를 구하는 과정을 보여주는 흔적들이다. 여기에서 이청준이 던지고 있는 물음은 진정 잃어버린 고향을 되찾아 다시 고향으로 돌아오기 위해서 우리에게 요청되는 것은 무엇이며 그것을 어떻게 되찾을 수 있는가에 관한 것이다.

이청준의 고향 소설은 '잃어버린 말', '잃어버린 역사', '잃어버린 소리'를 어떻게 되찾을 수 있을 것인지를 질문한다. 그 귀향의 여정에서 산, 바다와 섬은 다양한 의미를 내포한 상징공간으로 등장한다. 특히 천관산(天冠山)은 떠남과 되돌아옴을 결정하는 주요한 장소성을 지닌다. 「비화밀교」, 「잃어버린 절」, 『무소작』, 『신화의 시대』 등에서 천관산은 서로 다른 의미로 표상되고 있어서 더욱 각별한 해석을 요한다. 고향의 산, 바다, 섬의 상징적 의미가 변모되는 과정에서 이청준 문학의 문제의식이 전개되는 지점을 구체적으로 가늠할 수 있을 것이다.

작가들은 공간과 지명을 문학적 문제의식을 개진하거나 소설의 주제의식을 심화, 확장하는 계기로 삼는다. 고향을 비롯한 호남 지역의 여러 공간들을 주요한 무대로 설정하고 있는 소설들을 간단하게 요약하면 '잃어버린 고향'을 찾아 헤매는 과정이라고 할 수 있다. 이 점에서 이들의 귀향소설에서 고향을 새롭게 쓰기 시작한 것은 주의 깊은 해석을 요한다.

고향에 대한 작가들의 지속적인 관심은 곧 고향은 대체 어떤 곳이며 어떻게 왜 고향으로 돌아갈 것인가라는 질문을 동반한다. 이때 고향이라는 친숙한 공간은 문제적 장소가 된다. 작가들이 고향을 재해석하는 작업은 고향의 역사 기억을 읽고 쓰는 과정과 동일하게 전개된다. 그것은 호남 지역에 새겨진 역사문화의 흔적을 다시 읽는 것과 다르지 않다.

작가들은 저마다의 지리 감각과 공간 인식에 의해 특정한 공간을 선택하고, 그곳에 담긴 두터운 역사의 지층을 더듬고 드러낸다. 작가들마다 호남 지역의 지명을 독특하게 사유하는 방식은 흥미로운 논점 중의 하나다.[52] 서정인과 이청준 소설 속의 지리산과 천관산, 그리고 한승원과 이청준 소설 속의 바다와 포구, 섬이 각각 의미하는 내용이 어떤 점에서 같고 다른 지를 읽어봄으로써 작가들의 감성지도를 그려 볼 수 있을 것이다.

---

52) 한순미, 「지명과 문학적 상상력-순천 지역의 지명을 중심으로 본 서정인의 소설 세계」, 『현대문학이론연구』 33집, 현대문학이론학회, 2008, 465~488면; 「소설 속의 지명과 감성지도」, 『지명학』 19집, 한국지명학회, 2013, 151~188면.

그 과정을 읽기 위해 우리는 다음과 같은 물음을 던져 볼 것이다. 그들은 대체 무엇을 잃어버린 것인가. 잃어버린 것들을 어떻게 찾을 수 있을 것인가. 이러한 물음을 안고서 우리는 작가들이 고향을 비롯한 호남 지역의 공간을 어떻게 지각하고 경험하고 있는지를 비교하고 궁극적으로 그것이 의도하는 바를 헤아려 보고자 한다.

## 2. 혼돈의 역사를 사실적으로 기록하는 일: 서정인

### 1) 상실: 기억 속의 고향

서정인의 에세이 「기억 속의 고향」(1990)은 그의 고향 순천이 일제강점기, 여순사건, 근대화를 겪으면서 어떻게 변화했는지를 옛 지명과 함께 떠올린다.

> 그가 처음 고향을 떠나고 강산이 세 번 반 바뀌었다. (…) 북쪽으로 오리정이 있었는데 그곳은 가마득하게 먼 곳이었다. 남쪽으로 쟁몽두 남문 오거리 밖은 벌써 논밭이었다. 시청이 논 가운데에 있었다. 그는 시청 옆 다물배미에서 논두렁에 새막을 짓고 새를 보았다. 지금은 거기에 논의 흔적이 없다. 동학난리 때 피가 내를 이루었다고 해서 피내도랑이 된 논에서도 그는 새를 쫓았는데 거기에서도 논은 자취를 감췄다. 그보다 훨씬 남쪽인 시렁징이에 공전이 들어섰고 거기서 또 남쪽인 되고개

에 여상이 생겼다. 북쪽도 늘어나기는 마찬가지였다. 북문파출소 밖은 논밭이었는데 거기서 빈터가 사라진지 오래였다. 그 자리에 방송국과 학교들과 고층 연립집들과 단층집들이 들어찼다. 지금은 남북이 십 리, 이십 리가 넘었다. 동서도 몇배가 늘어났다.[53]

위의 글에 나오는 쟁몽두, 피내도랑, 시렁징이, 되고개 등은 순천 지역의 옛 지명들이다. 그것은 현재 다른 이름으로 개칭되었거나 아예 흔적조차 없어진 경우가 대부분이다. 이외에도 그의 수필집에는 제비골, 저구실, 고름장, 쏘련재, 둑실, 도치쏘 등 여러 지명들이 등장한다. 그러면 서정인은 왜 사라진 지명과 변화된 고향의 풍경에 관심을 둔 것일까.

『모구실』에 실린 단편들에서 그 이유를 짐작해 볼 수 있다. '모구실', '되고개', '쟁몽두'와 같이 옛 지명을 살려 적거나 소리 나는 대로 옮겨 적음으로써 이미 훼손되거나 사라진 문화재를 소설의 제목으로 취한 경우에서 보듯이 서정인 소설은 구체적인 지명을 통해 몽고와 일제 식민지배에서 여순사건과 6·25 한국전쟁의 기억을 드러낸다.

「쟁몽두」(2003. 여름)와 「장명등」(2003. 가을), 이 두 편의 소설은 현재 순천시청 앞에 세워 둔 장명석등을 중심 화소로 삼고 있는 작품들이다. 장명석등은 원래 남교 오거리에 위치한 만복사(萬福寺)

53) 서정인, 「기억 속의 고향」, 『지리산 옆에서 살기』, 미학사, 1990, 19~20면.

라는 절에 있었던 것인데, 일제 시대에 사찰이 훼손된 후로 그 위치가 여러 차례 바뀌게 되었다.[54] 이제 장명석등이 있던 곳을 가리키던 지명은 어린 시절에 들었던 말소리에만 겨우 남게 된 것이다.

> '병원. 쟁몽두가 어디요? 왜 거기를 쟁몽두라고 허요?'
>
> '남교 오거리. 나도 몰라.'
>
> '여기가 거긴 줄은 어떻게 아요?'
>
> '어려서 들었서든. 그것 허면 할머니가 생각나.'
>
> '쟁몽두라. 다툴 쟁자, 꿈 몽자. 머리 두자요.'[55]

사람들은 장명등이 있었던 그곳을 '쟁몽두'라 불렀다. 어릴 적 할머니들이 '쟁몽두에 다녀간다'고 말한 것은 바로 그 장명등이 있는 곳을 간다는 뜻이었다. 그런데 장명등이 있던 절이 없어진 후에는 그것을 부르던 말도 함께 사라졌다. 언젠가는 그곳을 부르는 소리조차 없어질 것이다. 이처럼 서정인은 쟁몽두라는 말에서 겨우 기억할 수 있는 장명석등과 만복사가 사라진 고향의 현실을 들추어낸다. 오로지 말과 기억 속에 남아 있는 지명은 "말이 허공에 남긴 형체는 시간을 거슬러 올라가기 전에는 찾을 수 없"(「쟁몽두」, 300면)는 깊은 상실감을 전해 준다.

「모구실」(2000. 가을)의 무대는 송광면 모후산(母后山) 아래에

---

54) 성춘경·최인선, 「순천시의 불교유적」, 『순천의 문화유적』, 정문사, 1992, 120~122면.
55) 서정인, 「쟁몽두」, 『모구실』, 앞의 책, 319면.

자리한 후곡 마을이다. 이 소설의 주인공 천수건이 찾고 있는 마을은 사실 '후곡' 이라는 곳다. 이 동네에 사는 사람은 후곡 마을을 '모구실' 이라고 부른다. 천수건은 '모구실' 을 '저구실' 로 듣는다. 혼란은 여기서 끝나지 않는다. 상대방은 '저구실' 을 '저 구석' 으로 잘못 듣는다.

> '모구실 가실라고?'
> '예? 저구실이요? 아니요. 저구실이 아니고…'
> '저 구석이라니?'
> '예? 무슨 구석이요?'
> '저기 저 퍼런 산 보이요? 그 앞에 푸른 산 말고. 그 산 밑이 모구실이요. 여그서 시오리요. 저기 저 모퉁이를 돌아가면 긴 다리가 나오요. 거기서 한참 가요. 걸어 가실라고?' 저구실이라니, 그게 어딘가? 그도 그것을 몰랐다. 그것은 그가 어렸을 때 들었던 동네 이름, 또는 고을 이름이었다. 그는 그것을 방금 생각해 냈다.[56)]

이 미끄러지는 대화는 순천 지역의 지명사를 보충받아 살펴야 그 곡절이 풀린다. 후곡 마을의 원래 이름은 '모후실' 인데, 후곡은 1914년에 일제가 행정 구역을 개편하면서 옛 지명인 '모후실(母后實)' 을 개칭해서 부른 이름이다. 모후실에 사는 사람들은 소리 나

56) 서정인, 「모구실」, 『모구실』, 앞의 책, 15면.

는 대로 '모구실'이라 부른다. 물론 지금의 순천 지도에서는 이런 지명들을 더 이상 찾아볼 수 없다.

이렇듯 서정인 소설은 지명의 변천과 그곳에서 살아왔던 사람들의 삶을 포개어 읽음으로써 새로운 문제의식을 엮어 낸다. 지명의 상실과 고향의 변화된 풍경을 통해 일제에 의한 행정구역 강제 개편과 개발근대화의 폐해, 그리고 여순사건과 한국전쟁과 같은 역사적 사건이 그 지역의 전통과 문화를 어떻게 훼손시켰는지를 구체적으로 보여준다. 서정인은 사라진 지명을 통해 고향의 변화된 풍경을 드러내는 한편 '상실'의 감정으로 그곳을 응시한다.

따라서 서정인 소설에서 고향의 지명과 풍경 묘사가 일으키는 효과는 단지 옛 지명과 풍경이 상실되었다는 사실보다는 그러한 상실이 일어나게 된 근원적인 이유를 환기시키는 데에 있다. 다시 말해 그의 소설은 지명과 공간이 상실되는 과정을 현재의 관점으로 떠올림으로써 그곳에서 일어난 역사적 사건과 근대화의 이면을 드러낸다. 잃어버린 지명과 공간에 대한 깊은 상실감은 바로 여기에서 근대 비판적 시선과 만난다. 또 이러한 점은 지금 눈앞에 놓여 있는 혼란스러운 상황을 비집고 들어가 '사실 그 자체'와 만나려는 서정인의 문학 태도와도 연결되는 부분이다.

### 2) 혼돈의 역사: 지리산

1980년 중반 이후부터 출간된 서정인의 연작 『철쭉제』, 『달궁』, 『모구실』은 소설 형식 실험을 시도한 대표적인 작품들이다.[57] 세 편의 연작에서 지리산은 단지 소설의 배경이 아니라 소설의 주제

및 형식, 구성 등과 연관된 공간이다. 또 지리산은 서정인의 역사 인식을 볼 수 있는 구체적 상관물이다.

무엇보다 서정인에게 지리산은 여순사건의 직접적 체험과 관련되어 있다. 그의 지리산 계열 소설에는 무자년 가을 사흘 동안의 혼란스러운 기억이 상흔처럼 박혀 있다. 서정인에게 여순사건과 지리산은 어떻게 기억되고 있는지를 차례대로 읽어 보자.

> '여순사건' 은, 저는 여순사건이라고 안 하고 '14연대반란사건' 이라고 그럽니다. 거기 여수, 순천사람은 아무 관계없어요.[58]

> 언제나 거기에는 자연스러움과 아름다움과 화평스러움 속에 이별과 총성과 출혈이 있었다. 전자는 지금 내 눈앞에 있었고, 후자는 옛날 내가 자라나고 있을 때 내 눈앞에서 전개되었었다. 이 혼돈 앞에서 나는 현기증을 느꼈다. 그 혼돈을 정리할 필요가 있다. 그러나 그것들을 따로따로 분리하는 것은 자연과 역사, 이상향과 전쟁의 혼돈을 정리하는 것이 아니다.[59]

---

57) 소설 형식의 변모에 대한 논의는 주로 『철쭉제』를 중심으로 이루어졌는데, 대표적인 논의를 들면 다음과 같다. 김수남, 「서정인 소설의 담론 연구–「철쭉제」를 중심으로」, 『한국문예비평연구』 15집, 한국문예비평학회, 2004, 61~84면; 김재영, 「서정인 소설 '달궁' 의 서술특성과 현실성」, 『상허학보』 20집, 상허학회, 2007, 415~442면 등.

58) 서정인/한순미 대담, 「남도의 흙과 빛으로 빚어낸 말과 글」, 『호남 이야기: 원로 명사에게 듣는』, 전남대학교출판부, 2013, 334~335면.

59) 서정인, 「역사와 자연」, 『철쭉제』, 민음사, 1986, 243~244면.

서정인은 여순사건이 여수, 순천사람과 아무런 관계가 없는 사건이라고 말한다. 그리고 "우리가 반란을 일으킨 것은 아니었거든요."라고 덧붙인다. 그랬다, 그것은 우리에게 일어났고 우리는 그 사건을 겪었을 뿐이다. 이 말보다 무자년 가을에 일어난 그 사건을 분명하게 증언하는 말은 없을 것이다. 그의 소설은 또 이렇게 묻는다. 어느 때 어느 곳에서 일어났던 비극의 역사를 '우리' 스스로가 원했던 적이 있었던가. 서정인 소설에서 감지되는, 말과 글로 표현할 수 없는 고통, 우울과 분노는 아마도 이 언저리에서 생겨났을 것이라고 짐작한다.

서정인에게 지리산은 어떤 곳인가. 지리산은 "전쟁 따로, 평화 따로가 아니라, 살육과 화목이 도처에 뒤섞여 있"는 곳, 즉 자연과 역사, 이상향과 전쟁이 하나의 '골짜기'를 이룬 겹의 공간이다. 이 겹의 골짜기에 누적된 "그 혼돈을 정리"하는 일이 서정인이 소설을 쓰는 목적이 된다. 지리산은 "역사와 인간"에 대한 새로운 성찰을 가능하게 하는 곳이다. 서정인에게 소설쓰기란 지리산의 아름답고 화평스러움 속에 숨은 폭력의 상흔을 읽어 내는 일이며, 그것은 또 과거의 기억과 지금의 현실 사이에 있는 '혼돈'의 상태에 질서를 주는 일에 다름 아니다.

지리산을 무대로 한 서정인의 소설은 층층으로 누적된 지리산의 역사를 숙고의 대상으로 삼는다. 반복되는 혼돈의 역사, 그 틈새를 비집고 들어가 구체적인 사실과 만나고 그것을 어떻게 정리하고 기록할 것인지가 그의 주요한 문학적 과제로 제출된다. 혼돈의 상태에 있는 '역사와 인간'의 삶을 소설 언어로 정리하는 일이 바로 소설가의 중대한 임무이자 역할인 것이다.

이러한 고뇌의 한 면을 연작 『철쭉제』에서 읽을 수 있다. 이 연작은 지리산을 오르내리는 인물들의 대화를 통해서 '산'에 대한 독특한 사유를 전개한다. 그들이 나누는 대화는 매우 철학적인 논점을 함축하고 있다. 다음에서 보듯이 인물들의 대화는 '산과 사람', 즉 '자연과 우리'의 관계를 대비하는 것에서 시작해 매우 복잡한 문제로 옮겨간다.

> "어떤 점에서 그렇죠." 철순이가 말했다. "그리고 그 점에서만 그렇죠. 그 점이란 바로 우리들의 입장이죠. 우리들의 입장에서 보면 산이 고통을 주었죠. 그러나 산은 우리에게 고통을 준 적이 없어요. 주지도 않은 고통을 이겨 냈다고 해서 산을 이겼다고 한다면, 아무리 우리들의 입장에서 하는 얘기지만 산이 어떻게 생각하겠어요?"
>
> "산이 어떻게 생각하면 뭘 해. 우리가 어떻게 생각하느냐가 문제지?" 장씨가 말했다. "산이 생각을 하기나 해?"
>
> "우리들이 어떻게 생각하느냐가 문제니까 우리들의 입장에서만 생각하면 안 되죠. 물론 우리들의 생각이 우리들의 입장을 벗어나기는 힘들겠죠. 바로 그것이 우리들의 입장을 벗어나야 하는 이유에요."[60]

이들의 대화를 다시 읽어 보면 이렇다. 산과 우리가 '고통'과

---

60) 서정인, 「세석」, 『철쭉제』, 동아출판사, 1995, 328면.

갖는 관계가 먼저 쟁점이 된다. 우리들이 산을 이겨냈다고 말하는 것이 과연 맞는 표현인가. 산이 우리에게 고통을 준 적이 없는데 우리가 산을 이겨냈다고 말하는 것은 우리의 입장에서 바라 본 오류이거나 한계일 수 있다는 것이다. 그런 다음 이들의 대화는 '자연'과 '우리'를 대비시킴으로써 이항 대립적인 논쟁에 머물지 않고 다른 사유 지평으로 나아간다. 이 지점에서 묻는다. 우리는 우리의 입장을 어떻게 벗어날 수 있는가. 우리는 우리의 눈으로 우리가 살고 있는 도시를 제대로 바라볼 수 있을까.

앞서 읽은 것처럼 서정인의 소설에서 지리산에 오르는 것은 어떤 '관점의 변화'으로의 의미한다. "그들은 사물들을 새로운 눈으로 바라보았다. 그것은 경이였다."(「장터목」, 326면)라는 대목에서 볼 수 있듯이, "새로운 눈"이란 '자연'과 '인간'을 바라보는 기존의 시각에 변화를 줌으로써 가능한 것이다. 도시에서 멀리 떨어진 '산'에서 '우리'를 바라보는 것은 우리와 우리가 처해 있는 상황을 우리의 눈이 지닌 한계를 벗어나 새로운 관점으로 바라본다는 뜻이다.

또 서정인은 지리산을 매개로 '해석'과 '사실'의 관계를 사유한다. 여기서 '산'은 이항대립의 허구를 드러내는 특별한 위상을 지닌 공간이 된다.

> "악당이 사실의 조작을 잘하기도 하지만, 사실 자체의 모호한 성격 때문에도 그래요. 우리들이 흔히 말하는 사실이란, 사실은, 사실이 아니고, 그 사실에 대한 어떤 사람의 해석일 때가 많아요. 사실과 해석은 전혀 다르죠. 그런데도 중립적인 사실

이란 있을 수 없다고 말해도 괜찮을 만큼 얻기 힘든 것이어서, 대개의 경우 해석이나 견해가 사실 노릇을 하게 되죠. 악당의 경우 이 해석이나 견해가 악의적이라는 것만 다르죠."[61]

'사실'은 사실 그 자체라기보다는 오히려 사실에 대한 '해석'일 때가 더 많다. 그것은 사실 자체가 지닌 모호함 때문이기도 하겠지만 사실 자체를 자기의 해석이나 견해를 덧붙여 왜곡하는 경우에 많기 때문이다. 예를 들어, 악의를 지닌 악당들은 역사 속에서 자신의 의도에 따라 '사실'을 왜곡함으로써 무고한 사람들을 마구 희생시킬 수 있는 근거를 마련할 수 있었다.

여기에서 서정인이 추구하는 문학의 요점이 좀 더 확연하게 다가온다. 서정인에게 문학이란 해석이나 의견이 아닌 '사실' 자체를 밝히기 위한 도로의 여정이며, "사실을 밝혀내려는 노력은 사실을 찾아내기보다는 사실에 가까워지려는 끊임없는 노력"[62]에 상응하는 것이다. 그 여정이 지리산을 중심 무대로 한 소설들에서부터 본격적으로 시작되었다고 할 수 있다.

그렇게 볼 때 지리산 계열의 소설에 이르러 형식 실험이 과감해진 것은 해석의 오류와 한계를 넘어서 구체적인 사실에 다가서려는 노력에 의한 필연적인 결과로도 읽힌다. 이즈음 서정인 소설은 혼돈의 역사를 소설의 언어로 정리하려는 시도 속에서 삶과 역사

61) 서정인, 「장터목」, 『철쭉제』, 앞의 책, 315면.
62) 서정인, 「작가 서문」, 『벌판』, 나남, 1984, 11면.

에 대한 새로운 성찰에 이른다.

> (…) 무진장에 내린 비가 남녘이냐 북녘이냐, 섬진되어 남해가고 금강되어 서해간다. 백마강아 공산성아 저 물줄기 몇백리냐, 천리 물길 사람 같아 천지간을 도는구나. 구름 흘러 비가 되고 샘물 솟아 냇물되어, 넓은 바다 흘러드니 다시 구름 되는 고야. 물이 본시 사람 같냐, 사람 또한 물 같아라, 원처혼혼 불사주야 영과후진 방호사해. 발이 없고 항상 참고 쉬지 않고 기다리고, 맑은 것도 간직하고 흐린 것도 마다 않고, 낮은 데를 채운 뒤에 큰바다로 나가는디, 넓은 데에 이르렀다 하늘솟기 그만두랴.[63]

위에서 읽을 수 있는 '물'과 '강'에 대한 사유는 앞서 본 혼돈의 역사 공간인 지리산을 바라보는 관점과 연결되는 점이 있다. 서정인은 인간의 삶과 역사의 흐름을 흐르는 '물'의 속성에 비유한다. 구름, 강, 바다가 순환하는 흐름에서 인생과 역사의 반복적 순환의 논리를 겹쳐 읽는다. 이와 동시에 소설의 본질과 형식에 대한 또 하나의 고뇌가 시작된다. 이 흐르는 삶과 역사의 반복적 순환을 어떻게 말과 글로 포착할 수 있는가가 이제 서정인 소설의 논점으로 자리한다.

---

63) 서정인, 『붕어』, 세계사, 1990, 232~233면.

### 3) 살아 있는 말

서정인 소설의 공간은 소설 언어의 한계에 대한 인식과 소설쓰기란 무엇인가에 대한 고뇌와 맞닿아 있다. 지역사람들의 구체적인 삶의 공간을, 추상적인 랑그가 아니라 파롤 즉 "살아 있는 말"로써 사실적으로 담아내려는 과정에서 서정인 소설의 언어 의식은 더욱 뚜렷해진다. 거기에는 지역 언어에 대한 작가의 섬세한 시각이 뒷받침되어 있다.

> 순천사람들은 순천말이 여수말과 다르고, 고흥·벌교말과 다르고, 삼십 리 떨어진 광양말과 확연히 다르다는 것을 잘 안다. 순천말도 되고개쪽 말과 북정리말이 다르고, 서면말과 남정리말이 다르다. 그리고 그것들이 순천의 복판 남문다리나 쟁몽두의 말과 또 다르다. 같은 장천동의 말이라도 삼대를 거기서 살아온 집안의 말과 아버지대에 이사를 온 집안의 말이 다르다. 같이 삼대를 살아 왔더라도, 그 집 며느리가 서울떡「宅」이냐 곡성떡이냐 해창떡이냐에 따라 말이 달라진다.[64)]

같은 순천 지역의 말이라 해도 세분하여 들여다보면 분명한 차이가 있다. 순천말은 인접한 지역의 말인 여수말, 고흥·벌교말, 광양말과 다르고, 같은 순천말이라 하더라도 순천의 어디에 위치해

64) 서정인, 「전라도땅·전라도말」, 『지리산 옆에서 살기』, 미학사, 1990, 122~123면.

있느냐에 따라 되고개말과 북정리말, 서면말과 남정리말, 남문다리말과 쟁몽두의 말이 서로 다르다. 또 토박이로 살아온 집안 사람들이 쓰는 말과 외지에서 이사를 온 집안 사람들이 쓰는 말이 다르다. 어느 지역에서 온 사람들이 한 가족의 구성원이 되느냐에 따라서 한 가족의 말도 달라진다. 지역, 계층, 신분, 지위에 따라 살아 움직이는 말처럼 서정인 소설 속의 인물들은 그들이 처해 있는 상황에 따라 다른 말씨를 구사한다.

따라서 살아 있는 입말과 사투리가 서정인의 소설에서 자주 등장한다고 해서 그것을 지역 언어의 전통을 적극적으로 수용한 것이라고 본다면 단순한 해석에 불과하다. 설사 등장인물들이 구어체를 쓴다고 할지라도 그것은 사람들이 실제로 사용하는 입말과 분명히 차이가 있다.

> 실제로 생활에서 사용되는 말을 문자로 표현하지 않은 것이 잘못이었다. 이것이 구어체와 문이체 사이의 차이일 텐데, 이 거리는 없애야 한다. 이것이 우리 의식에 이중구조를 만들기 때문이다. (…) 문어체와 구어체 사이의 차이를 없애는 것은 쉬운 일이 아니다. 거창하게 말하면, 그것은 이상과 현실 사이의 차이라고도 할 수 있다.[65)]

이처럼 서정인이 인식하고 있는 말과 글의 거리는 말과 사물,

---

65) 서정인, 「욕, 우상파괴와 우상숭배」, 『지리산 옆에서 살기』, 앞의 책, 32면.

말과 사람, 말과 생각, 말과 삶 등에 얽힌 문제를 두루 포괄하고 있다는 점에서 문제적이다. 서정인은 구어체와 문어체 사이의 괴리가 우리 의식의 이중구조를 만든다고 비판하면서 '사투리'와 '욕'이 지닌 우상파괴적인 속성에 주목한다. 그는 사람의 진실된 모습을 드러내는 사투리와 욕이야말로 땅에 뿌리를 박고 살아가는 사람들의 참된 말의 모습이라고 말한다.

서정인의 소설이 산란한 구어체의 문장으로 뻗어간 이유도 그런 말 속에 살아 있는 사람들의 삶을 담아내기 위한 전략에서다. 살아 있는 말이 지닌 흔적들을 깨끗하게 표백한 표준말로는 사람들의 삶을 구체적으로 붙잡을 수 없다는 인식이 개입해 있는 것이다. 여기에는 이상과 현실의 불일치 속에서 '글'은 말할 것도 없고 그래도 삶에 근접하다고 여겨지는 '말' 조차도 '삶'을 결코 붙잡을 수는 없다는 비극적인 언어 인식이 자리하고 있다.

그리하여 서정인은 구어체와 문어체의 간극을 통해 문학언어가 일상의 말과 사람들의 구체적인 삶을 담아내는 데에 한계가 있다는 것을 보여준다. 그의 소설 속의 특이한 구어체 형태의 '입말'은 오히려 문학언어가 일상언어와 다르다는 것을 의도적으로 말한다.[66] 그런 점에서 그의 문체적 특질 중의 하나인 '구어체의 완벽한 구사'는 삶의 구체성, 즉 '사실'에 가까워지는 노력이 사실상

---

66) 이에 관한 논의는 다음의 논문들을 참조. 황종연, 「말의 연기와 리얼리즘」(작품 해설), 『붕어』, 세계사, 1994; 김종욱, 「언어의 산상 축제-서정인의 『철쭉제』론」; 임명진, 「새로운 리얼리즘의 모색과 그 가능성」, 『달궁가는 길-서정인의 문학세계』(이종민 엮음), 서해문집, 2003; 김주현, 「서정인 소설 문체의 양면성」, 『어문논집』 32집, 중앙어문학회, 2004 등.

불가능하다는 절망감의 표현이라고 할 수 있다. 서정인의 소설은 적층된 구술성의 문화인 사투리와 판소리를 적극적으로 끌어들임으로써 '살아 있는 말'을 그대로 복권하고자 하는 것이 아니라 그것이 얼마나 어려운 것인지를 역설적으로 보여준다 하겠다.

이 점에서 서정인 후기소설의 주요한 특질인 '구술성'은 일상의 화법 그 자체를 그대로 옮겨 놓기 위한 것이라기보다는 글과 말과 삶 사이의 불일치한 간격 속에서 사라져 가는 삶의 실체를 붙들고자 한 방법적인 시도라 할 수 있다. 이렇듯 그의 소설은 '말'의 한계를 안고서 '소설이란 무엇인가'에 대한 문제를 제기했다는 점에서 주목된다. 서정인의 소설은 그 불가능성을 지속적인 형식 실험을 통해 보여줌으로써, 문학이 과연 혼돈과 타락의 상황을 극복하는 대안이 될 수 있는지를 되묻고 있는 것이다.

## 3. 역사의 이면을 읽는 설화적 상상력: 한승원

### 1) 인간의 언어로 번역된 자연

한승원의 소설에서 자연은 인간과 분리되어 있지 않다. 자연과 인간은 마치 하나의 몸처럼 연결된 것처럼 보인다. 바닷가 마을을 주요 배경으로 한 그의 소설들에서 바다와 포구, 연안의 풍경은 인간의 언어로 번역된 자연에 가깝게 묘사된다. 자연은 마치 살아 있는 몸처럼 다가온다. 다음에 인용한 「낙지 같은 여자」(1977)와 『포구』(1997)의 장면을 그 예로 들 수 있다.

마녀처럼 음탕한 바다였다. 시꺼먼 빛깔의 한없이 큰 입과 끝없이 넓고 깊고 부드러운 자궁을 가진 바다는 탐욕스럽게 별들을 품에 안아 쌀을 일듯 애무하고 있었다. 거무스레한 해무를, 머리카락처럼 산발한 밤바다의 찰싹거림은 어쩌면 별들을 핥고 빨고 입맛 다시는 소리였다.[67)]

십리포구는 폐허가 되어가고 있었다. 폐경기를 훨씬 지나버린 늙고 실성한 거지 여자처럼, 헐고 곪고 찍히고 얼어터진 속살들이 드러나도록 남루를 걸친 채 가로누워 있었다. 초가을의 햇살마저도 그 선창머리에서는 을씨년스러웠다.[68)]

위에서 보듯이 바다, 포구, 섬은 여성의 몸 이미지로 묘사된다. 음탕한 마녀와 같은 바다, 넓고 깊은 자궁과 같은 바다, 실성한 거지 여자처럼 남루한 십리포구 등처럼 바다와 포구에 접속된 이미지는 작품들마다 다채로운 의미를 띤다. 한승원 소설의 공간 묘사에서 특히 우리의 관심을 끄는 대목은 자연을 인간의 몸으로 바꾸어 읽는 방식이다. 가령, 이런 식이다.

그 바다의 웅달 개포에는 천만 년의 신화가 살고 있었다. 흩어지면 별빛, 햇빛, 달빛, 안개, 바람, 땅, 하늘, 숲, 벌레, 이

---

67) 한승원, 「낙지 같은 여자」, 『아리랑 별곡』, 문이당, 1999, 95면.
68) 한승원, 『포구』, 문학동네, 1997, 15~16면.

슬, 물결 소리가 되고, 한데 모이면 유령 같은 거대한 괴물이 되어 꿈틀거리고 술렁거리고 앓아대었다. 그 응달 개포는 입 험한 뱃사람들이 오짓개라고 이름해 부르는 자그마한 연안이었다.[69]

'개포' 라는 곳이 있다. 입이 험한 뱃사람들은 그 연안을 '오짓개' 라고 부른다. 그곳에는 천만 년의 신화가 살고 있다. 그곳은 별빛, 노을, 바람, 땅, 하늘이 꿈틀거리며 앓아댄다. 이처럼 한승원 소설에서 공간을 이해하는 방식은 먼저 실제 지명을 다른 이름으로 풀이하는 과정을 통해 이루어진다. 그런 다음 바다와 포구를 인간의 몸과 삶으로 바꾸어 읽는다. 여기에서 설화적 상상력이 비롯된다. 그 과정에서 공간과 지명에 대한 다양한 이야기를 덧붙여지고 생성된다. 공간과 지명에 대한 설화적 상상력은 익숙한 그곳을 이전과 다른 시각으로 보게 한다.

이처럼 한승원의 지리 감각은 자연을 하나의 대상으로 놓고서 인간 중심적인 해석을 가하는 방식이 아니라 자연과 인간을 분리되지 않는 한 몸으로 여기는 데에서 출발한다. 또 실재하는 지리 공간이 지닌 독특한 형상을 이해하는 과정에서 지명에 대한 독특한 이야기가 생성된다. 「폐촌」의 무대인 바닷가 마을 하룻머릿골이 그중 하나다.

69) 한승원, 『해일: 2부 그 바다, 끓며 넘치며』, 범조사, 1991, 11면.

폐촌(廢村)이 된 지 오래인 이 하룻머릿골은 무뚝뚝하고 상스럽기 이를 데 없는 뱃사람들 이십여 세대가 모여 살던 작은 바닷가 마을로, 해방과 6·25를 전후해서 이런저런 사건이 많이 일어나기로 대호면 일대에서 이름난 곳이었다.

큰몰에서 하룻머릿골로 가려면 높은 언덕 하나를 넘어야 하는데, 그 언덕을 '앞메 잔등'이라고 불렀다. 한창 김 채취에 바쁜 겨울철 같은 때 무거운 김 구럭을 짊어지고 넘는 사람이면 어느 누구 할 것 없이 모두 숨을 헐떡거리게 되고, 그러다가는 쿨룩쿨룩 하고 기침을 한두 차례씩 하게 마련인 잔등이라 하여 '기침고개'라고도 불렀다.

그 잔등은 새끼를 한 배도 낳지 않은 암소의 늘씬한 허리처럼 잘록해 보였는데, 그것은 그 잔등을 가운데 두고 동과 남으로 우뚝 솟은 봉우리 둘이 있기 때문이었다. 남에 있는 것은, 검푸른 해송숲이 우거져 민틋하고 처녀 유방같이 고운 흐름으로 솟아 있으며, 그 모양이 어딘지 모르게 암팡진 데가 있는 데다, 그 봉의 계곡은 어쩌면 여인네의 가장 깊숙한 곳처럼 우묵하고 음침한 하룻머릿골로 이어지는데, 그 옆에는 사철 내내 이가 시리도록 차가운 물을 펑펑 내쏟는 찬샘이 있으므로 각시봉이라 하였다. 동에 있는 것은, 봉 위에 '사마귀바위'라고 불리는 큰 바위가 한 개 놓여 있는 데다가 계곡이 가파르고 험준하며, 바다 쪽에 깎아지른 듯한 벼랑이 있어, 바다 멀리서 보면 거북의 머리가 불끈 일어서는 듯한 모양을 하고 있으며, 건너다보이는 각시봉보다 더 우뚝하고 우람하고 늠름하다 하여 서방봉이라 하였다.

말하는 사람에 따라서는 각시봉을, 첫아기 낳은 여인네의 젖무덤에 바야흐로 젖이 붇기 시작하는 모양 같다고 하기도 하였고, 바다 쪽으로 고개를 돌린 여자가 치마폭을 펑퍼짐하게 펼치고 앉아 오줌을 누고 있는 형용이라고 하기도 하였다. 그리고 서방봉을, 귀두 끝에 검은 사마귀 붙어 있는 남근이 불끈 일어서 있는 형용이라고 하기도 하였고, 먹다 둔 쑥떡같이 생긴 거인이 각시봉을 향해 팔을 벌리고 금방 덤벼들려고 하는 형용이라고 하기도 하였다.[70]

마을 사람들은 하룻머릿골로 들어가는 언덕을 '앞메 잔등' 혹은 '기침고개' 라 부른다. 앞메 잔등은 고개의 위치와 지형의 모양을 본떠 지어진 이름이고, 기침고개는 사람들이 고개를 넘다가 숨을 헐떡거리거나 기침을 한다고 해서, 즉 몸의 증상에 따라 붙여진 이름이다. '각시봉', '사마귀바위', '서방봉' 은 잔등의 주위에 있는 산봉우리를 가리키는데, 그 지명들은 모두 그곳이 생김새나 특징을 사람의 몸에 비유하여 생겨난 것이다.

이처럼 한승원의 소설에는 지리 환경을 인간의 몸으로 바꾸어 읽는 과정에서 여러 지명들이 탄생하게 된 다양한 이야기가 등장한다. '말하는 사람에 따라서는' 이라고 언급된 후 하나의 지명에 얽힌 다층적인 유래가 뒤따른다. 그래서 고향의 바다, 포구, 섬은 그것 자체로 있는 것이 아니라 그곳에서 살아가는 사람들이 실제

70) 한승원, 「폐촌」, 『목선』, 문이당, 1999, 296~297면.

로 믿고 있는 소문 혹은 이야기에 의해 존재한다.

그것은 그 골짜기가 안개 덩어리에 덮인 채 노룻골 산줄기와 교접을 하고 있는 것이라고 사람들은 믿고 있었다. 안개 끼어 있는 시간이 길면, 그 해에는 여느 해에 볼 수 없는 김 풍년이 들고, 반대로 그 교접시간이 짧으면 파래나 매생이 같은 잡태(雜苔)가 심하다고 사람들은 말했다.

또한, 안개가 더욱더 오래 끼어 있어, 그 골짜기와 노룻골 산줄기와의 교접이 자리할 만큼 계속되고, 앓는 듯한 소리에 귀기(鬼氣) 서린 요사스러움이 곁들이면, 김 풍년은 받아 놓은 밥상이므로 이런 해에는 두 마을 사람들의 발자리 싸움이 여느 해보다 치열하게 벌어지곤 하는 것이었다. 여기서 또 한 가지 묘한 것은, 그 골짜기가 그렇듯 앓는 듯한 소리에 귀기서린 요사스러운 쇳소리까지를 곁들이게 될 경우, 그해엔 반드시 새텃몰과 큰동네의 처녀나 과부 가운데서 한두 여자가 아기를 밴다고 했다. 이러한 말들은 이때껏 대개 들어맞아 왔다.[71]

천관산 아래 바다 한가운데에 두 개의 섬이 있는데 하나는 '큰 도리섬' 이고 다른 하나는 '작은 도리섬' 이었다. 그 섬들을 큰 도깨비섬, 작은 도깨비섬이라고 부르기도 한다고 할아버지가 말했었다.

---

71) 한승원, 『해일: 2부 그 바다, 끓며 넘치며』, 앞의 책, 13면.

"도깨비들은 무리를 짓게 되면, 늘 정신 못 차릴 정도로 바쁘게 무슨 일인가를 해야지, 그렇지 않고 한가해지면 우르르 몰려다니면서 인간에게 아주 못된 심술을 부리곤 하는 괴물이란다. 그래서 도깨비를 부리는 하느님은 늘 도깨비들이 한가해지지 않도록 그들에게 일감을 주곤 한단다. 초저녁에는 천관산 밑에 있는 한 개의 섬을 두 개의 섬으로 갈라놓으라고 명령하고, 새벽녘에는 두 개가 된 섬을 하나로 합치라고 명령하곤 하는 것이지. 도깨비들은 밤마다 하느님의 명령에 따라, 전날 새벽녘에 기껏 하나로 합쳐 놓은 섬을 우당탕퉁탕 하고 두 개의 섬으로 만들어놓고, 새벽녘에는 그것들 둘을 다시 합쳐 놓는 작업을 계속했단다. 그런데, 어느 날 초저녁에 도깨비들이 그 섬을 둘로 떼어 놓는 작업을 하고 났을 때, 하느님은 그들을 인적이 없는 독도로 보내가지고, 거기에서 섬을 둘로 만들었다가 하나로 합쳤다가 하는 작업을 거듭하게 했단다. 그래서 천관산 밑에는 지금 두 개의 섬이 붙박이로 존재하게 되었고, 그 사이를 급히 흐르는 해류로 인해 김이 잘 자라게 되었단다."[72)]

이와 같이 바닷가 마을 사람들은 안개 낀 골짜기가 노룻골 산줄기와 교접하여 김 풍년이 든다고 믿는다. 안개바다를 앞에 두고 살아가야 하는 사람들에게 어쩌면 그런 믿음은 매우 자연스럽게 생겨났을 법하다. 또 바다 위의 두 개의 섬은 언제부터 그곳에 있었

72) 한승원, 「도깨비섬」, 『보리 닷 되』, 문학동네, 2010, 137~139면.

던 것일까. 그 섬은 어떻게 생겨났을까. 그리고 그 두 개의 섬을 사람들은 왜 '도깨비섬' 이라고 부르게 된 것일까. 이러한 일련의 물음들을 해결하는 과정에서 섬에 대한 설화적 상상력이 전개되고 어촌 마을신앙에 대한 유래가 덧붙여진다.

이를 다음과 같이 나누어 다시 읽어 볼 수 있다. 천관산 아래 바다 한가운데에 두 개의 섬이 있다. '큰 도리섬' 과 '작은 도리섬' 이 그것인데, 그 섬을 '큰 도깨비섬' 과 '작은 도깨비섬' 이라고도 부른다. 이렇게 먼저 하나의 섬을 가리키는 다른 이름을 소개한다. 그런 다음, 섬을 그렇게 부르게 된 까닭을 설명하는 대목에서 '도깨비' 에 관한 상상이 개입된다. 섬을 둘로 만들었다가 하나로 합쳤다는 하던 도깨비를 하느님이 독도로 보내게 되면서 섬은 두 개로 분리된 채 그대로 남게 되었다는 것이다. 여기에서 끝나지 않는다. 바닷가 사람들은 두 섬 사이에 흐르는 급한 해류 덕에 김이 잘 자란다고 믿는다.

한승원은 바다와 포구를 인간의 몸으로 읽고 그곳의 지명을 통해 민중들의 설화적 상상력과 신앙 구조를 통해 해석한다. 어떤 공간 형상과 지명에 대한 상상력은 지명 유래와 전설을 낳고 그 지명 전설은 한편 지역 사람들이 믿고 있는 속신(俗信)이 어떻게 형성되었는지를 설명한다. 지명 전설과 속신은 동일한 방식으로 탄생한다. 이렇게 그의 소설에서 지명은 실재 공간을 부르는 단순한 이름이 아니라 자연과 풍경에 대한 인간 이해의 방식이자 지역 사람들의 믿음이 형성되는 방식과 구조를 함축하고 있다. 거기에는 마을 공동체가 경험한 역사 기억이 감추어져 있다.

### 2) 폭력: 설화와 역사의 구조적 상동성

앞서 읽을 것처럼 한승원 소설의 공간은 실재 공간과 그 공간에 대한 상상력과 이야기가 하나의 고리로 연결되어 있는 것이 특징이다. 흥미로운 것은 사실과 소문, 역사성과 설화성, 이 양극을 결합시키는 과정에서 비롯된 지명설화가 역사의 이면을 드러내는 매개 역할을 한다는 점이다. 다음에 인용한 「울려고 내가 왔던가」(1978)의 '흘레바위' 진설에서 읽을 수 있다.

> 상스러운 모양에 음험한 행위를 드러내어 보이는 그 바위에는 어이없는 설화가 얽히어 내려오고 있었다.
>
> 그것은 임진년 난리가 일어나기 몇 해 전의 일이라고 하기도 하고, 그보다 몇백 년 전의 일이라고 하기도 했다.
>
> 장구섬 동남쪽 연안에 오막집이 하나 있었다. 부부가 딸 하나를 키우며 살았다. (…) 날이 더하자 아버지는 미친 암캐의 꽁무니에서 냄새를 맡는 수캐처럼 무덤의 여기저기에 코를 대고 냄새를 맡곤 했다. 이를 본 하느님이 벼락을 내려 흘레바위와 같은 모양으로 만들어 버렸다는 것이었다.
>
> 말하는 사람에 따라서 이 설화의 중간 부분이 다른 모습으로 곁가지를 뻗어나가는 경우도 있었다.
>
> 어머니가 죽은 뒤의 어느 날, 아버지는 피 냄새를 맡은 늑대가 되어 문고리를 걸어 잠갔다. 딸을 발가벗겼다. (…) 순간, 딸이 "아부지 좋은 수가 있소."하고 말했다.
>
> "사람으로서는 이럴 수가 없어라우. 제가 물에 뛰어들어가

서 물고기같이 헤엄을 쳐 댕기면 그때 뛰어들어와서 아부지 뜻대로 하십시오."

아버지는 딸의 말대로 하기로 했다. 아버지의 품에서 벗어난 딸은 벌거벗은 채 모래밭을 달렸다. 섬의 서북편에 가장 물살이 깊고 센 목이 있었다. 그 물목으로 뛰어들었다. 뒤따라 뛰어든 힘센 아버지가 딸을 건져내어 끌어안았다. 성문다리가 잠길까 말까 한 모래밭으로 갔다. 거기서 아버지는 딸을 범하기 시작했다. 그것도 흔히 짐승들이 하곤 하는 것과 같은 방법으로 딸의 등을 탄 것이었다. 사람으로서는 그럴 수 없다는 딸의 말 때문이었다. 바닷물이 출렁거리고, 그 바닷빛보다 짙은 하늘에 둥실 뜬 해의 빛살을 받으면서 아버지와 딸은 한 쌍의 물개가 되어 그들을 휩싼 바닷물을 뜨겁게 달구어 내고 있었다. 순간, 하늘에서 불벼락이 떨어지고 물이 용광로처럼 끓었다. 얼마 후 아버지와 딸이 있던 자리에 흘레바위가 우뚝 솟아 있었다.[73]

덕도 쪽 둑머리에 이른 한 남자는 "자줏빛 천관산과 농장둑과 젖빛으로 가라앉은 바다와 장주섬과 그 어귀에 우뚝 솟은 흘레바위" 앞에 서 있다. 남자는 장또바우의 집이 장구섬 어귀의 흘레바위를 마주 건너다보고 있다는 그 사실 하나만으로도 장또바우에 대한 "복수심과 증오심"을 느낄 명분이 넉넉하다고 생각한다. 사내가 장또바우에 대해 갖는 증오와 복수심은 흘레바위 전설을 통

---

73) 한승원, 「울려고 내가 왔던가」, 『누이와 늑대』, 문이당, 1999, 12~15면.

해서 이해된다.

흘레바위 전설이 탄생하게 된 과정을 몇 단계로 나누어 볼 수 있다. 먼저 흘레바위는 왜 저런 모양으로 생긴 것일까. 여기에 두 개의 이야기가 덧붙여진다. 그 하나의 이야기는 임진년 난리가 일어나기 몇 해 전의 일이거나 몇백 년 전의 일이라는 시간 표지가 제시되어 있어서 실제로 있었던 일처럼 읽힌다. 그 이야기는 딸의 죽음을 슬퍼하는 아버지의 모습에 초점을 맞추어져 있는데, 거기에는 아버지가 딸의 시체를 묻은 무덤을 마치 수캐처럼 더듬었다는 근친상간적 요소가 들어 있다. 하느님이 벼락을 내려 흘레바위로 만들었다는 결말에서 죄와 벌, 업보의 사상을 읽을 수 있다.

그런 한편, '말하는 사람에 따라서' 라는 전제가 붙은 다른 이야기가 전개된다. 이 이야기는 앞서 제시된 이야기에서 모호하게 처리된 부분을 아버지의 폭력성이 동물적인 욕망과 결합된 것으로 선명하게 채워 넣은 것이다.

이 두 갈래의 이야기가 겹쳐 있는 흘레바위 전설은 단지 그 바위의 이름이 어떻게 생겨났는지를 설명하고 있지 않다. 그것보다 흘레바위 전설은 인간의 욕망 뒤에 감추어진 폭력성을 드러내는 역할을 담당한다. 나아가 흘레바위를 마주보고 있는 사내에게 이 바위는 자신의 아버지와 어머니가 장또바우의 집안에 의해 해방, 여순사건, 전쟁을 겪는 동안 반동자로 몰려 숙청당했던 기억을 상기시키는 분노와 원한의 자리라는 점을 간과해서는 안 된다. 이렇게 한승원 소설 속의 지명설화는 마을공동체가 경험한 집단폭력의 기억과 연결되어 있다.

남편은 죽어 물이 되었을 것 같았다. 수천수만, 아니 수억만 개의 미세한 물방울들로 쪼개져 가지고, 이 세상의 모든 바닷물 속에 고루 깔려 있을 것 같았다. 그리하여 바람이 불어 물결이 칠 때마다 그 남편의 넋은 살아서 일렁이며 꿈틀거릴 것만 같았다. 바닷물 속에서 숨을 쉬며 사는 조개나 문어나 바닷말들에는 모두 남편의 넋과 정기가 스며 있을 것이고, 그것들을 잡거나 뜯어다가 먹곤 하는 그녀의 몸에는 남편의 넋과 정기가 들어와서 휘돌고 있을 것만 같았다.[74)]

율산 사람들은 자기네 바다의 생물들을 그렇게 도둑맞으면서 살고 있었다.

수방청은 오래전 바다를 방위하는 초소가 있던 곳이었는데, 그 주위에 도둑게들이 득시글거렸다.

도둑게는 십각목(十脚目) 바위게과의 갑각류였다. (…) 도둑게라는 이름은 그것이 부엌에까지 와서 음식물을 훔쳐 먹는다 하여 붙여졌다.

수방청 서북쪽 모퉁이의 모래밭 상층부에 무릎 높이의 도도록한 모래 무덤이 하나 있는데, 그 무덤과 일대의 모래에는 갯잔디, 통보리사초, 갯메꽃 덩굴, 나문재, 달맞이꽃, 갯쑥부쟁이, 억새, 갈대 들이 무리 져 자라고들 있었다. 도둑게들은 그 풀숲 속의 음습한 모래에 구멍을 뚫고 살았다. 모래 무덤은 수

---

74) 한승원, 『해일: 1부 비나리 갯비나리』, 범조사, 1991, 59면.

방청을 지키던 수군들에게 죽음을 당한 바다 도둑의 무덤이고 도둑게들은 그 도둑의 혼령이 환생한 것이라고 했다.[75]

바다는 평범한 바다가 아니라 죽은 자들의 넋과 정기가 스며든 곳이다. 바다에서 나는 것을 먹고사는 사람들의 몸 속에는 죽은 자들의 넋과 정기가 휘돈다. 역사 속의 수난은 아직까지 지속되고 있는 현실이다. 이제 율산 사람들은 그들의 터전인 바다에서 나오는 바다 생물들을 외부인들에게 빼앗기면서 살아간다. 이런 현실을 한승원은 예전에 물을 막았다는 수방청을 지키던 수군들에게 죽음을 당한 도둑게들이 환생했기 때문이라고 해석한다. 수방청은 이미 사라졌으나 그곳에서 죽은 넋들의 원통함은 지금까지도 되풀이되고 있는 것이다.

이처럼 한승원 소설의 공간과 지명은 지역 사람들이 겪은 역사적 고통을 고스란히 전달하는 매개체라 할 수 있다. 공간과 지명에 대한 설화적 상상력은 한편 마을공동체의 역사적 폭력에 대한 흔적을 드러내는 '기억의 텍스트'다. 설화와 역사의 구조적 상동성에서 그 폭력의 근원을 읽을 수 있다. 다시 말해 공간과 지명에 얽힌 소문, 설화, 이야기는 그동안 바깥으로 드러나지 않았던 역사의 폭력성과 기원을 보완하는 역할을 담당한다.

75) 한승원, 「저 길로 가면 율산이지라우?」, 『잠수거미』, 문이당, 2004, 40~41면.

### 3) 포구의 에로티즘에서 우주 바다로

한승원 소설에서 바다의 의미망은 대단히 깊고 넓다. 향일성(向日性)의 바다보다 "배일성(背日性)으로 기어드는 또 하나의 바다를 내 성장의 터전으로 키우면서 살아왔다"[76)]는 작가의 말에 비추어 볼 때, 그 바다에 대한 관심이 얼마나 지속성을 가졌는지를 충분히 짐작할 수 있다. 그동안 한승원 문학연구에서도 바다에 관한 논의는 당연히 중심을 차지하였다.[77)]

그런데 우리가 한승원의 바다에서 더 읽어야 할 부분은 바다와 포구가 지닌 상징적 의미가 다양한 양상을 띠면서 변모되어 왔다는 점이다. 미리 말해 바다와 포구는 그곳에 얽힌 아픈 역사를 환기하는 장소에서 점차 에로티즘과 생명력이 결합된 어머니의 자궁으로 그 의미가 달라진다. 포구의 에로티즘에서 우주 바다로 변모되는 지점은 한승원 소설의 주요한 변화를 보여주는 표지다.

> 붓골의 깊은 숲 속으로 들어섰다. 보얀 습기가 가득 들어 차 있는 숲에는 달 그림자가 얼룩져 있었다. 그는 그 달 이야기를

---

76) 한승원, 「작가후기 '사족(蛇足)'」, 『한승원창작집』, 세운문화사, 1972.

77) 김종회, 「바다, 고향, 그리고 원시적 생명력의 절창-「목선」에서 『동학제』까지(문학적 연대기)」, 『작가세계』겨울호, 1996, 18~37면; 양진오, 「바다, 어머니의 자궁 그리고 신화-한승원 초기 중·단편을 중심으로」, 『작가세계』 겨울호, 1996, 72~87면; 신덕룡, 「바다, 욕망과 반역의 공간-한승원의 『동학제』론」, 153~166면; 하응백, 「동(動)의 바다, 정(靜)의 바다」, 422~436면, 『한승원 삶과 문학』(임철우·임동확·하응백 엮음), 문이당, 2000 등.

소설로 쓰자고 생각했다. 그의 달은 수사법에서 값싸게 비유될 뿐인 아름답거나 외롭거나 슬픈 달이 아니었다. 그것은 무의식의 바다에 밀물과 썰물을 일으키는 힘의 원천이고, 보다 아귀찬 재생을 위해 침잠해 있는 밤의 어둠 속에서, 수정(受精)을 기다리는 알들의 문을 열게 하고, 사정(射精)하려는 수컷의 피를 용솟음치게 하는 원형질의 뿌리였다.[78]

포구(浦口)에는 배들이 오래 머무르지 않는다. 기껏 하룻밤쯤 머물렀다가 빠져나가곤 한다. 포구는 드나드는 배나 정박하고자 하는 배들을 너그럽게 수용한다. 포구는 여성[子宮]을 상징한다.

포구와 같은 여성상을 그려 보았다. 이 땅 동쪽의 끝도 갓도 없는 바다 없는 바다처럼 항상 물이 넉넉하게 괴어 있는 항구 포구가 아니고, 썰물과 밀물이 늘 교차하는 서해안이나 남해안에 있는 포구 같은 여성상.

밀물이 범람할 정도로 가득 밀려들었을 때의 풍성과 질척거림과 끈적거림과 썰물이 져서 거무칙칙한 갯벌이 드러난 황막과 허무, 짱뚱이처럼 퍼덕거리는 생명력을 번갈아 씹어대고, 젓갈이나 미역이나 생선의 비린내에 저려 있는 포구.

포구에는 달이 들랑거린다. 달은 멀고 먼 하늘과 이국의 항구와 동회와 원시림과 사막과 농어촌을 집시처럼 떠돈다.

---

78) 한승원, 『해일: 3부 해당화 붉은 꽃잎』, 범조사, 1991, 102~103면.

포구는 생명력 왕성한 여성처럼 구심력으로 당기어 억압하고, 그 속에 빠져 있던 달은 자유의 맛을 안 남성처럼 원심력으로 뛰쳐나가려고 한다. 포구는 세속적인 욕망을 강요하고 달은 자유를 희구한다.[79)]

한승원은 포구와 달을 각각 여성과 남성의 상징으로 읽는다. 포구와 달의 관계는 에로티즘의 두 가지 원리인 피학과 가학, 수동과 능동의 대립 관계로 설명된다. 그것은 그의 소설에서 억압과 자유, 금기와 욕망의 대립으로 변주된다. 이와 같은 포구의 에로티즘적 해석은 인간의 삶은 물론이고 우주의 질서와 생명체의 근원적인 힘을 이해하는 방식으로 확장된다.

우주는 비유적 언어로 되어 있고 그것은 에로스의 원리로 이루어져 있다고 한승원은 해석한다. 여기에서 우주생명의 질서인 가학과 피학의 관계를 왜곡되지 않게 언어(말)로 옮길 수 있는가라는 소설가와 소설쓰기의 고뇌가 뒤따른다. 한승원에게 세계의 질서를 손상시키지 않고 소설 언어로 옮겨 쓰는 것은 인간주의의 폐해를 우주주의로 극복하려는 일과 다르지 않는 주요한 '사업'에 해당한다. 이 문제를 장편 『키조개』에서는 '바다'라는 공간을 소설가의 '몸'과 '글쓰기'와 밀접하게 관련시켜 다룬다. 소설의 주인공인 시인이자 소설가, 동화작가인 허소라(許素螺)의 몸은 곧 소설가의 존재성과 소설쓰기의 본질을 질문하는 장소다.

---

79) 한승원, 「포구의 억압과 달의 자유」(작가의 말), 『포구』, 앞의 책, 341~342면.

허소라의 몸은 기상 이변이나 달의 운행 리듬을 따르는 바다의 썰물 밀물과 맞닿아 있었다.[80]

해물처럼 싱싱하고 해조음처럼 아련하고 신비스러운 시 소설 동화 수필을 쓰며 살고 싶었다. 이제부터 새로이 자기 몸과 바다와 달과 별이 한 몸인 것을 증명하고 싶었다.[81]

허소라의 몸은 여러 겹의 시공간이 누적되어 흐르는 수문포와 한 몸을 이룬다. 허소라의 몸이 곧 '바다'인 것은 허소라가 태를 묻은 곳이 바로 이 "수문(水門)마을"이라는 것에서도 의미심장하다. 그녀가 살고 있는 수문포는 천관보살의 자궁에 해당하는 곳인데 그곳은 새로운 생명력을 담은 글을 탄생하는 근원지이기도 하다. 그리고 그녀가 쓰고자 하는 글은 "자기 몸과 바다와 달과 별이 한 몸인 것을 증명하"는 일과 같다.

요컨대, 허소라의 몸은 곧 바다이고, 그 바다는 우주 전체다. 허소라의 몸이 태어난 그 바다는 우주 바다다. 이것은 허소라의 몸이, 세계의 모든 사물과 존재가 마치 하나의 그물망처럼 얽혀 원융무애한 상즉상입(相卽相入)의 관계 안에 있는 화엄의 연기적(緣起的) 사유에 근거한 것이다.

이러한 바다에 대한 한승원의 독특한 사유는 샤머니즘, 신화

---

80) 한승원, 『키조개』, 문이당, 2007, 120면.
81) 한승원, 『키조개』, 앞의 책, 139면.

성, 불교적 상상력을 융합하여 근대적 세계관에 대응하려는 시도에서 나온 결과다. 이 점에서 한승원의 바다 소설은 "신화적 여성성"의 바다로 개발독재 하의 "사이비 모더니티"에 응전해왔다고 할 수 있다.[82] 따라서 한승원 소설 속의 바다가 지닌 원시적 생명력과 샤머니즘적 요소는 전근대적인 유물이 아니라 자본주의 물질문명에 의해 훼손된 세계를 향해 생태학적 윤리를 요청하고 있다 하겠다.

## 4. 떠남과 되돌아옴, 그리고 기다림: 이청준

### 1) 절망: 섬과 바다라는 변곡점

이청준 소설 속의 바다와 섬이 의미하는 바는 고정되어 있지 않다. 초기소설 「바닷가 사람들」(1966)과 「침몰선」(1968)에서, 바다는 죽음에 대한 의심과 공포를 불러일으키는 공간으로 등장한다. 이 바다는 저 너머의 세계에 대한 호기심을 불러일으키는 공간으로서 주인공들의 내면적 성장을 가져오는 계기점이 된다. 소년은 수평선 너머의 섬은 배를 타고 바다로 간 사람들이 왜 돌아오지 않은 것인지, 그 죽음들이 거주하고 있을 그곳은 어디인지를

---

82) 김형중, 「호남 현대소설에 나타난 바다 이미지의 정신분석학적 고찰-바다와 모더니티」, 『현대문학이론연구』 28집, 현대문학이론학회, 2006, 69~75면.

질문한다.

> 바다는 하늘과 맞닿고 있는 그 검은 선 너머에다 얼마나 많은 이야기를 감추고 있는가. 그곳을 가 본 사람은 많았다. 아버지도 가 보았고 형 달이도 가 보았을 것이다. 그러나 아무도 그곳의 이야기를 가져오는 사람은 없었다. (…)
>
> 나는 수평선 쪽을 향해 눈을 가늘게 떠보았다. 수평선이 붙잡힐 듯이 가깝게 다가왔다. 문득 나는, 언제고 저 수평선 너머로 가서 그곳의 이야기를 모조리 알아 가지고 돌아오리라 다짐한다. 아버지도 달이도 어쩌면 그것을 알아내고 싶어 그곳으로 갔을, 그러나 아무도 그것을 알아 올 수 없었던 그 수평선 너머의 이야기들을 말이다.
>
> 나는 배를 따라 몸을 일렁이면서 그 수평선을 오래오래 바라보고 있었다.[83]

> 바다-. 수진은 그 소녀의 눈에서 자신의 바다를 볼 수 있었다. 아니 그 눈 속의 바다는 실제보다도 더 아름답고 신비스러워 보였다. 소년은 그 소녀의 눈 속에 더욱 아름답고 분명한 바다를 심어 주기 위해 계속 더 열심히 그 바다 이야기를 했다. 그러면서 그녀의 눈 속에서 하루도 빠짐없이 그의 바다를 보았다.
>
> (…)

---

83) 이청준, 「바닷가 사람들」, 『이어도』, 열림원, 1998, 13~14면.

바닷물은 그의 이야기로 소녀의 머릿속에 심어 주었던 것처럼 푸르지 못했고, 침몰선은 그렇게 먼 수평선 위의 꿈같은 모습이 아니었다. 정자나무 아래 모인 사람들도 그리 정다워 보이지 않았으며, 한낮의 골목길은 그늘도 없이 조용하기만 했다.[84]

소년의 눈은 언제나 더 멀리 달아나는 바다 위의 수평선에 가 닿는다. 수평선은 그 너머에 무슨 이야기가 감춰진 것인지에 대한 호기심을 불러일으킨다. 그것은 아무리 붙잡으려고 해도 도무지 붙잡을 수 없는 환상처럼 떠 있다. 출렁이는 배 위에서 소년은 아버지와 형의 죽음을 가져다 준 수평선 너머의 섬을 본다. 이청준의 눈은 바다 위의 '수평선'과 그 너머의 '섬'에 집중된다. 소년은 포구에 한동안 얹혀 있다가 어느 날 사라져 버린 침몰선에 대한 궁금증을 키운다. 그러나 소년은 후일 만난 한 소녀에게 그 죽음의 바다와 남루한 고향 사람들의 현실을 아름답고 환상적인 이야기로 들려준다.

바다와 섬의 세계에 대한 궁금증과 두려움은 환상과 사실, 죽음의 세계와 현실 세계의 대립을 낳는다. 「석화촌」의 거무와 별녜, 「이어도」의 천남석, 「시간의 문」의 유종열은 그 실체를 알 수 없는 미지의 세계에 가까이 갔거나 가려 했던 사람들이다. 그러나 바다 저편에 자리한 죽음의 세계로 향했던 그들은 죽음의 형식을 빌어 이곳으로 되돌아온다.

84) 이청준, 「침몰선」, 『숨은 손가락』, 열림원, 2001, 39면.

그로부터 며칠 동안 거무와 별녜는 마을에서 모습을 볼 수 없었다. 거무가 늘상 바다를 나다니던 외돛 목선도 눈에 띄지 않았다. 그래 마을에선 두 사람이 아마도 어느 먼 데로 배를 저어 가 버린 거라고들 생각했다. 하지만 아직도 그리운 게 있어서였을까. 어느 날 아침 두 사람은 그 먼 곳으로부터 다시 고향 마을로 돌아왔다. 그러나 이번에는 두 사람이 물론 배를 저어 돌아온 것은 아니었다. 배를 버린 채 이번에는 둘이 함께 물끝을 타고 돌아와 있었다. 아직도 살아서 힘을 주고 있는 듯한 네 팔로 두 몸뚱이가 하나로 꼭 엉킨 채, 어느 날 아침 두 사람은 문득 그렇게 마을 앞 바닷가로 파도를 타고 밀려와 있었다.[85)]

그런데 더욱더 신기하고 불가사의한 조화는 그 여러 날 동안의 표류에도 불구하고 천남석의 육신은 그 먼 바닷길을 눈에 띄는 상처 하나 없이 고스란히 다시 섬을 찾아온 것이었다. 그리고 아직도 무엇을 기다리고 있는 사람처럼 아침 해가 돋아오를 때까지도 그 심술궂은 썰물 물 끝에 얹혀 용케도 다시 섬을 떠나가지 않고 있는 것이었다.[86)]

이들의 죽음은 미지의 세계에 대한 의문이 결국 절망으로 귀착될 수밖에 없다는 것을 보여준다. 그런 한편 이들의 죽음은 바다

85) 이청준, 「석화촌」, 『이어도』, 앞의 책, 52면.
86) 이청준, 「이어도」, 『이어도』, 앞의 책, 123면.

너머의 죽음의 세계가 육지의 현세적 삶에 깊숙이 관여하고 있으며 심지어 간섭하기까지 한다는 사실을 증거한다. 이렇게 이청준 소설에 등장하는 바다는 항상 죽음의 이미지를 동반하는데, 여기에서 죽음은 미지의 세계를 뚜렷하게 확인할 수 없다는 절망적 인식을 확인시켜 줌과 동시에 이곳 현실의 삶을 새롭게 읽는 눈을 마련해 준다.

이렇게 이청준의 소설에서 바다와 섬은 절망과 절망을 넘어서 새로운 인식으로 나아가는 주요한 변곡점임을 기억해 둘 필요가 있다. 「시간의 문」(1982)은 이 문제를 미학적인 층위에서 접근한다.

> "글쎄, 난 실제로 배를 달리면서 무서운 절망감을 맛보고 있었으니까요. 섬을 지나면서 다시 섬이 나오고 안개를 뚫으면 다시 안개가 나오고……. 나는 그 안개와 섬들이 끝날 때까지 계속 바다를 달려 볼 참이었어요. 그 안개와 섬들 저쪽의 바다를 찍어오기 위해서요. 하지만 난 끝내 거기까지 나갈 수가 없었어요. 무한정 계속되는 안개와 섬들이 나를 바다 한가운데다 가두어 버린 겁니다. 바다 한가운데서 나는 그만 길을 잃고 만 거예요. 그 안개와 섬들 가운데로. 아니 흐름을 멈춰 버린 시간 속에 내가 갇혀 버린 거지요. 나는 시간을 잃고 바다 위를 헤맸어요. 시간 속에서 실종을 한 거지요……."[87)]

87) 이청준, 「시간의 문」, 『시간의 문』, 열림원, 2000, 193면.

> 그의 사진은 그의 욕망의 표현일 뿐이었다. 사람들 가운데서 자기 소재를 지워 없애 버리고 싶은 실종 욕망의 결과일 뿐이었다. 그의 사진에서 사람의 모습이 사라지게 된 것은 당연한 결과요, 그 결과의 현상인 것이었다. 아니 다시 말을 바꾸면, 그것은 그의 현실의 시간대 가운데엔 살아 있는 사람의 모습이나 숨결이 전혀 존재하지 않는다는 말이 되었다. 유 선배에게 있어 현실의 시간대는 항상 과거의 그것으로 채워지고 있었다. 자신의 소재마저 지워 버리고 싶은 그였다. 그런 그에게 하물며 이웃에 대한 관심이나 사랑 같은 것이 있을 리 없었다.[88)]

이 소설의 화자 '나'는 사진작가 유종열의 사진 행위에 대해 비판적으로 바라본다. '나'는 유 선배가 찍은 바다 사진이 "파도의 바다, 안개의 바다, 섬들이 멀어져 가고 있는 수평선의 바다……그저 그런 바다뿐이었다."(192면)고 말한다. '나'는 그런 유종열의 사진이 단순히 자기 실종 욕망의 대행 행위일 뿐이라고 반박한다. 그곳에는 사람의 모습이나 현실이 담겨 있지 않기 때문이라는 것이다.

그러나 유종열은 그 텅 빈 바다 자체, 그곳은 바로 뚫어 넘기를 소망한 두껍고 고통스런 '시간의 문'이라고 답한다. 유종열의 말에 따르면 그의 바다 사진은 낭만적인 바다를 찍은 것이 아니다. 그 바다 사진은 바다에서 헤매면서, 바다 한가운데서 안개와 섬들 사이

---

88) 이청준, 「시간의 문」, 『시간의 문』, 앞의 책, 194면.

에 갇혀 버린 절망적인 자신의 모습, 즉 시간 속에서 실종된 자신의 모습을 찍은 것이다. 유종열이 난파선의 선원처럼 심신이 지쳐 돌아와 필름의 인화를 서두른 이유도 거기에 있다. 그는 실종의 순간에 직면한 두려움과 공포를 씻기 위해서, "그 바다에서 잃어버린 시간의 흐름을 되찾기 위하여 그리고 그 정지된 시간 속에 길을 잃고 사라진 소재를 찾아내기 위하여." 바다 사진을 현상한다.

이제 두 사람의 대화는 예술의 영역으로 논점을 옮긴다. '나'의 관심은 우리의 삶에서 무엇을 찍을 것인가에 있다면 유종열은 그것을 어떻게 찍고 해석할 것인가 하는 문제에 관심을 갖는다.

> "전 카메라는 잘 모르는 사람이지만, 유 선배의 경우 그 카메라는 처음부터 정지된 시간밖에 찍어 낼 수가 없었을 것 같아요. 그걸 어차피 카메라의 숙명이라 하신다면, 그런 숙명을 지닌 카메라에 유 선배의 실패의 허물을 묻기보다 유 선배 자신의 눈의 숙명을 먼저 돌아와야 하겠어요. 사람의 삶이 아무리 괴롭고 절망스럽더라도 우리는 어차피 그런 삶을 보아야 하고, 그런 삶 속으로 함께 섞여 들어가 살아야 하는 것이 또한 숙명이니까요. 미래로든지 과거로든지 우리 인간들의 시간이라는 것은 그런 삶 속을 흐르고 있으니까요."[89]

'나'의 말에 따르면 예술가는 어떤 시각과 방식으로 사회의 현

---

89) 이청준, 「시간의 문」, 『시간의 문』, 앞의 책, 200~201면.

실을 담아낼 것인가를 고민해야 한다는 것이다. 반면 유종열은 "카메라라는 기계의 비극적인 숙명"을 이야기하면서 "카메라의 작업은 이를테면 순간을 통해 영원의 시간을 붙잡으려" 하는 것이라고 설명한다. 그렇게 완성시킨 그의 사진은 예술가가 자기의 한계를 끝까지 추구해 들어가는 실종의 자리에서 성취될 수 있는 것이다. 다시 말해 유종열의 마지막 모습이 담겨 있는 한 장의 사진은 스스로 사진의 피사체가 되어 버림으로써 사진가와 사진기, 그리고 피사체 간의 숙명적인 거리를 허물어 버리는 시도다. 그 사진에서는 미학과 사회학의 대립적 경계가 사라진다. 예술가가 예술작품 속에 자기실종을 감행하는 순간, 삶과 예술 사이의 경계는 희미해진다. 달리 말해 예술은 절망적인 인식의 한계를 넘어서 새로운 삶의 순간을 생성하는 방식으로 삶과 예술을 종합한다.

이에 대한 방법적 탐구를 소설화한 작품이 「섬」이다. 이 소설의 등장인물인 사진작가 강형, '나', 그리고 섬사람 홍순칠 씨 등은 '섬'의 실제에 접근하는 세 가지 방법에 각각 해당한다. 즉 세 갈래의 시선은 공간을 실제 그대로 현상하는 사진, 추리와 상상에 의한 재구성, 그리고 현장에서 살고 있는 사람들의 삶을 가리킨다. 이 세 갈래의 시선은 『신화를 삼킨 섬』의 주요 인물인 고종민, 정요선, 추만우의 것으로 수렴되어 제주섬의 역사를 다층적으로 읽는 비판적 시각이 된다.

이렇게 이청준 소설 속의 바다와 섬은 절망감에서 절망을 넘어서는 현실 인식으로, 다시 그것은 역사의 본질과 실체를 파악하려는 태도로 나아간다. 『당신들의 천국』과 『신화를 삼킨 섬』의 무대인 소록도와 제주도가 환상적인 섬 이미지의 이면에 자리한 한센인의 저주스런 운명과 4·3의 역사적 고통을 이야기하는 공간으로 선택된 이유가 충분히 짐작된다. 이 소설들에서 환상에 가려진 섬의 실체를 알아가는 과정은 그곳에 살고 있는 사람들의 삶과 역사의 숨은 진실을 드러내는 것과 동일하게 이루어진다.

### 2) 운명의 큰산, 천관산

이청준 소설 속의 귀향은 매우 복잡한 내적 계기들을 함축하고 있어서 그 과정은 섬세한 해석을 요구한다. 일찍이 김현은 이청준의 귀향소설을 '떠남'과 '되돌아옴'의 감싸기로 해석한 바 있다.[90] 이에 한 가지 더 살필 부분은 그 행로가 어떤 내면적 물음을 거쳐서 전개되었는지를 밝히는 것이다. 이를 읽기 위해 우리는 다음과 같은 질문들을 더 던져 본다. 고향으로 돌아오기 위해서는 우리에게 무엇이 요구되며 어떤 과정을 거쳐야 하는가. 이런 물음을 통해 이청준 소설 속의 귀향이 거느린 심층적 의미에 더 가까이 다가갈 수 있다.

먼저 읽어볼 작품은 장흥 천관산 탑산사 구리동종을 소재로 한 소설 「잃어버린 절」(1984)이다. '나'는 어느 날 해남 대흥사의 표충사 유물관에서 탑산사 구리종을 보게 된 후부터 그 종이 다른 절로 옮겨 온 사연에 대해 관심을 가지고 여러 자료들을 수집해서 읽

---

90) 김현, 「떠남과 되돌아옴: 이청준의 최근작품들에 대하여」, 『이청준론』, 삼인행, 1991, 123~132면.

으면서 그 동종이 옮겨지게 된 경로를 추적한다. 이 소설은 '잃어버린 절'이 지닌 비극적인 역사와 지역민들의 피폐한 실상을 구체적으로 형상화한다.

> 종이 옛 자리로 돌아와 그 소리를 다시 울려 퍼지게 한다면 (그것은 어쩌면 내가 그 구리종의 침묵 앞에 섰을 때부터 마음 속에 싹이 터 자라기 시작한 소망이었는지 모른다) 이 산의 성세와 밝은 법덕을 다시 일으켜나가게 될 수도 있을 일이 아닌가. 언젠가는 그 종을 다시 이 고을로 옮겨와 잃어버린 소리를 맘껏 울리게 해야 하였다. 유배지에서 긴 세월 침묵으로 쌓아 온 법덕을 이 산하에 맘껏 발하게 해 줘야 하였다. 그래 그 과거의 성세시의 소리로 해서나마 이 척박스런 고을의 피폐감과 무력감을 씻어 낼 길을 찾아봐야 하였다.[91)]

그러나 단지 잃어버린 절과 잃어버린 종소리를 되찾아야 한다는 주장으로 끝나지 않는다. 이청준은 묻는다. 우리는 잃어버린 종소리와 잃어버린 절을 되찾을 만한 자리를 진정 마련하고 있는가. 구리동종을 제자리로 가지고 오기 위해서 지금 우리는 어떤 노력을 해야 할 것인가. 이러한 물음 안에는 지역 사람들이 스스로 허무적인 미신주의를 극복하고 지역 중심의 아전인수 격의 역사 인식을 벗어나야 한다는 비판의 목소리가 들어 있다. 그럴 때 역사적

---

91) 이청준, 「잃어버린 절」, 『가위 밑 그림의 음화와 양화』, 열림원, 1999, 106~107면.

인 진실을 올바로 세우는 일이 가능하다는 것이다.

다시 말해 이 소설에서는 잃어버린 종소리가 다시 여기에서 울릴 수 있게 하기 위해서는 먼저 이곳이 그럴 만한 곳이 되어야 한다고 말한다. 잃어버린 산, 절, 종소리, 역사를 되찾는 일보다 앞서 해야 할 일은 "누추하고 무력하고 황폐스러울망정 그곳은 필경 내 운명의 모태였고, 내 삶의 마지막 귀소지"였던 고향을 씻기는 일이다.

이렇듯 이청준 소설에서 천관산은 잃어버린 것을 찾기 위해서, 진정 고향으로 되돌아오기 위해서 우리의 역사와 현실을 성찰하는 원점으로 자리한다. 이청준의 후기소설에서 "내 유년의 기억의 산", 천관산(天冠山)을 호명한 것은 그런 문제의식이 지속되어 왔다는 증거다. 『인문주의자 무소작 씨의 종생기』(2000), 『신화의 시대』(2007) 등에서 '떠남과 되돌아옴'을 결정지은 그 운명의 큰산, 천관산은 다시 논점이 된다.

> 큰산 꼭대기 구룡봉 위에서 바라본 세상은 끝을 알 수 없을 만큼 넓었다.
>
> 남쪽으로 조그만 숲동산 같은 그의 마을 뒷산 너머로 남해의 푸른 바다가 수평선도 짓지 않은 채 곧장 하늘로 이어져 올라갔고, 북쪽을 향해서는 셀 수도 없을 만큼 수많은 산들이 부연 연무 속으로 겹겹이 멀어져가고 있었다. 세상에서 가장 높은 산으로 알고 두고두고 오르기를 소망해온 큰산조차도 전혀 문제가 아니었다……. 그 세상의 터무니없이 멀고 넓음에 그는 왠지 그렇듯 아득한 심사 속에 까닭 모를 두려움이 앞을 섰다.

그리고 그 광활한 세상 먼 산줄기를 너머 어디선가 어렴풋이 그를 부르는 소리를 들었다.

우르르르……우릉……우르르……

(…) 그가 언젠가는 그 산너머의 넓은 세상으로 떠나가야 하리라는 것을. 벌써부터 자신도 그것을 마음속 깊이 소망해 오고 있었음을. 큰산엘 오르고 나서 그 세상의 멀고 광활함에 까닭없이 가슴이 떨려온 것이나 깊은 한숨기를 참을 수 없었던 것도 실은 그가 찾아 떠나가야 할 세상에 대한 두려움과 그 꿈의 멀고 아득함 때문이었음이 분명했다. 그리고 그 피할 수 없는 숙명의 행로를 목도한 놀라움과 스스로의 마음 아픈 결의 때문이었음이 분명했다.[92)]

여행의 시작은 물론 떠남에서부터다.

내 첫 떠남에의 예감은 어렸을 적 가형과 함께 목선을 타고 멀리 마을 앞바다로 나갔을 때부터였던 늣싶다. 배가 자츰 해번을 떠나가면서 그때까지 내 세계의 전부였던 우리 동네와 집들과 마을 뒷산이 조그맣게 멀어지고, 그 너머로 다시 천관산이라는 큰 산이 높다랗게 솟아올랐다. 그리고 배가 더 멀리 나갈수록 그 천관산 너머로도 계속 수많은 산봉우리들이 물결처럼 희부연 연무 속에 끝없이 이어져 가고 있었다. 나는 그 세상의 드넓음에 두려움과 아득한 절망감을 느꼈던 기억이 아직도 생생

92) 이청준, 『인문주의자 무소작씨의 종생기』, 열림원, 2000, 33~34면.

하다. -언젠가는 내가 저 산들을 넘어가야 하는 게 아닐까.[93)]

어린 시절, 천관산은 광활함, 두려움, 아득함을 주는 공간으로 기억된다. 저 산 너머의 드넓은 세상을 향해 떠나야만 할 것 같은 숙명적인 예감이 싹튼 것도 이 천관산에서다. 천관산 꼭대기에서 들려오던 '우르릉' 소리는 회진포 먼 바다 가운데에서 바라본 천관산의 아득한 절망감과 만난다. 천관산은 언젠가 "넘어야 할" "넘어서야 할" 큰산, 이곳에 영영 갇혀 버리지 않고 어떻게든 넘어서야 할 운명의 산으로 자리한다.

천관산이 '큰산'인 것은 그 모양과 위세가 장엄해서가 아니라 그 산을 넘어서야 할 것 같은 절망, 두려움, 아득함이 그만큼 크다는 의미를 담고 있다. 그 천관산은 저 산 너머의 세계를 향해 고향을 떠나도록 재촉한다. 그런데 천관산을 넘어 고향을 떠난 사람들은 왜 고향으로 돌아오게 되었을까.

이청준은 『무소작』(2000)에서 귀향하는 무소작의 생애를 그려내면서 앞선 물음에 답한다. 먼 방랑의 길을 떠나 떠돌이 생활을 하며 지낸 소작이 고향으로 돌아온 것은 소작의 마음 깊은 곳에 자리한 천관산과 고향의 소리를 듣게 되었기 때문이다. 고향을 떠나 도회의 궂은일을 하다가 세계를 떠돌아다닌 소작은 "그 옛날의 마음속 부름소리"를 듣고 고향 마을 참나뭇골로 돌아온다. 고향으로

93) 이청준, 「떠남과 돌아옴의 길목」, 『그와의 한 시대는 그래도 아름다웠다』, 현대문학, 2003, 77~78면.

돌아온 소작은 "참나뭇골이야말로 세상에서 내가 가장 알지 못한 곳이었구나. 그래서 언젠가는 내가 다시 찾아가야 할 마지막 동네로 남아 있다 비로소 나를 부른 것이었구나."라고 깨닫는다.

『무소작』에서 할미꽃 전설로 마무리된 무소작의 귀향 행로는 『신화의 시대』(2008)에서 천관산의 기운을 받아 태어난 태산의 이야기로 이어진다. 이청준은 그의 마지막 소설에서 천관산을 두려움과 절망의 산이 아니라 수많은 사람들의 염원과 소망이 깃든 '기다림'의 표상으로 바꾸어 쓴다. 그 천관산에서 인간, 설화, 역사, 이 세 줄기가 만난 '신화의 시대'가 개시된다. 이 부분에 대해서는 다음 장에서 다시 읽어 볼 것이다.

### 3) 기다림의 노래

이청준 소설의 공간 이동은 말에서 소리를 찾아가는 과정과 함께 읽을 수 있다. 이 지점을 살피는 데에 있어서 "'말'이 어떻게 하여 '소리'가 되고 소리가 어떻게 하여 말을 대신하게 되는지 그 과정을 밝히기 위한 전제조건"으로 '말'과 '소리'를 구분한 김치수의 논의[94]는 적절한 참조가 된다. 초기소설 「바닷가 사람들」(1966)에서 연작 『남도사람』(1976~1981), 「해변 아리랑」(1985)에서 반복적으로 등장하는 소리는 먼저 고향과 어머니에 관한 원초적 기억을 해명하는 일과 연관된다.

94) 김치수, 「말과 소리」, 『박경리와 이청준 소설의 세계』, 민음사, 1982, 141~147면.

> 아무리 오래 걸려도 보름을 넘은 적은 없었다. 더욱이 그 사이에는 달이가 돌아오지 않게 되던 날같이 바다가 또 크게 한 번 성을 낸 일이 있었다. 어머니는 거의 아무것도 하지 않고 울음소리 같은 노래만 웅얼거렸다. 전부터 달이가 오지 않게 되기 전부터도 어머니가 늘 웅얼거리던 소리. 가만히 들어보면 어머니는 뜻도 없이 그저 우우 하는 중얼거림으로 그런 소리를 냈다. 조금만 떨어져서 들으면 그것은 우는 소린지 노랫소린지 알 수가 없었다. 어머니는 혼자 있으면 노상 그런 소리를 웅얼거렸다. 아궁이에 불을 지필 때나 아버지의 헌 옷을 꿰맬 때나 그물을 손질할 때나 혼자만 있게 되면 어머니는 언제나 그 소리를 냈다. 아버지가 바다를 넘어가고 나면 나는 어김없이 그 소리를 듣게 되었다. 아버지가 오지 않는 지금 어머니의 그 소리는 끊일 적이 없었다.[95)]

어머니는 울음 소리도 같기도 하고 노랫소리도 같기도 한 슬픈 가락을 언제 어디서나 부른다. 어머니의 소리는 아들 달이와 남편이 돌아오기 전까지 계속된다. 어머니가 웅얼거리는 소리는 숱한 죽음들을 견디면서 부르는 노래다. 그 소리는 어머니의 아픔을 담은 노래이자 아픔을 이겨내기 위한 노래다. 그것은 고단한 삶을 견디어 내는 몸–소리다.

이청준에게 떠도는 말을 대신할 수 있는 소리를 찾는 것은 곧

95) 이청준, 「바닷가 사람들」, 『이어도』, 앞의 책, 15~16면.

참된 언어와 문학에 대한 방법적 탐색을 의미한다. 연작 『남도사람』은 남도 곳곳을 이동하면서 그 소리 찾기를 시도한다. 이 연작 가운데 「선학동 나그네」(1979)가 있다.

> 관음봉 산록에 명당이 있다 함은 이 마을을 선학동이라 부르게 된 데에도 또 하나 깊은 내력이 있었다. 산의 이름이 관음봉이라 한다면 마을 이름도 마땅히 관음리 정도가 되는 게 상례였다. 그러나 마을은 예부터 이름이 선학동이라 하였다. 까닭인즉, 마을 앞 포구에 밀물이 차오르면 관음봉이 문득 한 마리 학으로 그 물 위를 날아오르기 때문이었다. 포구에 물이 들면 관음봉의 산 그림자가 거기에 떠올랐다. 그 물 위로 떠오르는 관음봉의 그림자가 영락없는 비상학의 형국을 자아냈다. 하늘로 치솟아오른 고깔 모양의 주봉은 힘찬 비상을 시작하고 있는 학의 머리요, 길게 굽이쳐 내린 양쪽 산줄기는 그 날개의 형상이 완연했다.[96]

마땅히 마을의 이름을 관음봉 산록을 따라 '관음리'라 해야 하겠지만 사람들은 이곳을 선학동이라 부른다. 그 까닭은 이렇다. 선학동 마을은 양편으로 펼쳐진 산세가 마치 법승의 장삼 자락이 펼쳐 내려간 듯한 곳에 안겨든 형국이다. 포구에 물이 차오르면 관음봉의 그림자가 마치 학이 두 날개를 펴고 날아오를 듯한 형상을 하

96) 이청준, 「선학동 나그네-남도사람·3」, 『서편제』, 열림원, 1998, 65면.

면서 학이 물 위로 날아오르는 비상학(飛上鶴)의 장면이 펼쳐지기 때문이다. 여인의 의붓아버지인 노인은 포구에 물이 차오르고 선학동 뒷산 관음봉이 물을 타고 한 마리 비상학의 모습이 떠오르기 시작할 때면 거기에 맞춰 소리를 하고, 또 그때를 맞춰 눈먼 딸에게 소리를 가르친다. 부녀가 소리를 시작하면 선학이 소리를 불러낸 것인지 소리가 선학을 날게 한 것인지 분간할 수 없는 장면이 전개된다.

이청준은 '선학동'을 통해 무엇을 보여주고 있는 것일까. 그것은 시간과 공간이 어우러진 선학동의 풍수지리가 여인의 소리를 만나 비상학의 경관을 펼쳐 보이듯이[97] 이청준은 비상학의 장관을 기대할 수 없는 황폐한 그곳에 소리꾼 아비와 오누이의 한스런 이야기를 앉힌다. 여기서 여인의 소리가 선학이 나는 형상을 가능하게 하는 황홀한 장면이 펼쳐진다. 그러나 그 황홀한 장면에는 이미 말라 버린 포구에서 그 비상학과 소리를 더 이상 만날 수 없다는 완벽한 상실감과 절망감이 깃들어 있다. 그것은 우리의 기다림 속에서만 현현하는 꿈과 소망일 터이다.

이런 상실감과 절망감을 넘어설 수 있는 가능성을 모색하는 데에 이청준 소설의 귀향 작업이 바쳐진다. 그러면 "그 상실감은 귀향함으로써 치유될 수 있을 것인가."[98] 이 지체된 귀향 길에서 이

---

97) 「선학동 나그네」에 나타난 풍수지리의 본질은 "공간의 논리일 뿐만 아니라 시간의 논리"에 있다. 시간과 공간, 그리고 산(山)과 수(水)가 둘이 아닌 하나로 어우러지는 동적인 것이다.(김두규, 「문학과 풍수지리」, 『우리 풍수 이야기』, 북하우스, 2003. 182~185면 참조)

98) 임성운, 『남도문학과 근대』, 케포이북스, 2012, 246면.

청준은 유년의 기억에 스며 있던 어머니의 노래를 다시 해석한다. 다음에 인용한 「해변 아리랑」(1985)에서 읽을 수 있다.

> 금산댁은 그러나 아이의 기다림에는 아랑곳없이 무한정 밭이랑만 오갔다. 우우 우우 그 노랫가락도 같고 울음 소리도 같은 암울스런 음조를 바람기에 흩날리며 조각배처럼 느릿느릿 밭이랑을 오고 갔다. 소리가 가까워지면 어머니가 어느새 눈앞에 와 있었었고, 그 소리가 어느 순긴 종적을 멎고 보면 그새 그녀는 저만큼 이랑 끝에 아지랑이를 타고 하늘로 올라가버리기라도 할 듯 한 점 정적으로 멀어져 있었다. (…) 그렇게 진종일 아이를 기다리게 했다가 해가 기울고 산그늘이 어둑어둑 밭이랑을 덮어 내려와야 금산댁은 비로소 소리를 그치고 머릿수건을 벗어 털며 아이에게로 돌아왔다…….
>
> 아이의 기억 속에 뒷날까지 살아남은 생애 최초의 세상 모습이자 그 여름의 나날의 경험이었다. 아이는 이를테면 그 여름 밭가의 무덤 터에서 생명이 태어난 셈이었고, 그 하늘의 햇덩이와 구름장, 앞바다의 물비늘과 돛배들을 요람으로 삶의 날개가 돋아 오른 셈이었다.[99]

노래장이 이해조.

그는 생전에 늘 여기와 앉아서 그의 바다의 노래를 앓고 갔

---

99) 이청준, 「해변 아리랑」, 『눈길』, 열림원, 2000, 92~93면.

다. 그리고 그 노래가 끝났을 때 그의 혼백은 바다로 떠나갔다. 바다로 가서 반짝이는 물비늘이 되고 작은 섬이 되고 돛배가 되었다. 그 돛배의 노래가 되고 바닷새가 되고 바람이 되었다. 그가 사람들의 기억에서 잊혀지고 이 비목마저 세월 속에 삭아져도, 이 땅에 뜨거운 해가 뜨고 지는 한 그의 넋은 영원히 살아 있을 것이다. 그가 이 땅에 노래로 살다간 사랑은 저 바다의 눈부신 물비늘로 반짝이며 먼 돛배의 소리들로 이어지며 작은 바닷새의 꿈으로 살아갈 것이다.[100)]

어머니는 소리와 함께 아이에게 다가오고 또 소리와 함께 아이에게서 멀어진다. 아이는 어머니의 노래를 온몸으로 앓는다. 아이는 어머니의 노래를 듣던 무덤가에서 해, 구름, 섬, 돛배들을 바라보면서 바다를 앓고 성장한다. 훗날 사내는 자신의 죽음을 어린 시절 저 바다의 눈부신 물비늘과 먼 돛배의 소리들, 작은 바닷새의 꿈으로 돌아간 것이라고 기록한다. 사내의 삶은 곧 어머니의 노래로 돌아가기 위한 기나긴 기다림이었던 셈이다.

『신화의 시대』(2008)는 그 기다림의 노래를 천관산을 무대로 하여 다시 쓴 미완의 장편이다. 이 소설의 서두는 한 여인이 천관산 어귀, 남녘의 해변마을 선바위골(立岩里)로 들어오는 장면으로 시작된다. 천관산 아랫마을에 정착하게 된 그녀는 '자두리'란 소리 외의 다른 말은 할 줄을 모르는 떠돌이 여자다. 자두리 그녀 자

---

100) 이청준, 「해변 아리랑」, 『눈길』, 앞의 책, 289면.

신은 물론이고 선바위골 사람들 중에서 그녀가 누구인지 무슨 일로 어디에서 이곳으로 왔는지를 아는 사람은 아무도 없다.

어느 날, 마을에서는 자두리와 정신이 온전치 못한 사내 대성이에 관한 소문들이 떠돈다. 고을장사 시합에 나갔다가 다친 이후로 말을 하지 못할 뿐더러 어미조차 제대로 알아보지 못하는 대성과 자두리 사이에 새 생명이 잉태되었다는 소문이 퍼진 것이다. 안좌수댁은 자두리의 임신이 천관산을 다녀온 산행꾼들의 소행일 거라고 추측하면서 이 사건을 마무리한다.

자두리와 대성에 관한 소문이 사실인지 아닌지를 따지는 것보다 주의 깊게 읽을 부분은 그 소문을 마을 사람들이 신성시 하는 '천관산'의 제의성과 결합된 것으로 해석한 점이다. 거기에는 자두리가 잉태한 아이가 천관산 주변 마을 사람들의 깊은 소망과 무관하지 않다는 생각이 들어 있다. 소설의 3부의 주인공 '태산(太山)'은 그렇게 천관산을 오르내리며 소망을 쌓아 온 사람들의 기다림으로 인해 태어난다. 태산의 아버지 장군 씨는 태산에게 이렇게 말한다.

> "이 동네 뒤쪽 마장고개 너머 면소 쪽에 천관산이라고 크고 높은 산이 있는디 그 산을 흔히 큰산이라고 부른단다. 그 큰산을 지키시는 산속 신령님이 큰산 신령님이시고. 그런디 태산이라는 니 이름이 바로 그 큰산에서 뜻을 따온 것이란다. 니가 큰산같이 높고 큰 사람이 되라고 아부지가 그 산이름 한짝으로 그리 지어준 것이니께. 그러니 큰산과 같이 크게 될 너를 낳은 늬 아부지는 그 큰산 신령님 한가지 아니냐. 하지만 이런 소리,

아부지 앞에서 다시 하지 말고 너는 그저 착실히 자라서 뒷날 그 큰산같이 크고 높게만 되거라."

실은 그 어머니 약산댁 자신조차 깊은 믿음이 안 가는 소리라 태산은 이번에도 뜻을 다 알아들을 수 없었지만, 그의 머리와 가슴속 한쪽에 숨어 자라던 어떤 덩어리의 그림자가 비로소 그 큰산과 아비의 모습으로 서로 스미고 얽혀 드러나기 시작한 계기였다.

하지만 그것은 그 큰산과 괴물 같은 아비가 서로 태산의 마음속 '아비의 자리'를 놓고 다투는 혼란과 헷갈림의 시기이기도 했다. 어떤 때는 아직 본 일조차 없는 큰산의 불가사의한 자태 위에 아비 장굴 씨의 얼굴이 무겁게 얹혀 떠오르기도 했고, 더러는 그 아비의 거친 모습과 행티 속에 큰산의 숨결과 괴력 같은 것이 느껴지기도 했다. 큰산과 아비는 그렇듯 태산의 마음속에서 서로 스미고 덧칠되면서 '아비의 자리'를 다투는 싸움을 한동안 계속해간 것이었다. 그리고 태산은 그럴수록 제 눈앞의 아비 장굴 씨를 까닭 없이 더 두려워하고 뜨악하게 여겼다.[101]

태산의 양아버지 장굴 씨가 전해 준 것처럼 태산은 큰산 천관산의 뜻을 지닌 아이다. 그래서 태산은 아버지 장굴 씨의 얼굴과 천관산의 불가사의한 형상을 서로 스미고 덧칠하면서 아버지의 초상을 만들어 간다. 이렇게 태산은 천관산 아래에서 살아가는 사

---

101) 이청준, 『신화의 시대』, 물레, 2008, 238~240면.

람들의 보이지 않는 소망과 기다림의 노래가 만나 탄생한 신화적 존재다.

인간과 역사를 지탱해 온 신화가 비로소 태산의 존재로 형상화되어 새로운 역사의 시대를 개시하려는 순간에서, 이 이야기는 멈추었다. 이 소설의 마지막 부분은 태산이 광주학생들이 일본인 중학생들에 대항해 나선 '학생사건' 몇 해 뒤인 1932년 봄, "제 미지의 운명의 문을 열고 그 광주사범학교 대처로 유학의 길을" 떠나는 것으로 되어 있다. 그런 후에 태산이 어떻게 살아가게 되었는지는 우리가 써야 할 미완의 이야기로 남겨져 있는 것이다. 지금 우리가 간직하고 있는 기다림의 노래가 바로 그 이야기를 이어서 완성할 수 있는 힘일 것이다.

앞서 살핀 것처럼 작가들마다 공간과 지명을 사유하는 방식에 있어서 확연한 차이를 보인다. 호남 지역에서 태어나 비슷한 시대적 상황을 거쳤는데도 작가들 나름의 지리 감각과, 경험과 기억에 따라 이 지역의 공간을 표상하고 형상화하는 방식은 서로 다르다. 산과 바다, 포구는 이들의 문학에서 서로 다른 의미를 지닌 문학공간으로 탄생한다.

예를 들어, 한승원의 고향인 덕도와 이청준의 고향 진목을 연결하는 중간 지점에 자리한 회진포구를 무대로 한 소설들을 대비해 보면 동일한 문학공간을 공유한 작가들이 어떻게 같은 지명을 다르게 사유하는지를 볼 수 있다. 두 작가의 소설에서 '회진포구'는 동일한 지명이지만 그 내포하는 의미가 다르다. 또 이청준에게 바다와 섬은 삶과 죽음에 대한 사유를 전개하는 공간이라면 한승원에게 그곳은 바닷가 사람들의 생생한 삶과 마을공동체의 역사가 담긴 구체적인 현장이다.

이 장에서 미처 살피지 못한 임철우 소설의 공간은 한승원과 이청준 소설의 공간적 특질이 함께 자리해 있다. 임철우는 고향섬을 주변부의 역사 기억을 드러내는 공간으로 그의 소설의 전면에 배치한다. 임철우의 고향 완도 '평일도'는 『아버지의 땅』(1984)과 『그리운 남쪽』(1985), 『붉은 산, 흰 새』(1990), 『그 섬에 가고 싶다』(1991), 『백년여관』(2004) 등에서 '낙일도(落日島)', '영도(影島)' 등 다양한 이름으로 변형되어 등장한다. 분단과 전쟁으로 인해 혼란스러운 고향 '평일도(平日島)'를 소설 속에서 왜 '낙일도(落日島)'로 바꾸어 썼는지는 지명의 어원과 유래를 참조해 보면 한층 잘 이해가 된다.[102)]

임철우 소설에서 고향섬의 안과 밖을 오가는 여정은 곧 해방 전후의 혼란과 상처가 광주 오월의 현장에 이르기까지 되풀이 되고 있다는 진단과 동일한 의미로 읽힌다. 『봄날』(1997)에 대해서 새삼 거론하지 않아도 그의 공간 감각에 개입된 역사 인식이 충분히 짐작되리라 본다.

---

102) "(…) 평일도 지명 유래는 옛날부터 외침을 받아 본 적이 없고, 온화한 날이 계속되어 유래되었다고 전해진다"(완도군, 『한국지명유래집-전라·제주 편』, 국토해양부 국토정보지리원, 2010, 663면).

## 2부
# 고통의 언어: 상처와 흔적

1. 그날의 기억을 말할 수 있는가

2. 우울과 유토피아: 서정인과 이청준

3. 원한과 저주의 낙인: 한승원과 임철우

## 1. 그날의 기억을 말할 수 있는가

근대 이후 인간존재의 고통은 20세기 역사의 배면에 자리한 조직화된 전체주의적인 폭력성과 밀접한 관계가 있으며, 그것은 역사 속에서 '우리' 자체가 철저하게 파괴되었다는 사실이 주는 고통이다.[103] 고통은 정신분석학적인 방법으로 간단하게 치유할 수 없는 것이며 일반적이고 보편적인 감정으로 처리될 수 없는 '어떤 특수한 것' 이다. 이제 인간의 고통은 정치적, 윤리적, 인간적인 측면에서 조명해야 할 복잡한 논점인 것이다.

---

103) 시공간의 차이를 불문하고, "20세기 전체주의의 역사는 한마디로 말해 우리가, 즉 문화 내에서 형성된 동일성의 집단(민족·국가, 나아가 파시스트 집단, 나치 집단, 공산주의 집단)이 그 자연적(또는 '동물적') '우리'를 무시했을 뿐만 아니라 그 '우리'를 살해해 온 역사"로 기억된다(박준상, 「환원 불가능한 (빈) 중심, 사이 또는 관계-타자에 대하여」, 『빈 중심』, 그린비, 2008, 208~209면).

그런데 역사적 사건에 대한 솔직한 증언도 결국 역사적 체험을 떠올리는 시간대를 비집고 들어오는 상상력에 의해 사후적으로 굴절, 변형, 재구성된 기억일 수밖에 없다면, 또 역사의 그늘 어딘가에 묵묵하게 거주하고 있을 고통은 누구의 손끝과 목소리에 의해 기록되고 증언되느냐에 따라 그 실체가 왜곡될 가능성이 늘 잠재되어 있는 것이라면, 고통의 기억을 말할 수 있는가라는 물음은 결코 사소한 것이 아니다.

역사 속의 고통은 무엇보다 수동적인 경험, 즉 선택 없이 이미 '주어진 것' 이다. 고통은, 언어 이전에 있는 것이며 또 언어를 초과하여 존재하기 때문에 어떤 말로도 재현할 수 없는 것, 즉 '말할 수 없는 것' 이다(아픔과 괴로움을 모두 말할 수 있다면 그것을 언어로 번역할 수 있다면, 그래서 고통의 흔적을 남김없이 가시화할 수 있다면 , 그것은 이미 고통이 아닐 것이다).

고통은 언제나 이미 있는 것, 하지만 투명한 언어로 재현될 수 없는 '그 무엇' 이다. 소설 속의 주인공들이 우울, 광기, 이명(耳鳴), 분열증 등에 시달리고 자신의 병증을 명료한 언어로 전달하지 못하는 진술공포증을 앓는 이유도 그들이 겪었던 역사가 문자언어로 표현될 수 없는 것, 즉 역사적 사건은 언어적 표현을 초과하는 극단의 경험이었기 때문이다. 이것이 인간의 고통을 쉽게 말할 수 없는 이유이며, 지금 여기에서 더욱더 말해야 하는 이유이다.

역사적 기억과 고통을 완전하게 증언할 수 없다는 것을 필연적인 한계로 설정하는 한편, 역사적 고통이 '기억의 정치' 에 의해 견인되어 왜곡될 수 있는 가능성을 경계하면서 역사 속의 고통을 말하고자 하는 태도가 필요하다. 또 동일한 조건 하에서 비슷한 경험을 했다 하더라도, 사람들은 그것을 동일한 방식으로 느끼거나 구조화하지 않는다. 고통의 크기와 강도는 무한한 '차이'를 갖기 때문에 '나'의 고통이 '너'의 고통이 될 수 없을 때가 많으며, 나와 너의 고통이 하나의 공감대를 형성하여 '우리'의 고통으로 이전되는 것도 쉽지 않다.

여기에서 역사적 고통, 그 상처와 흔적을 읽는 것은 애초에 역사를 사실 그대로 증언할 수 없는 문학이 나름대로 역사적 기억에 대해 말해 왔다면 무엇을 어떻게 말해 왔는지를, 즉 문학이 역사적 기억에 대해 말해온 방식에 관해서 생각해 보기 위함이다. 이는 역사적 기억을 사실 그대로 말할 수 없는 처지에 놓여 있는 문학이 역사적 기억과 그 안에 담긴 인간존재의 고통을 말함으로써 역사 속의 고통이 어떻게 만들어졌는지, 도대체 왜 고통은 지금까지 지속되고 있는가라는 문제의식까지를 포함한다.

### 1) 소년들의 증언

"한 사람의 죽음"은 역사적 기억을 말하는 데에 있어서 가장 논쟁을 일으키는 장면이다. 이들의 소설에서는 역사적 사건에 대한 구체적 경험이 대개 '죽음'에 관한 경험과 기억을 통해 형상화 된다. 유년 시절에 마주한 죽음들을 소설에서 어떻게 보여주고 있는지를 읽어 보자.

> 한 사람이 땅바닥에 손발을 쭉 뻗고 엎드려 있었다. 얼굴은 이쪽으로 향하고 있고 땅바닥에 한쪽 볼이 처박혀 있는데 마치

정다운 사람과 얼굴을 비비는 형상이었다. 눈은 감겨져 있었다. 머리맡에 총이 떨어져 있고 허리에 찬 보따리가 풀어져서 그 속에 쌌던 밥이 흘러나와 땅에 흩어져 있었다. 가죽끈으로 구두를 다리에 칭칭 얽어매어서 신을 신고 있다기보다는 신을 다리에 붙들어 매어 놓은 듯했다. 길게 자란 수염과 헝클어진 머리칼, 그리고 다 해진 옷, 가슴에서 삐죽이 수첩이 내밀어져 있고 그 가슴에서 피가 흘러나와서 땅속으로 스며들어 있었다. 아직 완전히 마르지 않은 피에서인지 짜릿한 냄새가 가볍게 공중으로 퍼지고 있었고, 그렇다고 생각하고 있는 내게 그때 마침 불어오는 바람 때문에 시체의 머리칼이 살살 나부끼는 것이 보였다.[104)]

발 하나를 몹시 절뚝거리고 있었어. 게다가 가까이서 보니 녀석은 두 눈마저 이미 시력을 잃고 있는 것 같았어. 오른쪽 눈은 눈두덩이 두껍게 부어올라 이미 뜰 수조차 없게 되어 있었고, 피가 흐르고 있는 왼쪽 눈은 그 피로 범벅이 된 눈두덩 털 때문에 형체조차 잘 알아볼 수가 없었어. 피는 눈에서 흐르는 것 뿐 아니었을 거야. 녀석의 머리통 부근과 탐스럽던 털의 이곳저곳에까지 붉은 핏자국들이 번져 있었어. 비를 맞아 그게 더 낭자했지.[105)]

---

104) 김승옥, 「건」, 『무진기행』, 문학동네, 2000, 64면.
105) 이청준, 「개백정」, 『숨은 손가락』, 앞의 책, 72면.

소년(들) 앞에 있는 시체는 "마치 정다운 사람과 얼굴을 비비는" 것처럼 땅 위에 누워 있다. 그것은 "탱크를 닮은 괴물도 아니고 그리고 그때 시체 주위에 둘러선 어른들이 어쩌면 자조까지 섞어서 속삭이던 돌덩이처럼 꽁꽁 뭉친 그런 신념덩어리도 아니었다" (「건」). 소년은 그 시체에서 "경찰들이 헤쳐 놓은 앞가슴 밑에서 엉망진창으로 찢겨진 배를 보았고, 거기 핏덩어리들 속에서 급히 씹어 넘긴, 아직 소화되지 않은 사과 조각들을" 본다(「재룡이」). 소년의 눈에는 당시 쫓기고 쫓기는 사람들의 죽음이 개가죽 공출에 의해 죽어 나갔던 개들의 신세나 다를 것이 없어 보였다(「개백정」).

무자년 가을에 일어난 여순사건 당시의 풍경을 소년은 이렇게 되감아 쓴다.

> 군인들은 이틀 전, 비켜, 하고 총질을 해 대던 군인들과 똑같은 군대였다. 똑같은 철모, 똑같은 군복, 똑같은 소총, 똑같은 낯짝. 그들은 북쪽으로 이동했다. (…) 벗은 장정들이 손들을 뒤로 묶이고 굴비두름처럼 줄줄이 엮여서 군인들에게 끌려나갔다. 드르륵 드르륵 총소리들이 간단없이 들려왔다. 그들은 경찰관 옷과 금테모자를 쓴 사람이 군인들과 섞여서 사이좋게 설치는 것을 보고 세상이 또 한 번 뒤집힌 것을 깨닫기 시작했다. 그는 배가 고팠다. 아침 나절에는 그럭저럭 구경거리도 많고 해서 배고픈 줄 몰랐는데, 점심때가 겹치자 차츰 지루하고 허기가 지기 시작했다. 그는 머리가 텅 비어서 아무것도 알 수 없었다. 처음에는 죽는 사람들은 물론 죽이는 사람들도 들뜨고 격했는데, 나중에는 차츰 죽이는 사람들은 물론 죽는 사람들도

허리가 아프고 놀이가 시들해졌다.[106)]

서정인의 「무자년의 가을 사흘」은 1948년 여순사건 당시, 사흘 동안 순천에서 일어난 일들을 '소년' 화자의 시점에 따라 기록한 소설이다. 남북한의 정세나 이데올로기에 대한 이해가 전혀 없는 소년의 눈을 통해 가족과 마을 사람들의 대화, 군인들의 움직임, 그리고 이어지는 살상의 현장을 그려 낸다. 소년은 차례대로 쓰러지는 사람들의 죽음이 지루할 정도로 반복되는 그곳에서, 똑같은 차림의 군인들이 번갈아 가면서 마을 사람들을 총살하다가 이제 또 한 차례 세상이 바뀌어 가고 있음을 "가슴으로 겪는다." 소년은 아무런 해석 없이 그 죽음들을 겪은 것이다.

소년들의 눈에 보이는 현장을 기록하고 있는 태도가 마치 사실 그대로를 말하는 기록자의 시선처럼 느껴질 수도 있다. 그러나 소년의 시점은 절대 순수한 역사적 사실을 대변하지 못한다. 소년의 눈조차도 사실 그 자체를 객관적으로 담아낼 순 없는 것이다. 그렇다면 이 소설들에서 죽음이 보여주는 것은 그런 참혹한 현실을 소년의 '몸'으로 겪었다는 사실이다. 어떤 사람(들)의 죽음, 그것은 어떤 사상과 이념에 의한 것인지에 대해서 아무런 설명도 없이 어느 날 갑자기 소년의 눈앞에 던져진 것이다.

이렇게 소년의 눈이 증언하고 있는 죽음들에서 방점을 두고 읽을 부분은 그 소년의 눈이 현장자체를 구체적으로 보고하는 르포

---

106) 서정인, 「무자년의 가을 사흘」, 『베네치아에서 만난 사람』, 작가정신, 1999, 53~55면.

형태와 다른 방식으로 증언하고 있는 점이다. 소년의 눈은 빈집에 내던져진 빨갱이의 시체(「건」), 빨갱이를 죽이고 돌아오는 길에 총살당한 한 사내(「재룡이」), 총살형을 당하는 사람들 앞에서 '배고픔' 과 '지루함' 을 "겪는" 소년의 몸(「무자년의 가을 사흘」)을 본다. 그리고 그 눈에 비친 시체들에서 익명의 죽음들이 침묵하면서 남긴 말, 아니 음절을 상실한 신음 소리와 비명 소리가 흘러나온다.

그날들이 남겨 준 죽음의 현장은 "뒤에 선 사람의 얼굴을 볼 수 없는 그 무시무시한 전짓불"(「소문의 벽」)처럼, 좌우익이 극심하게 대립하던 시기에 마을 앞의 포구로 들어와 아예 주저앉아 버린 '침몰선' 처럼("그 배에 관해서 확실하게 알고 있는 사람이 아무도 없을지 모른다는 것과, 또 그 모습이 늘 달라지고 있다는 것"(「침몰선」, 23면) 이들의 기억 속에 침묵의 '상형문자' 이자 해독되지 않는 '기호' 로 각인된다.[107]

소년들의 눈으로 그려내고 있는 죽음이란 오랫동안 침묵했고 침묵할 수밖에 없었던 시체들의 마지막 말, 그리고 그 주변을 웅성거리는 사람들의 목소리, 바로 이러한 사소한 것들을 통해서 말할 수 있는 고통의 실상이다. 익명의 존재들이 남긴 침묵, 어떠한 말로도 옮길 수 없는 막연한 감정들(혼란, 지루함, 공포 등)은 언제든 다른 시공간에서 환기될 수 있는 원기억으로 자리한다. 원기억은 사후적

---

107) "들뢰즈에게 있어서 사유 활동이란 진리를 찾고자 하는 주체의 자발적인 의지에 의존하는 것이 아니라, 기호의 폭력이 상처를 입혔을 때 그 기호가 숨기고 있는 진실을 해독해 내기 위해 비로소 수동적으로 시작되는 활동이다"(서동욱, 『차이와 타자』, 문학과지성사, 2001, 104면).

으로 재해석된다. 여기에서 이들의 문학적 사유는 시작된다.

### 2) 야만의 역사

시체, 붉은 피, 터진 내장, 찢긴 옷, 벌거벗긴 몸은 어떤 말로도 말할 수 없는 구체적인 역사적 '사실'이면서 어떤 방식으로도 이해될 수 없는 역사의 '암호'였다. 이들의 소설은 죽음의 역사를 분석하고 해부하는 것을 진중한 문제의식으로 껴안는다. 한 인간의 죽음은 역사가 남겨준 고통이 대체 무엇이었는지를 생각하도록 촉구하고, 눈앞에 놓인 세계가 도대체 어떤 곳인지를 탐색하도록 강요하는 정신적 충격으로 자리하게 된다.

역사 속의 고통은 아무것도 할 수 없게 된 자, 쓸모없이 되어 버린 시체들이 남긴 침묵을 통해 전해진다. 살아 있으면서도 죽어 있는 자 혹은 죽어 가는 자와 같은 반(半)인간들, 시체 혹은 유골상자와 같은 비(非)인간들이 역사가 남긴 고통을 말한다. 그것을 받아 적는 소설은 역사적 기억에 대한 빈틈없는 사실적 증언이 아니라 종이 밖에 있는 망명자들의 삶과 그들의 고통을 망각하지 않으려고 애쓰는 절망의 기록에 가깝다.[108)]

이로써 이들의 문학은 역사적 사건과 인간의 고통이 왜 쉽게 증

---

108) "물화되지 않은 것, 즉 셀 수 없으며 측정될 수 없는 것이 삭제된다. (…) 그러한 삶은 언제나 사유와 기억으로서만 지속된다. (…) 망명자들의 손상된 삶은 미국 통계학자들의 개선차에 실려서 끌려다니며, 지나간 것을 기억하면서도 지나간 것을 망각하는 현재 앞에서 지나간 것은 무력해진다"(테오도르 아도르노, 최문규 옮김, 『한줌의 도덕』, 솔, 2000, 69면).

언될 수 없으며 또 그렇게 되어서도 안 되는가라는 더 큰 망설임과 의구심에 다다른다. 이들의 문학 안에서 던지고 있는 이 물음은 곧 역사적 기억과 인간의 고통을 왜곡되지 않게 담아내는 일이 그만큼 어렵다는 것을 호소하는 문학의 윤리를 함축하고 있는 것이며 그것은 또한 '기억의 정치'에 의해 고통의 기억이 견인되는 것을 거절하는 문학의 정치성이 현시되는 지점이기도 하다.

"반란", 곧바로 이어진 "전쟁"은 그것 자체가 준 고통의 경험보다 더욱 비참한 결과를 가져다주었다. 전쟁은 한 인간의 몸에 지울 수 없는 상처 자국을 새겼다.("폭음이나 저 철벅거리는 소리를 듣지 않으면 안 될 운명 속에 있는 것 같았다." "그러나 어쩔 것인가. 그 두 소리가 듣지 싫으면 죽을 수밖에 없는 것을!"(「빛의 무덤 속」, 346면). 그러므로 그 상처 자국을 단지 시국 탓으로 돌리는 방식으로는 역사의 숨은 얼굴을 제대로 읽을 수 없다.

> 총알이 어떻게 성질이라는 바람을 찢어 놓을 수 있단 말인가. 그런데 시국 탓이라니! 그렇다면 시국은 총알을 가리키는 것이 아니었던가? 뭐가 뭔지는 잘 모르겠으나, 하여튼 속에 든 것이 많은 사람들이 지도자가 되어 패를 나눠가지고 총을 쏘고 하는 게 시국이 아니란 말인가? 눈에 보이지 않는 성질이란 것도 이 사람한테서 빼어 저 사람에게 옮겨 놓고 저 사람 성질은 이 사람 머릿속으로 옮겨 놓을 만큼 무서운 능력을 가진 괴물이 시국이란 말인가? 성필이 아부지는 전쟁이란, 난장판이란 말과 같은 뜻인가보다고 말했지만, 그렇다면 시국이란 하나님을 가리키는 요샛말인가?[109)]

그는 결국 친구도, 한 마을 이웃도 아니었다. 핏줄을 함께한 동족도 아니었고, 청색주의에 맞서고 있는 흑색주의의 평등주의자도 아니었다. 무엇보다도 그는 동준과 두 발로 삶을 함께하고 있는 인간이 아니었다.[110)]

싸움은 보수와 혁신 사이의 싸움이 아니었다. 지배세력과 국민대중 사이의 싸움도 아니었다. 군인과 학생 사이의 싸움은 더욱 아니었다. 타오르는 불길을 못 보거나, 그럴 리가 없다면 못 본 척하는 세력과 그 불길을 보거나 그 불길이 되어 스스로를 태우는 사람들 사이의 싸움이었다. (…) 싸움은 대개 선과 악의 싸움이 아니라, 선과 선의 싸움이고 악과 악의 싸움이었다. 선과 악의 싸움이라면 이기건 지건 아무 문제가 없었다. (…) 위원장에게는 국법 질서를 어지럽히고 나라의 기틀을 뿌리째 뒤흔드는 폭도들은 시급히 박살내야 할 악이었고, 시위대들에게는 반동 비밀경찰의 괴수는 민주화를 역행하는 군사폭력의 우두머리로 당장 작살을 내야 할 악의 화신이었다. 폭도들이 이기면 혼란이 왔고, 반동 두목이 이기면 독재가 왔다. 둘 다 악이었다. 맞붙었을 때 이미 어느 쪽이든 이기면 악이 되게 되어 있었다. 싸움은 악을 만드는 악이다.[111)]

---

109) 김승옥, 「재룡이」, 『환상수첩』, 문학동네, 2004, 306면.
110) 이청준, 「숨은 손가락」, 『숨은 손가락』, 앞의 책, 186면.
111) 서정인, 「국경수비대」, 『붕어』, 앞의 책, 48~49면.

반란과 전쟁의 결과는 한 사람의 눈빛도, 몸짓도, 심지어 영혼이나 넋을 바꿀 만큼 잔인한 것이었다. 빨갱이의 시체를 매장하는 자리에서 다툼을 하는 마을 사람들에게 미친 듯이 삽을 휘두르는 재룡이의 행동을 그저 시국 탓으로만 돌릴 수 없다. 그의 광란은 야만적인 역사가 한 개인을 어떻게 파괴할 수 있는지를 가장 구체적으로 보여주는 한 가지 사례이다(「재룡이」). 전쟁이 끝난 후에도 어떤 투철한 이념에 의한 것이 아니라 단지 '손가락' 하나를 가리키는 것만으로 이쪽과 저쪽을, 생명과 죽음을 가를 수 있었던 소용놀이의 상태, 서로에 대한 불신과 이념의 혼란은 지속되었다(「숨은 손가락」). 서로를 '반동'과 '폭도'로 규정하는 싸움, 그 그침 없는 싸움은 근본적으로 '악(惡)', 즉 서로를 '악'이라고 규정하고 싸우는 한 그것은 악과 악의 싸움이었다(「국경수비대」).

따라서 역사적 사건이 일어난 상황을 분석하거나 역사가 남긴 상흔을 애도하는 방식으로는 역사의 암흑에 다가설 수 없다. 전쟁의 야만성은 침묵의 훈련을 강요하는 규부독재와 동일화의 논리를 강요하는 자본주의 근대화의 그늘 밑으로 스며들면서 우리의 몸에 더욱 견고한 체계를 세웠다. 여순사건, 한국전쟁, 4·19와 5·16을 거쳐 개발독재 근대화에 이르는 동안 우리에게 강요된 그 세계란 "미소를 침묵으로 바꾸어 놓는, 만족을 불만족으로 바꾸어 놓는, 나를 남으로 바꾸어 놓는, 요컨대 우리가 만족해 있던 것을 그 반대로 치환시켜 버리는 세계였던 것이다"(「누이를 이해하기 위하여」, 129면).

### 3) 말이 될 수 없는 흔적들

아무런 증언도 남기지 못한 채 죽어간 고통스러운 인간의 삶을, 누가 증언할 수 있을 것인가. 투명한 언어로도 접근할 수 없는 인간존재의 고통과 죽음에 대해 어떻게 말할 수 있을 것인가.

> "이 섬에선 죽은 자들만이 말을 합니다. 말씀하신 대로 살아 있는 사람들은 말을 할 필요가 없습니다. 죽은 사람들이 이미 모든 말을 하고 있으니까요. 그리고 그들만이 가장 정직한 말을 하니까요. 그런 뜻에서 말씀드린다면 이 섬은 바로 그 사자들의 넋이 살아 있는 사자들의 섬이라고 할 수 있겠지요. (…) 그건 물론 그들이 숨을 거두고 났을 때지요. 그들은 누구나 숨을 거두고 나서 비로소 말을 시작합니다. 사자의 섬에선 언제나 그렇듯이 사자들만이 말을 하니까요."[112)]

> "8275가 죽자, 나는 견딜 수가 없었소. 그는 걱정해야 할 가족과 가게가 없어지자, 곧 죽었소. 나는 마침내 내가 가지고 있던 알약이 진짜 독약인가를 실험하기로 결심했소. 그리고 그 전에 마지막 수단으로 친구에게 전화를 하기 위해 당신에게 갔었소. 그러나 전화는 대대장실에까지 달려갔지만, 할 수가 없었소. 그때 만일 당신이 나에게 닷새 동안의 형벌을 내리는 일

112) 이청준, 『당신들의 천국』, 문학과지성사, 1976/2003, 72~73면.

만 일어나지 않았더라면, 나는 닷새 전에 죽었소. 이제 나는 당신에게 깊이 감사하오. 닷새를 더 살게 해 주어서 감사하고, 닷새를 참지 못해서 하마터면 놓칠 뻔했던 이 평화스러운 죽음을 만나게 해 주어서 감사하오. 나는 집에서 가족과 친구들에게 둘러싸여 있어도 이보다 더 행복하게 죽을 수는 없소."[113]

전쟁, 병원, 군대, 수용소와 같은 현실에서 산다는 것은, 다만 죽음의 시간을 며칠 더 연장하는 것에 불과했다. 그러므로 그 야만의 역사는 섬 밖으로 탈출하기를 애쓰다 죽음의 상태에 다다른 반(半)인간 한센인의 몸과 죽은 넋(『당신들의 천국』), 혼과 넋을 잃어버린 채 죽음을 기다리던 동원병 8273과 8275(「가위」), 오직 그들만이 증언할 수 있다. 역사적 진실이 있다면 그것은 이미 '죽은 자들', 또 증언할 수 없도록 완전히 "희생당하는 인간(homo sacer)"[114]에 의해서만 접근할 수 있고 말할 수 있는 것이다.

어떠한 말로도 표현할 수 없고, 어떠한 관념으로도 표상할 수 없는 고통과 죽음은 보이지 않는 저 먼 바다 밑에도 자리하고 있다.

"(…) 문어하고 낙지하고야. 크고 작은 것들이 열다섯 마리

---

113) 서정인, 「가위」, 『가위』, 책세상, 2007, 295면.

114) 조르주 아감벤에 의해 잘 알려진 "호모 사케르(Homo sacer)"는 고대 로마의 법 체계에서 발견되는 흥미로운 생명의 분류 중 하나다. 이들은 죽여도 살인죄의 형벌을 받지 않으며 신성한 제물도 될 수 없는 존재들로서 정치적-법적 공동체에서 배제된 "벌거벗은 생명"이다(조르주 아감벤, 박진우 옮김, 『호모 사케르-주권 권력과 벌거벗은 생명』, 새물결, 2008).

는 되겄더라. 그런디 이것들이 서로 엉겨붙어 갖고 한 덩어리가 되아사 꿈실꿈실하고 있더라. 아니, 자세히 본께 즈그들끼리 한데 엉겨붙어 갖고 그러는 것이 아녀, 어쩌면은 송기(松肌) 벳겨 묵어버린 막대기 같은 푸르딩딩하기도 하고 희끗희끗하기도 한 것들에가 붙어갖고 있더라. 군복을 입고 총칼을 찬, 작달막한 사람 하나가 칼 끄트머리로 문어나 낙지를 한 마리씩 한 마리씩 띠어놓고 난께, 그 푸르딩딩하기도 하고 희끗희끗하기도 한 것들이 바로 사람 뼉다구여야. 성문다리뼈도 나오고, 허벅다리뼈도 나오고, 앙상한 갈비뼈도 나오드라. 아따 그놈의 갈비뼈, 볼수록 징하드라. 그것보다 더 징한 것은 해골바가지여야. 너, 사람 해골바가지 봤냐. 코하고 두 눈깔 있는 데가 꺼멓게 뚫어져 버렸어야. 여기서 기맥힌 것은, 그 해골바가지를 큰 문어 한 마리가 둘러싸고 있었는디, 그 문어가 절대로 안 떨어져야."[115]

수장된 이들 중 더러는 용케 식구들을 위해 흔적을 남겨 놓기도 했다. 그들의 흔적은 어부들이 잡아 올린 물고기의 내장 속에서 발견되곤 했다. 집게발에 여자의 머리카락 뭉텅이가 친친 감긴 꽃게, 저고리 단추가 목구멍에 걸린 방어, 엄지손가락 마디를 덥석 문 고등어, 발가락 다섯을 한꺼번에 삼킨 우럭, 금니를 악착같이 움켜쥔 문어……. 심지어 눈알, 귀, 코, 손톱, 발

115) 한승원, 「꽃과 어둠」, 『아리랑 별곡』, 문이당, 1999, 338~339면

톱, 은반지, 옷핀, 머리핀 등등 자그만치 수십 명의 흔적들을 고스란히 한 뱃속에 담고 있는 거대한 상어들도 있었다. 덕분에 그해 내내 제주바다는 각양각색 물고기들이 엄청나게 몰려들어 너나없이 배가 터지도록 포식을 만끽했다. 덩달아 성게, 해삼, 멍게, 소라, 문어, 게, 전복, 말미잘 따위들까지 날마다 흥청망청 그야말로 야단법석들이었다.[116]

역사 속의 숱한 죽음들은 고향의 땅과 바닷속까지 스며들어 그 상처와 흔적을 고스란히 증언한다. 이데올로기의 대립과 남성적 폭력성에 의해서 유린된 누이들, 그들의 울음소리는 '안개' 속으로 스며들어 맺힌다. 안개 속의 '메아리'는 소리 없이 거주하는 역사적 타자들의 어두운 역사를 증언한다. 이 '원한의 맺힘'은 기억의 정치에 의해 호명되지 못한 채 어둠 속에 갇힌 타자들의 역사이다(「꽃과 어둠」).

우리가 걷는 이 길은 가해자와 피해자의 역사가 함께 호흡하고 있는 자리다. 광주의 금남로는 공수부대와 시민군의 발자국이 새겨진 곳이다. 수많은 사람들이 지나간 길은 우리가 앞으로 걸어가야 할 길이다.[117] 한승원에게 소설쓰기란 그 흔적을 새롭게 쓰는 작업에 해당한다.

임철우 소설 속의 고향 마을은 죽은 아버지의 몸뚱이와 거기에서 흘러나온 핏덩이로 되어 있다. 완전히 폐허가 된 한 마을에서는

---

116) 임철우, 『백년여관』, 한겨레신문사, 2004/2005, 155~156면.

여자들이 아이를 낳을 수 있는 능력을 상실했고, 공동우물에서는 핏빛 물줄기가 솟구쳐 나온다(「불임기」). 해방, 4·3, 전쟁을 연이어 겪은 바닷가 마을의 물고기와 해조류, 조개들의 살과 껍질 속에 그 흔적이 그대로 간직되어 있다(『백년여관』). 그것들은 망각된 죽음의 역사를 증거한다.

죽은 자들의 얼굴, 절단된 신체, 죽음의 냄새, 정체불명의 소리가 끊임없이 산 자들의 세계로 회귀한다. "누군가의 손가락에서 금방 뽑혀져 나온 게 분명한 사람의 손톱들"이 꽃잎처럼 강물 위로 떠내려오고(「불임기」, 176면), "손가락과 손톱과 손목을 가진, 인간의 손. 더없이 아름다운 사람들의 손, 손들"(『백년여관』, 337면)이 수시로 출몰한다. "윤곽이 해체된 색채와 음영, 그림자처럼 언뜻 망막에 비쳤다가 사라져 버리는 짧은 이미지, 정체불명의 소리 혹은 아예 의미 해독이 불가능한 음성"(『백년여관』, 113면), 이 비실체적이고 비표상적인 이미지들은 역사적 트라우마가 아직까지 지속되고 있음을 보여주는 징후다. 그것은 "표상이 부재하는 자극"의 형태로, 살아남은 자들의 삶에 충격을 가한다.

---

117) "우리들이 살아간다는 것은 다른 사람들의 역사 위를 걸어 다니는 셈이 되더라고요. 광주에서 우리들이 걸어 다닌다는 것은 광주 지역의 역사 위를 걸어 다니는 거죠. 가령 금남로를 걸어간다고 그러면 전두환이 보낸 얼룩무늬 군인들이 뛰어다닌 발자국 위를 우리들이 걸어가고 있는 거고, 그때 그 사람들에게 방망이 맞고 죽은 시체들이 끌려갔던 그 위를 걸어가고 있는 셈이 되는 것이죠. 그보다 더 위로는 광주학생사건 때 수없이 많은 우리 선배들이 뛰어다닌 그 자리를 우리들이 걸어가는 것이고, 또 그 이전에 임진왜란 때 의병들이 걸어갔던 그 위를 걸어가는 것입니다. 아무튼 그 역사들이 중첩된 그런 위에서 우리들이 살고 있는 것이 아닌가라는 생각을 합니다"(한승원/정경운 대담, 「소설 속 남도 사람들의 삶과 감성」, 『호남 이야기』, 256~257면).

"억울한 죽음을 당한 목숨들은 차마 눈을 감지 못하지. 저승에도 영영 들지 못해서, 허깨비가 되어 끝없이 중음을 떠돌아야 하는 거야. 본디 혼에게도 어딘가 거처할 처소는 꼭 있어야 하는 법인데, 한을 품은 혼들은 지상엔 절대로 발을 딛지 못한 채 그림자처럼 헤매는 거야. 그런 혼들은 바다 밑이나 깊은 연못 밑바닥을 찾아 모여든단다. 물가에 귀신들이 자주 출몰하는 것도 그 때문이지. 해안 마을에 유독 도깨비불이 흔한 이유도 그래서고……. 진우야. 그 사람들도 지금, 모두 저 안에 모여 있을까. 저 아래, 캄캄한 바다 밑바닥 어딘가에 말이다."(케이)

"사람들이라니. 누구?"

"상운이 형. 그리고 성호 형, 민주, 주철, 기태, 또……"

등대탑에 기대어 앉은 당신은 가슴이 철렁 내려앉았다. 그들은 그해 오월, 도청에서 최후까지 버티다 죽은 이름들이었다. 그때 당신은 뭐라고 대답했던가. 기억이 없다.[118]

임철우의 소설은 분단과 전쟁이 남긴 낙인을 "반복"적으로 서사화하면서 그 역사적 폭력이 광주의 오월에까지 지속되어 왔다고 말한다. 그리고 그것을 지나간 과거의 일로 망각하는 태도에 저항한다. 그의 소설에서 저주의 낙인을 지속적으로 반복하여 서사화하는 것은 곧 역사적 트라우마를 잊지 않겠다는 강한 요청이다. 저주의 낙인이 찍힌 채 여전히 고통 받고 살고 있다면, 역사적 트라

118) 임철우, 『백년여관』, 앞의 책, 83~84면.

우마는 지나간 역사의 유물이 아니라 아직 끝나지 않은 것이다.

역사적 상처와 흔적을 망각할 수도 없고 망각해서도 안 된다는 요청 속에서 역사적 폭력에 의해 희생된 죽은 자들과 산 자들을 위한 구원의 서사가 펼쳐진다. 바로 여기에서 시작되는 또 하나의 물음은, 역사 속의 가해자와 피해자를 분별할 수 있겠는가에 관한 것이다. 만약 가해자가 "신 앞에서 죄책감을 느끼지만 법에 대해서는 그렇지 않다"고 선언하면서 자신 또한 '비상사태'의 명령에 따라야만 했던 희생자일 뿐이라고 주장한다면,[119] 암흑의 역사 속에서 가해자와 피해자를 분별하고 용서의 자리를 찾는 것이 과연 가능한 일인가.

이청준과 임철우의 소설은 그것이 그리 간단한 일이 아니라고 답한다.

> "나보다 누가 먼저 용서합니까. 내가 그를 아직 용서하지 않았는데 어느 누가 나 먼저 그를 용서하느냔 말이에요. 그의 죄가 나밖에 누구에게서 먼저 용서될 수가 있어요? 그럴 권리는 주님에게도 있을 수가 없어요."[120]

---

119) 1960년 5월 24일 나치 전범 아돌프 아이히만(Otto Adolf Eichmann)의 재판과정을 분석한 한나 아렌트는 "악의 평범성(The Banality of Evil)"이라는 흥미로운 개념을 내놓았다. 아렌트에 의하면 아이히만이 유태인학살과 같은 범죄를 행할 수 있었던 이유가 그의 '악'한 성격 탓이 아니라 자신이 하는 일에 대해서 아무런 생각이 없는 '사고력의 결여'에서 비롯되었다는 것이다. 그러므로 사고력의 결여가 어떻게 한 인간을 평범하게 악을 수행하도록 하고, 결국 무서운 범죄자로 만들었는지를 생각해 보아야 한다(한나 아렌트, 김선욱 옮김, 『예루살렘의 아이히만』, 한길사, 2009).

120) 이청준, 「벌레 이야기」, 『벌레 이야기』, 열림원, 1998, 170면.

"그 사람들이 지닌 허물이라는 건 진짜 죄가 아닌 때문이지요. 그 사람들이 죄를 지은 건 진세의 인간들이 일부의 편의대로 지어 만든 법이라는 덫에 대해서일 뿐이에요. 우주 만물의 불변의 섭리인 불법 앞에선 사람은 누구나 평등한 존재인 겁니다. (…) 김 처사의 일인즉 바로 남 처사의 일이지요…… 그리고 바로 남 처사의 일인즉 이 산골 모든 은신자들의 일이구요."[121]

'벌레' 같은 가해자에 대한 진정한 용서의 자리가 가능할 수 있다면, 그것은 오직 빼앗김을 당한 피해자 쪽에서 먼저 용서를 해야 되는 일이다. 그것은 '신'이 인간보다 먼저 해서는 안 되는 일이다(「벌레 이야기」). 또 사람들이 살아가면서 짓는 '허물'이라는 것이 사람들이 만들어 놓은 '법'이라는 '덫'에 비추어 봤을 때 '죄'가 될 수도 있다는 것, 그래서 쫓기는 자가 쫓는 자로, 쫓는 자가 쫓기는 자로 언제든지 뒤바뀔 수밖에 없는 불행한 역사 안에서 우리는 모두 가해자인 수 있는 것이다(『인간인』). 선과 악, 옳고 그름, 가해자와 피해자의 경계를 명료하게 구별할 수 없을 정도로 혼란스러운 역사 속에서 진정한 용서의 길과 고통의 '씻김'은 숙제로 남겨진다(『신화를 삼킨 섬』).

용서라고……? 어젯밤 그의 말대로, 우리 두 사람의 관계란 과연 정확히 무엇인 것일까. 용서해야 할 쪽은 누구이며, 또 용

121) 이청준, 『인간인』 1권, 열림원, 2001, 274~275면.

서받아야 할 쪽은 어느 쪽이란 말인가. 그러나 아무리 해도…… 난 당신을 용서할 수가 없을 것 같아. 아직은……[122]

월북한 큰아버지의 환영을 저주의 낙인으로 지닌 오기섭과 빨갱이를 사탄이고 악마라고 생각하는 최달식, 이들 중에서 누가 가해자이고 피해자인지를 가늠할 수 없다면(「붉은 방」), "용서해야 할 쪽은 누구이며, 또 용서받아야 할 쪽은 어느 쪽이란 말인가"(『붉은 산, 흰 새』). 또 살해의 현장을 기억하고 있는 사람들이 그 기억으로 인해 여전히 고통 받고 있다면 용서와 화해는 오직 역사적 진실이 규명되고 희생자들의 기억을 구원하는 과정을 거친 다음에 할 수 있는 미래의 일이다.

이러한 방식은 역사적 기억과 선부른 화해를 의미하지 않으며, 용서와 화해만이 지난 세월의 고통을 극복할 수 있다는 종교적인 메시지와도 분명히 다른 것이다. 진정 용서를 먼저 빌어야 할 사람들은 학살을 담당했던 가해자들과 묵묵하게 방관했던 살아 있는 우리들이다. 따라서 역사 속의 아픔을 진정으로 해원하고, 용서와 화해의 자리를 찾는 일은 신중하게 접근해야 할 문제이다. 이들의 소설은 그것이 아예 불가능한 것이 아니라 그것이 얼마나 어려운 일인지를 말해 주고 있는 것이다.

---

122) 임철우, 『붉은 산, 흰 새』, 문학과지성사, 1990, 288~289면.

### 4) 쓸모없는 것들의 힘

역사적 기억의 이면을 더듬는 소설은, 분명히 있었음에도 명료하게 언어화될 수 없는 것들, 즉 역사의 심층에서 드러나지 않았던 역사적 기억과 인간의 고통을 드러낸다. 역사적 기억에 대한 사실적인 증언이 될 수 없다는 한계 앞에서, 역사적 기억 속에 묻혀 있는 인간존재의 고통을 비추고 해석한다. 이들의 문학이 설령 우울한 어조로 야만의 역사를 말하고 파국으로 치닫는 미래를 보여주고 있다고 해도, 그것이 곧 허무적이거나 패배적인 태도인 것은 아니다.

> 무력감이여, 초조감이여, 너희들이 끝까지 나를 추격한다면, 좋다, 나는 내 혀를 물어 끊어 버리겠다. 잠시 동안 나로 하여금 완전한 무위(無爲)와 더불어 있게 하라. 어저께는 나는 너희들과 함께 있었다. 애경이가 몸을 파는 걸 보았고, 그리고 성병 때문에 우는 걸 보았다. 자기의 아내를 사랑하기 위해서 다른 여자를 팔아먹는 사내를 보았고, 밀수공화국을 이상(理想)하는 경제인도 보았다. 뿐만 아니라 그들을 바로잡아 놓기 위해서 아무것도 할 수 없었던 나 자신도 보았다.
>
> 잠시 동안만 이대로 두어두기 바란다.
>
> (…) 내가 만나는 사람들은 나를 당황하게 만들 것이며, 그리고 무엇보다도 그 사람들이야말로 이 시대의 잘못을 부분적으로 구현하고 있는 존재들이란 것을. 그리고 나는 안다. 그들에 대한 나의 호기심은 별다른 사건이 없는 한 계속될 것이며,

> 호기심이 발동하고 있는 한 나는 살아 있을 것이라는 것을. 그러므로 지금은 잠시 동안 내가 즐기고 있는 이 순수한 무위를 두어두기 바란다.[123)]

"잠시 동안 나로 하여금 완전한 무위(無爲)와 더불어 있게 하라."라고 요청하고 있는 김승옥의 주인공들은 "군대엘 갈까, 자살을 할까"라는 선택적인 물음 밖에 할 수 없는 수용소와 같은 삶 속에서, 결국 아무것도 선택하지 않는 선택을 한다. 아무것도 하지 않는 잠시 동안의 무위는 "이 시대의 잘못을 부분적으로 구현하고 있는 존재"들을 호기심 있게 분석하고 잃어버린 자기세계를 되찾기 위해 스스로 정지해 놓은 시간이다.

김승옥의 소설에서 '자기세계'를 갖는다는 것은 야만적인 전쟁과 폭력이 파괴해 버린 빈집의 지하실 놀이터를 회수하는 것이고, 인간이기 이전에 지극히 약한 동물적 존재로서의 생물학적인 요구를 지켜내는 것이며, 집의 안과 밖의 질서를 바꾸어 버리고 어머니와 누이를 거리로 팔려 가게 만든 여린 '죽은 염소'를 살려내는 일과 같다(「염소는 힘이 세다」). 전체주의적 폭력이 앗아간 그곳, 즉 "누구나 정당하게 살고 누구나 정당하게 죽어" 가는 곳, 패륜도 고독도 전쟁도 없는 왕국"(「생명연습」), 거기에 있었던 "끈끈한 소금기", "사그락대는 나뭇잎", "머리칼을 나부끼는 바람", "따가운 빛을 쏟는 태양"을 잊지 않으려고 애쓰는 절망의 기록이 곧 김승옥

---

123) 김승옥, 「60년대식」, 『내가 훔친 여름』, 문학동네, 2004, 346~347면.

의 소설쓰기다.

> 주어진 것이, 그것이 아무리 협착한 세계라 할지라도, 아무리 보잘 것 없는 부분이라 할지라도, 무너져 버릴 때, 전우주와 전역사가 무슨 소용이란 말인가. 전체가 아무리 위대하고 찬란해도 그것이 어떻단 말인가. 그것이 어디 있단 말인가. 잡초 우거진 옛 성터는 전역사보다 더 역사적이고, 밤의 네모난 조그마한 창에 와서 박히는 몇 낱의 별들은 전 우주보다 더 우주적이다. 우리가 붙들고 안간힘을 쓰는 것은 광년이 아니다. 영원하고 무궁한 시공(時空)이 우리에게 나타나는 것은, 그리고 주어지는 것은, 순간과 지점으로서이다. 세 치 남짓한 넓이의 땅이 우리의 발 밑에서 무너져 버린다면 그것은 전우주가 붕괴되는 것과 무엇이 다를 것인가. 한 지어미의 가슴속에서 팔딱거리고 있는 조그마한 심장이 아니라면 대기에 미만해 있는 사랑이 무슨 소용이란 말인가.[124)]

"보잘 것 없는 부분", 그것이 "무너져 버릴 때, 전우주와 전역사가 무슨 소용이란 말인가". '사랑' 이라는 말은 "지어미의 가슴속에서 팔딱거리고 있는 조그마한 심장"과 같이 지극히 사소한 것들을 지워버린다면 아무런 의미를 지닐 수 없는 것이다. 서정인의 소설에서 열정이 소멸된 무력(無力)한 주인공들은 수학적이고 계산

---

124) 서정인, 「물결이 높던 날」, 『철쭉제』, 동아출판사, 1996, 76~77면.

적인 자본주의 질서 체계 앞에서 극도의 절망감을 호소하면서 보잘 것 없는 '부분' 들을 하나씩 건져 올린다. 전체라는 톱니바퀴의 질서 속으로 흡입되어 파괴된 사소한 부분들을 찾아서, 우울한 산책자들은 돈과 권력에 의해 지배되는 타락한 현실을 들춰낸다(「미로」, 「어느 날」). 그들은 인간의 자유와 선택이 허락되지 않는 완전한 '빼앗김' 의 상태가 문명이 시작되는 그 순간부터 지속되어 왔다는 근본적인 비판에 이른다.

그 육촌형이 일단 목포를 떠났던 건 사실이었지요. 그래요. 아깐 제가 분명 그 형을 찾으러 목포엘 간다고 말씀드렸지요. 그것도 사실이에요. 하지만 그건 제가 이야기를 쉽게 하기 위해 말씀드린 거예요. 전 사실 지금 그 형의 유령을 만나러 가는 셈이거든요. (…) 이건 제 육촌형의 죽음이 그만큼 간단치가 않다는 얘기에요. 왜냐하면 육촌형의 죽음은 그 남중국해와 목포 이외에도 수없이 여러 번 되풀이되어 왔거든요. 죽었다는 사람이 다른 곳에서 뒷날 다시 죽고 또 죽고……. 하다 보니 형은 그 죽음들에도 불구하고 어디선지 늘 다시 살아 있었다는 느낌, 그 수많은 죽음의 소식을 통해 죽음보다도 불사신처럼 다시 살아난다는 느낌이 확연했지요.[125)]

125) 이청준, 「목포행-소매치기, 글쟁이, 다시 소매치기」, 『가면의 꿈』, 열림원, 2002, 136~137면.

'나'는 현실에서 낭패감을 맞을 때마다 '육촌형의 죽음'에 관한 소문을 듣게 되고 그 실체를 찾아 나선다. '나'에게 육촌형의 죽음은 매번 반복되는 사건이다. 일제 말기, 도회지 상급학교로 진학하기 위해 고향을 떠난 육촌형이 태평양 전쟁이 한창이던 어느 해 가을 세상을 떠났다는 소식이 전해진다. 육촌형의 죽음에 관한 소문은 끝나지 않는다. 육촌형의 죽음에 관한 소문은 일제시대부터 4·19를 겪는 동안 죽은 수많은 사람들의 이야기와 겹쳐 지금 여기로 되살아난다. 육촌형은 6·25 직후 인천 근처 인민재판에서 죽었다는 사람에 관한 소식이 들려올 때에도, 4·19가 지나고 아이 하나가 시위거리엘 나섰다가 총에 맞아 죽었다는 소식이 전해질 때에도, 불사신처럼 반복해서 되살아난다(「목포행」).

육촌형의 죽음에 관한 소문은 '나'의 삶을 지탱시키는 힘이다. '망상'은 마땅히 제거해야 할 쓸모없는 것이지만, 그것이 없어지면 사람들은 현실의 억압을 견딜 수 있는 힘을 상실한다(「조만득 씨」, 「황홀한 실종」). 칠현금이라는 악기에서 전쟁 소리만 내는 '무현(武絃)'을 없애자 평화가 찾아오는 것이 아니라 오히려 전쟁이 끊임없이 일어나서 그것을 되살릴 수밖에 없었다는 일화를 떠올려도 좋다. 소문과 망상은 더 큰 폭력을 미리 막을 수 있는 힘이다(「전쟁과 악기」). 이처럼 쓸모없는 것들은 현실의 억압을 견디게 해주는 유토피아적 가상으로서의 역할을 한다.

이들의 소설에 등장하는 인물들은 대부분 기본적인 요구조차도 허락되지 않은 역사적 상황 속에서 무력하고 쓸모없는 존재들이다[無用]. 그러나 이 무용한 존재가 할 수 있는 선택 중의 하나는 자기 안의 열정을 스스로 제거한 채 의도적으로 아무것도 하지 않는 태도를 취하면서[無爲] 부정적인 역사의 흐름과 거리를 두고서 그 이면의 어둠을 기록하는 일이다.[126] 그것은 숱한 생명을 죽음으로 몰고 간 역사의 어두운 손길에 대한 '방법으로서의 거절' 이라고 불러도 좋을 것이다. 그들의 손길은 과거의 역사와 비판적인 거리를 둔 채, 그것을 지금 여기의 세계와 겹쳐 읽음으로써 또 다른 세계를 모색하고자 한다.

가장 약한 자의 시선과 가장 수동적인 몸짓으로 역사적 상처와 흔적을 말하는 문학의 자리에서, 야만의 역사가 점점 그 실체를 드러낸다. 기록된 역사의 바깥에서 아직도 서성대고 있는 익명의 죽음들이 이 자리에 되새겨진다. 바로 여기에 '약함' 의 문학적 정치성이 있다. 이들의 문학은 역사 속에서 주어진 고통을 천천히 해부하면서 그것을 껴안고 넘어가는 방식으로 상처와 흔적을 말한다. 그렇다고 해서, 잘못된 역사에 항거하고 진실을 밝혀온 저항의 문학을 부정하거나 필요 없다고 말하는 것이 아니다.

역사적 고통에 대해 이들의 문학이 말하고 있다면 그것은 고통의 해결이나 제거가 아니라 고통을 주었던 부정적 역사와 간격을 두면서 수많은 사람들의 고통이 변질되지 않도록 애쓰는 것, 그리고 그것을 반복해서 겪지 않으려는 눈뜬 성찰이다. 이것이 가장 '사실' 적이지 못한 문학(문학적 상상력)이 역사적 기억과 고통에 대해

126) 이 글에서 쓰고 있는 '무용(無用)' 과 '무위(無爲)' 라는 용어는 박준상의 글에서 착안한 것이다. "거기에 보답 없는 무(無)로 내려가는 단호함이 있고(무상無償), 변증법을 거부하는 절규가 있으며, 눈으로 볼 수 없고 명제들로 규정할 수 없는 드러나지 않는 어떤 것이 있다(무상無想)"(박준상, 「무상(無想) 무상(無償)–5·18이라는 사건」, 앞의 책, 205~206면).

말할 수 없음에도 말해 온 것이며, 앞으로도 말해야 할 것이다.

## 2. 우울과 유토피아: 서정인과 이청준

1960~1970년대 한국사회는 인간성을 박탈하고 훼손시키는 폭력성을 그 본질과 구조로 삼았다. 개발독재체제는 "뿌리 상실"과 "잉여"의 인간, 사회에서 낙오된 자들, 사회를 증오하는 자들, 동일한 목소리로 '위대한 지도자'를 부르는 "폭민(mob, 暴民)"을 언제라도 생산할 수 있는 기반이었다. 그곳은 이미 전체주의의 폭력이 실현될 수 있는 비옥한 토양이나 다름없었다.[127)]

5·16쿠데타 이후 1972년 유신헌법이 선포되는 동안, 박정희 정권은 '정신혁명'과 '국적' 찾기 등을 통한 '재건'을 주요한 통치이념으로 내세웠다. 1970년부터 시작된 새마을운동을 "집단적 민족주의의 이데올로기로 승하시키고 유신체제의 목적과 동일시"했으며, 국가주의와 민족주의가 결합된 '국적 있는 교육'을 구호로 제시했다.[128)] 유신독재는 동질감과 일체감을 강제한 동원체계로서 그 바탕에는 '개발'과 '번영'을 통한 '낙원' 건설의 신화가 작동하

---

127) "폭민은 일차적으로 각 계급의 낙오자들을 대표하는 집단이다. 이 때문에 폭민을 국민과 혼동하기 쉽다. 국민 역시 사회의 모든 계층을 아우르기 때문이다. 국민이 모든 혁명에서 진정한 대의제를 위해 투쟁했다면, 폭민은 항상 '강한 자', '위대한 자'를 소리 높여 외친다. 폭민은 자신을 소외시킨 사회를 증오하며, 자신을 대변해 주지 않는 의회 역시 증오하기 때문이다"(한나 아렌트, 이진우·박미애 옮김, 『전체주의의 기원』(1), 한길사, 2006, 242면).

고 있었다.

따라서 이 시기에 출간된 서정인과 이청준 소설에서 나타나는 죽음, 광기, 악, 유랑 등을 급격한 도시화로 인한 농촌 사회의 박탈감과 소외감의 결과로 해석하는 것만으로는 부족하다. 그런 증상들은 주어진 유토피아를 더 이상 믿지 않으면서, 체제 전체와 불화(不和)를 선언한 자들의 것이었다. 이 점에서 서정인과 이청준 소설의 우울한 정조와 유토피아에 관한 문제를 주의 깊게 읽을 필요가 있다.

우울은 서정인의 문학을 지배하는 주조음이자 그의 문학론의 심층을 형성하는 동력이다. 소시민의 구체적인 일상을 묘사한 「강」계열의 작품들과 형이상학적이고 사변적인 성격을 띠는 「후송」계열의 작품들은 그 이면에 흐르는 우울의 정서를 통해서 접점을 형성한다.[129] 두려움과 불안, 권태와 박탈감, 열정의 소멸과 죽음 등 우울의 증상들은 곧 환멸의 세계에 대한 성찰과 자본주의적 구조에 대한 해부, 그리고 체계에 대한 방법적 거부 등 미적 대항 담론과 짝을 이룬다.

서정인의 「금산사 가는 길」(1974)은 모악산 일대의 눈밭을 걸

---

128) 김행선, 『박정희와 유신체제』, 선인, 2006. 박정희는 "새마을정신은 새로운 정신혁명의 원동력이 되어 전국에 요원의 불길처럼 타오르고 있으며 우리의 정신문화와 제도는 이제 떳떳하게 그 국적을 찾게 되었습니다."(박정희, 1972. 12. 27. 제8대 대통령 취임사)라고 선언했다(고원, 「새마을운동의 농민동원과 '국민 만들기'」, 『국가와 일상』(공제욱 엮음), 한울, 2008, 45면).

129) 이 글에서 인용한 서정인의 중단편 소설들은 소설집 『가위』(책세상, 1977/2007)와 『벌판』(나남, 1984)에 수록된 작품들을 참조했다.

어 금산사를 찾아가는 두 사람의 대화를 통해 지배 권력과 유토피아에 대해 탐문한다. 이들이 나누는 대화의 핵심은 역사 속에서 스스로 미륵을 자처하면서 무책임한 말로 민중을 착취하고 민중들의 간절한 요구에 배반을 주었던 권력자의 지배 담론에 대한 비판이다. 결국 그들은 금산사를 1㎞를 앞에 둔 곳에서 죽음을 맞는다. '금산사' 라는 환상적인 유토피아를 향해 걸었던 그들의 죽음은 곧 유토피아의 기만적 성격에 의해 희생되는 존재의 비극성을 보여준다.

유신독재가 표방한 '낙원' 건설의 신화를 향해, 이청준은 이렇게 묻는다. 그 천국이 어떻게 가능할 수 있는가. 그리고 그것은 궁극적으로 누구의 것이어야 하는가. 소설 『당신들의 천국』(1976)은 일제강점기에 설립된 한센인 수용소 소록도병원을 그 배경으로 하여 유토피아의 본질과 조건을 심문한다. 여기에는 일제강점기 소록도갱생원의 수호원장이 표방한 "낙원"이 유신체제 하에서 정신혁명의 이념형으로 내세운 "낙원"과 크게 다르지 않다는 비판적 전제 또한 깔려 있다.[130)]

서정인과 이청준의 소설에서 읽을 수 있는 우울과 유토피아는 역사와 현실에 대한 부정이 매개되어 있다. 따라서 그 부정성이 소설에서 어떻게 드러나는지를 살피는 일은 우울의 근대 비판적 면모와 유신독재 하의 유토피아 기획이 파생한 여러 문제들에 구체

---

130) 한순미, 「나환과 소문, 소록도의 기억」, 『지방사와 지방문화』 15권 1호, 역사문화학회, 2010. 참조.

적으로 다가서게 한다.

1) 두려움과 불안, 환멸

서정인 소설에 등장하는 인물들은 대개 근원을 알 수 없는 불안을 느낀다. 이런 감정 상태는 '어둠'의 이미지와 함께 소설 전체에서 지속적으로 반복된다. 「후송」(1962)의 성중위의 눈에 비친 세계는 삶이 영원한 죽음 속으로 사라져 가면서 "꼭 죽을 것 같은 예감"과 "까닭 모를 긴장"을 준다. "그것은 죽음과 삶의 차이를 없애버린다."(「후송」, 15면) 성중위의 두려움과 불안, 죄의식이 어떻게 형성되었는지는 유년의 기억에서 읽을 수 있다.

> 그는 어렸을 때 살쾡이를 돌로 맞혀 죽인 일이 있었다. 돌을 던진 것은 맞히기 위해서였지만 그의 돌에 날쌘 살쾡이가 맞아서 더구나 죽으리라고는 거의 기대하지 않았었다. 그러나 살쾡이는 거짓말처럼 픽 쓰러졌다. 그리고 네 다리를 뻗었다. 어린 그는 놀랐었다. 두 손을 가슴 위에 웅크리고 선 자리에서 무서움에 떨었다. 그는 그곳을 도망쳐 엄마에게로 달려갔다. 엄마는 그를 꾸짖었다. 그는 울었다. 엄마는 그의 등을 쓰다듬어 주었다. 꾸지람을 듣고 나자 그의 무서움은 적이 풀렸었다. 그러나 이번 경우에는 그를 꾸짖어 줄 사람이 없었다. 그는 그와 그 사고 사이에 보다 더 밀접한 관계가 있는 것처럼 느껴졌다. 그것은 그러나 분명치 않았다. 분명한 것은 다만 귀에 박힌, 소리치는 신음 소리뿐이었다. "아아 아 아—" 죽음이 그를 스쳐갔

다…. 스쳐서 어디로 갔단 말인가…. 그를 향해서 쏜 화살이 엉뚱하게도 무고한 사람의 가슴… 가슴 위에…. 아아 아 아-.[131)]

생각 없이 던진 돌에 살쾡이가 맞아서 죽어 버리자, 어린 그는 놀라움과 무서움을 느낀다. 그때 어머니가 그의 죄를 꾸짖자 무서움이 풀린다. 그러나 지금은 자신의 죄를 질책하고 두려움을 위로해줄 '어머니'와 같은 존재가 그의 곁에 없다. 이 결핍감으로 인해 성중위의 죄의식은 점점 더 커져간다. 우발적인 차 사고를 목격한 성중위는 어쨌든 나쁜 예감이 현실화되었다는 점에서 자신이 사건의 공모자라는 죄의식을 더 크게 느낀다. 이제 남아 있는 것은 어떤 두려운 상황에 처하더라도 자신을 꾸짖거나 지켜봐 줄 절대적인 존재(어머니)가 없다는 근원적인 결핍감과 상실감이다. 바로 여기에서 두려움과 불안이 생겨난다.

성중위의 우울은, 질책하고 위로해 줄 절대적인 존재(대상)을 상실했음에도 끝내 그 대상을 포기하지 않기 때문에 생겨나는 슬픔이라는 점에서 단순한 애도의 감정이 아니라 멜랑콜리한 감정이다.[132)] 막연하고 모호한 이 '기분', 그것은 분명한 느낌이 있는데도 말로 설명할 수 없기 때문에 누구에게도 소통될 수 없는 것이다. 성중위의 우울과 죽음에 대한 예감은 그 자신만이 느낄 수 있

---

131) 서정인, 「후송」, 『철쭉제』, 앞의 책, 41~42면.

132) "리비도가 어떤 대상에 집착을 한다는 것, 그리고 그 대상을 상실했을 때 비록 다른 대체물이 가까이 있다 하더라도 애초의 그 대상을 포기하지 않는다는 사실이다. 그래서 슬픔이 생겨나는 것이다"(지그문트 프로이트, 정장진 옮김, 「덧없음」(1915), 『창조적인 작가와 몽상』, 열린책들, 1996, 24면).

는 고독한 것이다. 그래서 그는 "이치는 이치고 기분은 기분인데 어떡합니까?"라는 방식으로 자신의 우울과 이명(耳鳴)증상을 호소할 뿐이다. 따라서 성중위의 이명증은 근대라는 부조리한 체계 하에서 생긴 사회학적 질환이자 절대적인 존재의 상실감을 느끼는 근대 멜랑콜리커의 징후라 할 수 있다.

더 나아가 이 우울의 감정은 그런 존재는 처음부터 존재한 적이 없다는 극도의 부정으로 치닫게 되면서 더욱 문제적이게 된다. 그들은 눈앞의 현실이 결코 꿈꾸는 이상세계가 아니라는 현실부정과 애초에 그런 세계는 없었다는 더욱 근본적인 부정의 태도를 취한다. 그럼으로써 앞서 보았던 성중위의 두려움과 불안은 한 개인의 문제로 끝나지 않고 문명 전체의 문제로 확장된다.

「미로」(1967)의 주인공 '나'는 "삼천 년 전"부터 있었던 박사를 만나기 위해서 지도에 그려진 박사의 집을 찾아가는 중이다. 하지만 자신이 왜 박사를 만나려고 하는지조차 알지 못한다. 왜 박사를 만나려고 하는지를 묻자 '나'는 "첫째, 내가 박사에게 무엇을 물어보았으면 좋겠는지 물어 보기 위해서. 둘째, 내가 도대체 여기서 무얼 하고 있는지 알아보기 위해서. 셋째, 혹시 나에게 박사가 되고 싶은 생각이 있는지 없는지 물어 보기 위해서"(62면)라고 애매하게 대답한다. 그런데 정작 만나려고 했던 박사는 오래전에 이미 죽어 버려 지금은 빈 벌판의 퇴락한 고총으로 남아 있을 뿐이어서 결국 '나'는 박사에게 아무것도 기대할 수 없다는 것과 모든 것들을 스스로 묻고 해결해야 한다는 결핍상태에 빠진다.

이제는 자신의 두려움과 불안의 근원을 해결해 줄 존재가 더 이상 존재하지 않는다는 참담한 사실을 확인한다. '미로'를 방황하는 '나'가 느끼는 두려움과 결핍감은 '삼천 년'이라는 시간 표지와 함께, 그것이 아주 "친숙하고 오래된 것", 즉 기나긴 문명사적 질환이었음을 말해 준다. 이 미로를 방황하는 멜랑콜리커들이 느끼는 "두려운 낯설음(Unheimliche)"[133]의 감정은 우리에게 너무도 오랫동안 친숙한 것이지만 이상하게 불안감을 주는 낯선 것으로 다가오는 것이다. 그것은 문명 속에 숨은 오랜 '억압(Un)'의 근원을 지시한다.

여러 공간을 배회하는 서정인 소설의 인물들은 친숙한 현실세계를 더욱 두렵고 낯설게 경험하면서, 현실세계의 비가시적인 억압을 성찰해 나간다. 이들이 바라본 "육지에는 광기가 가득 차" 있으며, "공기는 투명체가 아니었다."(「물결이 높던 날」, 46면) 또 "사람들은 움직이지 않고, 대개 흐물흐물한 상태로 있었는데", "언제나 우리의 시선이 닿는 곳에 있지만 결코 누구인지 알아 버릴 수 없는 그 사람들"(「미로」, 44면) 뿐이다. 이런 두려움과 불안은 환상적인 공간에서만 경험될 수 있는 것이 아니라, 실제 현실이 바로

---

133) 우리말로 '두려운 낯설음'이라고 옮긴 말은 독어 원문에서 '집과 같지 않은', '편안하지 않은'이라는 뜻을 가진 unheimlich라는 낱말이다. 덧붙여, 프로이트의 다음과 같은 질문을 기억할 필요가 있다. "두려운 낯설음이라는 감정은 공포감의 한 특이한 변종인데, 오래전부터 알고 있었던 것, 오래전부터 친숙했던 것에서 출발하는 감정이다. 어떻게 이러한 것이 가능할 것인가, 어떤 조건들이 주어졌을 때 친숙한 것이 이상하게 불안감을 주고, 공포감을 주는 것으로 변할 수 있는 것인가"(지그문트 프로이트, 정장진 옮김, 「두려운 낯설음」(1919), 『창조적인 작가와 몽상』, 앞의 책, 102면), 즉 프로이트의 앞의 질문은 친숙한 것이 어둠 속에 숨어 있다가 외부로 나타났을 때 아주 낯설게 느껴지는 것처럼, 두려운 낯설음의 감정은 오래된 것이지만 아주 친근한 것이고, 친근한 것이지만 아주 오래전의 것이어서, 문명의 오랜 억압을 지시한다.

그러한 감정을 주는 근원지이며 그것은 '언제나 이미' 있어 왔다는 점에서 비극성을 더 한다.

「미로」의 '나'가 박사를 찾아가는 꿈과 같은 환상의 공간은 「후송」의 성중위가 겪는 군대라는 제도 공간, 또 갑자기 동원령이 내려져 부대로 집결된 사람들의 가위눌림과 같은 상황을 기록하고 있는 「가위」의 억압적인 공간으로 옮겨가면서 미지의 두려움을 더욱 체계적으로 보여준다. 그들은 일상의 곳곳에서 원한, 패배감, 무기력함을 호소한다.

「미로」의 "나는 내가 표정을 잘못 선택했다는 것을" 깨닫고, "새로운 것이 결정될 때까지 될 수 있는 대로 애매한 표정을 유지해야겠다고 생각"(43면)한다. 「강」에서 대학생 김씨는 "그곳에 관해서 거기에 갔다 온 사람보다 더 잘 알고 있음에 틀림이 없는데도 불구하고 도대체 논산이라면 손에 잡히는 것이 없"(67면)어서 진눈깨비를 보면 원한의 감정을 느끼고, 「어느 날」의 해동은 "불쾌함과 울적함과 분노인지 혐오인지 알 수 없는 감정 때문에 숨이 막히는 것 같았다"고 분노하면서도 원래 "'불발'이 그의 장기(長技) 중의 하나였다."(106면)는 식으로 불쾌한 감정을 무력하게 수용한다.

서정인 소설의 인물들이 겉으로 패배자나 무기력한 낙오자처럼 보인다 해도, 그들의 태도는 현실의 질서를 그대로 수락하는 것과는 거리가 있다. 그들은 어떠한 선택도 불가능하다는 극도의 환멸과 부조리한 현실의 모순에 대한 사려 깊은 통찰을 통해 현실에서의 패배를 당연한 것으로 여긴다. 그들의 말을 들어보자.

> (…) 처음에 그 습관과 말투가 몸에 배기 전에는 사장의 섬뜩

섬뜩한 말씨에서 그는 생리적이기까지 한 고통을 받았다… 그러나 차츰 사장의 말에 비스듬히 빗겨 서는 몸짓을 익혀가자 그의 말이 별로 대수롭지 않게 되었고… 따라서 그 습관과 말투는 이제 필요없게 되었다. 그랬는데도 그것들은 그냥 남아 있었다. 그리고 상대방이 사장이 아닌 경우에도 한 번 몸에 밴 그 습관과 말투는 반사적으로 그의 몸짓을 더러 지배했다… 처음에는 적을 경계하고 자신의 아픔을 보호하기 위한 순전한 방어적 뜻뿐이었는데, 방어해야 할 것이 없어져 버리자 남아서 넘쳐흐르게 된 힘이 은연중에 공격적인 기미를 띠게 되었다.[134)]

"(…) 난 그것을 그것이라고 생각하고 있지만, 그놈들은 그것을 그것 아니라고 생각하고 있지요. 그놈들이 그것을 안 했던 것은 안 해서 안 한 것이 아니고, 못해서 안 했던 거죠. 그리고 그것하지 말라고 나팔을 불었던 것은, 남이 그것 다 해 버리면, 즈들이 해 먹을 그것이 없을까 봐서 그랬던 거죠. 그러니, 그것을 하는 놈이나 안 하는 놈이나, 그놈들은 모조리 도둑놈들이란 말예요."[135)]

문제의 해결이 그의 소망대로 되고 안 됨에 상관없이, 아니, 어쩌면 그의 소망대로는 결코 되지 않을 것이 확실했기 때문

---

134) 서정인, 「천호동」, 『가위』, 앞의 책, 213~214면.
135) 서정인, 「어느 날」, 『가위』, 앞의 책, 112면.

에, 그것을 문제 삼는 것만으로 그는 통쾌한 기분을 느꼈다.[136)]

「천호동」의 '나'는 아파트 분양사무소 사장의 운전수 노릇을 하면서 처음에는 사장의 섬뜩섬뜩한 말씨에서 생리적인 고통까지를 받았지만, 차츰 사장을 대하는 습관과 말투가 몸에 익숙해지자 사장의 말조차도 별로 대수롭지 않게 느껴질 정도다. 그의 몸에 배인 습관적인 말과 몸짓은 때로 공격성을 보이기도 한다. 「어느 날」의 이춘호는 스스로 도둑질을 도둑질이라고 생각하면서 그것을 하기 때문에 스스로를 도둑질을 숨기는 위선적인 자들과 다르다고 생각한다. 그의 말에서 부정직과 위선에 가득 찬 지식인의 허위성이 자연스럽게 드러난다. 또 「탱자꽃」에서 봉순이에 대한 '그'의 감정은 사랑이 아니라 아버지의 요구에 반대하기 위해 취한 방식으로, 결국 나쁜 예감을 실현하여 스스로 파국적인 상황을 초래한다.

이와 같이 이들의 패배는 현실에 대해 무지해서 그런 것이 아니라 현실의 질서를 미리 알아차리고 의도적으로 취한 결과이다. 그러므로 그들의 말과 행동이 주는 유머는 자본주의 질서의 패덕과 스스로 닮아버림으로써 그것의 허구성을 들춰내는 비웃음에 가깝다. 서정인 소설의 인물들은 무기력 상태에 빠져 있거나 패배감과 상실감에 찬 자학적인 성향의 인물, 공격적이고 파괴적인 성향을 지닌 인물, 혹은 위악적인 태도를 띠는 인물 등 다양한 편차를 보이지만 그들의 전도된 인식과 속물근성도 그것 자체의 부도덕성을

---

136) 서정인, 「탱자꽃」, 『가위』, 앞의 책, 145면.

이유로 비난의 대상이 되지 못하며 외려 그것은 현실의 악에 대한 엄격한 인식으로 한층 더 정당성을 갖는다.

이들은 익숙한 현실세계에서 두려움을 느끼지만, 그곳에 대해 적절한 거리를 취함으로써 환멸의 세계에 대한 근본적인 성찰을 수행한다. 즉 이들은 '익숙한 것의 익숙하지 않음', '사소한 것의 사소하지 않음'의 감정으로 세계를 하나의 암호처럼 인식하며, 그것을 밀도 있게 해부한다. 무엇인가가 근본적으로 결핍되어 있다고 느끼는 멜랑콜리커들은 이상과 현실의 불협화음 속에서 스스로를 낙오자나 추방자, 범죄자와 같은 주변부적 존재로 놓는다. 바로 여기에서 우울한 멜랑콜리커들은 "누구의 탓도 아닌 그러나 너무도 분명한 잘못-그것은 무서운 공백"(「물결이 높던 날」, 62면)을 의심에 찬 눈으로 탐색하여 자본주의적 질서체계의 이면을 조명하기 시작한다.

### 2) 빅딜김괴 괸데

이 명백한 '잘못'과 '공백'을 느끼는 자들은 허무적인 패배감으로 현실을 수락하는 것이 아니라 깊은 의구심으로 현실체계에 대한 면밀한 탐구를 진행한다. 서정인 소설에 등장하는 인물들은 의심과 회의에 가득 찬 시선으로, 왜 지금 두렵고 불안함을 느끼는지, 도대체 현실은 어디에서부터 어떻게 잘못되었는지를 물으면서 우리는 무엇을 잃었으며 현실은 무엇이 잘못되었고 결핍되었는지를 추적한다.

그들은 어디에도 안착할 수 없는 길 위의 방랑자들이다. 「금산사 가는 길」(1974), 「겨울 나그네」(1976), 「행려」(1976), 「미로」(1967), 「강」(1968), 「벌판」(1973), 「뒷개」(1977), 「귀향」(1979) 등 서정인의 거의 모든 소설들이 '길'의 서사를 동반하고 있는 것도 이러한 점과 관련이 깊다. 이들은 단순한 우울자가 아니라 우울이라는 시대 감정을 존재론적으로 껴안고 그것을 세계를 인식하는 하나의 전략으로 취하고 있다는 점에서 그들의 산책은 단순한 기분전환의 성격과 거리가 멀다.

우울한 방랑자들은 시골과 도시, 그 어느 곳도 그들의 아픔을 감싸주지 못하는 타락한 세계임을 분명하게 보여준다. 「여인숙」에서 몸을 파는 유미와 옥이, 경찰에 연행되는 외판원 건수, 그리고 귤장수, 「행려」의 오누이도 단지 '돈' 때문에 불행한 삶을 한 치도 벗어나지 못한 처지에 놓인 인물들이다. 서울로 돈을 벌러 올라갔다 갖은 고생을 다하다 죽어간 언니(「물치」)나 고향 밤티재에 도착하자마자 그 길로 경찰에게 연행되는 돌남이(「귀향」)에게서 볼 수 있듯이 도시도 고향도 모두 박탈감을 줄 뿐이다. 「나주댁」에서 보인 위선적인 교육현실, 「벌판」, 「뒷개」, 「남문통」 등 개발 근대화로 인한 부패의 실상을 고발하고 있는 작품들에도 타락한 세계를 바라보는 우울한 시선이 깊숙하게 스며들어 있다.

이와 같이 시공간적 배경을 달리하면서도 서정인 소설의 인물들은 모두 '빼앗김'의 상태, 즉 박탈감에 사로잡혀 있다는 점에서 공통적이다. 이들의 우울한 시선은 대도시와 농촌, 꿈과 현실의 공간에 내재한 비합리적이고 부조리함을 포착한다. 뿐만 아니라 「가위」의 후엔 디 씨(8275)와 트리 꽝 씨(8273)와 같은 익명적 존재를 통해서 그러한 상황이 병원, 학교, 군대 등을 비롯하여 도처에 존재하는 보편적인 상황임을 말해 준다. 이들 멜랑콜리커들은 모든 곳에서 톱니바퀴의 형상을 하고 있는 자본주의적 구조가 지배하고 있음을 본다.

> 그것들은 질서정연하게 동작을 전달하고 있었다. 그것들 하나하나는 그 동작의 원인이자 결과였다. 그것들 하나하나는 전체에 완전히 종속되어 있었고, 동시에 그 전체에게 결정적인 영향을 주었다. 가장 작은 톱니바퀴의 움직이는 방향을 바꾸는 일은 전체의 파괴 없이는 불가능했고, 전체의 파괴는 가장 작은 부분의 파괴로 가능했다.[137]

> 삶에는 꼭 들어맞는 톱니바퀴가 없었다. 어디엔가 반드시 맞지 않는 데가 있어서 불협화음이 있었다. 톱니바퀴를 둘 다 완전히 알지 못하는 이상 고장이 어디쯤인가를 누가 알 것인가. 엇갈리나 어느 한 편이 짓부숴진대도 어쩔 수 없는 일이었다. 짓부숴지면서 만들어지는 것이 톱니바퀴였으니까.[138]

> 동원영장을 받았을 때 그는 절망을 느꼈었다. 그 절망감 속에는 일종의 비극적 아름다움에 대한 의식이 들어 있었다. (…) 그가 거대한 톱니바퀴의 이빨 속으로 깨물려 들어가면서도 그

137) 서정인, 「어느 날」, 『가위』, 앞의 책, 112~113면.
138) 서정인, 「물결이 높던 날」, 『철쭉제』, 앞의 책, 83면.

것의 작은 부속품들이 비정스럽게 돌아가는 것을 인간적인 위의를 잃음이 없이 슬픈 눈으로 묵묵히 바라보고 있을 수 있다는 생각에서 나왔었다. 그는 이제 새로운 의미의 또 다른 절망감을 맛보았다. 그것은 메마르고 추악한 것이었고, 허탈에 가까운 무력감이었다.[139]

「어느 날」의 해동은 시계의 부속품 중의 하나인 톱니바퀴가 마치 사람 크기 모양으로 변하는 환각을 통해서 인간존재는 한낱 자본주의의 질서를 지탱하는 부속품에 불과하다는 것을 깨닫는다. 한편 「물결이 높던 날」(1963)의 현수는 톱니바퀴의 질서처럼 꼭 들어맞지 않는 삶의 질서에서 불협화음을 느끼고, 「가위」의 '그'는 여전히 거대한 톱니바퀴의 이빨 속으로 부속품처럼 돌아가는 운명을 슬픈 눈으로 지켜봐야 한다는 절망적인 무력감을 느낀다. 이들이 바라보는 톱니바퀴와 같은 세계질서는 "모형 돼지머리"(「미로」)와 같은 알레고리 형상을 통해 그것이 한 개인의 문제, 즉 부분의 문제가 아니라 자본주의 질서 전체의 구조와 연관되어 있음을 시사한다. 결국, 그들은 이런 자본주의적 체계 안에서는 어떠한 일을 선택할 수 있는 자유를 기대할 수 없다는 박탈감과 그저 이미 일어난 일을 수락할 수밖에 없다는 권태의 감정에 이른다.

자본주의적 세계 질서의 이면을 들여다보는 멜랑콜리한 시선은 "아마 기다리지 않는 것이 좋을 거다."(「미로」, 52면)라는 절망,

139) 서정인, 「가위」, 『가위』, 앞의 책, 242면.

즉 어떤 기다림도 불가능한 상태, 미래에 대한 아무런 기약도 할 수 없는 멜랑콜리커들은 무엇을 선택하고자 하는 의지도 열정도 없는 완전히 빼앗긴 채 완벽한 박탈감과 극도의 권태감을 느낀다. 그래서 그들은 "어디서나 흔히 볼 수 있는 어떤 거리를 걷고 있었다."(「미로」, 53면)거나 또 "세상이란 쓰라리지도 달갑지도 않았다. 열망과 기대도 없었고, 애착과 회한도 없"는 것으로 느끼며, 그 모든 것들이 자신과 관계없이 "십 년 전에 있었던 것처럼, 또는 십 년 후에 있을 것처럼, 그것들은 다만 거기 있었다."(「물결이 높던 날」, 76면)라고 생각한다. 이러한 일상의 반복적 경험은 "답답한 가슴에다가 절망감을 보태"(「겨울 나그네」, 188면)줄 뿐이다.

일상은 한낱 무기력하고 권태로운 경험의 반복일 뿐이다. 이들은 위로받을 절대적인 대상이 없다는 두려움과 결핍감, 더 이상 끼어들 곳이 없다는 박탈감, 파국으로 치닫는 세계에 대한 불안한 예감 속에서 어떠한 선택적 자유도 허락되지 않는다는 비극적인 인식을 보여준다. 그런데 이 비극적인 인식의 중심부에서 죽음에 대한 실존적이고 형이상학적인 물음이 발단된다. 즉 이 '열정의 소멸' 상태는 '죽음'에 관한 철학적 성찰을 불러온다.

서정인의 「미로」와 「가위」에 등장하는 죽음에 관한 문제의식과 사유가 함축하고 있는 것은 자본주의적 체계에 대한 방법적 거부로 읽힌다. 「미로」는 죽음에 관한 심포지움을 소설 속의 주요한 장면으로 다루어 죽음을 철학적인 문제의식으로 올려놓는다. 이 작품에서 죽음에 관한 논쟁은 자살과 타살, 그리고 자연사라는 세 가지 관점으로 대립한다.

"모든 죽음이란 산아 제한을 제외하고서는 거의가 다 자살이라고" 주장하는 사람과 "죽음이란, 산아 제한까지를 포함해서 거의 모두가 타살이라고" 주장하는 다른 한 사람 사이의 논쟁에 끼어든, '나'는 "죽음이란 그것이 자살이라고 주장된 자살이건 타살이라고 주장된 타살이건, 또는 자살이라고 주장된 타살이건 타살이라고 주장된 타살이건 간에 죽어 버렸다는 점에서는 자연사"(「미로」, 58면)라는 주장을 내놓으면서 다음과 같은 더욱 많은 물음들을 가져온다.

> "(…) 묵은 문제가 해결된 대신에 새로운 문제가 생겼고, 이 새로운 것이 유감스럽게도 전번 것보다 더 복잡하다는 것을 인정하지 않을 수 없게 되었오. 전에는 자살인지 타살인지만 따지면 되었던 것을 이제는 그것이 자살 출신의 자연사인지 타살 출신의 자연사인지, 자살 출신이라면 도대체 어느 정도의 순수한 자살성을 포함한 자살 출신인지, 또 어느 정도의 자살성까지를 자살 출신이라고 간주할 것인지, 그리고 자살성이란 도대체 무엇을 기준으로 해서 정할 것인지, 의도론인가 방법론인가 시기론인가, 의도론이라면 그것이 발생했을 때의 의도인가 계획되었을 때의 의도인가, 발생했을 때의 의도라면 그것이 발생했는데 그때 도대체 의도라는 것이 있을 수 있는가 없는가, 계획되었을 때의 의도라면 그 후로 쭉 그 상태가 계속되어야 하는가 도중에 변심을 해도 괜찮은가…."[140]

---

140) 서정인, 「미로」, 『벌판』, 나남, 1988, 60면.

인간의 죽음은 자살 혹은 타살의 입장에서 간단하게 해석될 수 없는 것이다. 모든 죽음이 '자연사' 라는 '나' 의 관점을 비추어보면 자살이냐 타살이냐를 따지는 것은 단순한 대립 논쟁이 될 수 있다. 자살 역시 의도론, 방법론, 시기론 등을 통해서 복잡하게 해석될 문제인 것이다. 따라서 '나' 가 제출한 '자연사' 라는 입장은 자살과 타살이라는 양편 중 어느 한쪽을 선택하지 않는 양비론적 태도로서 거기에는 죽음에 관한 급진적인 시각이 마련되어 있다.

「미로」에서 제출된 죽음에 관한 논쟁은 「가위」에 등장하는 두 인물 8273(트리 쾅 씨)과 8275(후엔 디 씨)의 죽음을 자살로 볼 것인지 타살로 볼 것인지라는 논란으로 이어진다. 「가위」는 「미로」의 '나' 가 제출한 죽음에 대한 문제의식을 바탕으로 죽음에 관한 사유를 깊이 있게 다룬다. 8275의 죽음은 "동원명령을 미리 알려준 것과 동원명령이 떨어진 것 사이에 아무 관계가 없을까?"(278면)이라는 8273의 말이 결국 8275의 죽음을 초래한 화근이 되었기 때문에 8275의 죽음은 자살적 요소와 타살적 요소가 얽혀 있다. 또 8275가 죽자 혼자 남은 8273은 자살을 시도하려고 하지만, 그 일로 그는 생물학적 욕구들을 완전히 박탈당하는 가혹한 처벌을 받게 된 후 죽음에 이른다.

8275와 8273의 죽음은 자신의 죽음을 스스로 선택할 권리마저도 박탈당한 채 감금체계 속에서의 죽음이다. 그러나 "그때 만일 당신이 나에게 닷새 동안의 형벌을 내리는 일만 일어나지 않았더라면, 나는 닷새 전에 죽었소. 이제 나는 당신에게 깊이 감사하오."(「가위」, 295면)라는 8275의 마지막 말은 그러한 비극적 상황을 거절하는 저항적 역설이다.

「가위」는 열정의 소멸 상태에 있는 존재들이 겪는 죽음의 문제를 전면화하면서 억압적인 체계와 구조에 대한 근본적인 성찰을 수행한다. 그 억압의 근원이 "삶과 죽음의 문제가 이런 식으로 해결될 수 있는 공간을 인간이 제도적으로 확보하고 있다는 사실"(「가위」, 265면)에 있다는 진단을 통해 어떤 특수한 '공간'의 질서가 어떠한 방식으로 인간을 체계의 동일한 부속품으로 전락시켜 왔는지를 본질적으로 묻는다. "우리들은 가끔 자신의 입장을 떠나서 사물을 볼 필요가 있어요. 남의 입장에 서 보는 것만으로는 부족해요. 전체의 입장에서 보아야지요."라고 주장하는 8273과 "개인의 입장에서 사물을 정확하게 바라보는 것만도 나에게는 힘에 겹소. (…) 지금 나를 버티고 있는 것은 내 근육 속에 남아 있는 단백질과 지방질이오. 그것들이 다하면 나는 무너지오."(「가위」, 265면)라고 말하는 8275의 주장은 각각 '전체'와 '부분'의 문제를 각기 대변하면서 인간존재가 처한 암울한 상황을 총체적으로 드러낸다. 즉 '전체'와 '부분'의 문제는 자본주의 질서체계의 전체를 비판하는 데에로 확장된다. 따라서 이들 인물들의 '대화'는 어느 한편의 승리로 끝나는 것이 아니라 자본주의 체계 하에서의 인간존재의 죽음에 관한 더 큰 물음을 제출하는 데에 기여한다.

이 소설에서 궁극적으로 말하고자 하는 내용은 8275의 죽음을 대하는 아내의 태도와, 앞서 읽었던 「미로」의 '나'의 자연사로서의 죽음에 관한 주장과 함께 읽을 때 온전히 드러난다.

> "(…) 후엔의 처는 후엔의 용서를 빌고, 자신의 치욕을 씻기 위해서 죽음을 택하기로 마음먹었어요. 지금 생각하면 그것이

후엔의 친구가 가장 바랐던 것이었어요. 그러나 이제 나는 죽지 않아요. 후엔의 처는 반드시 대식만물점의 여주인이 되어야 하고, 반드시 대식만물점 안집의 큰 방을 차지하고 살아야 한다는 법은 없다는 것을 알았어요. 후엔은 대식만물점의 주인에서 한 줌의 흙이 되기까지 했어요."[141]

위에서 읽을 수 있듯이, 후엔의 처에게 남편 후엔 디 씨(8275)의 죽음은 현실을 비관하고 따라 죽어야 할 이유도 없는 '한줌의 흙'과 같은 물질적인 것으로 받아들여진다. 그런데 이러한 관조적인 시선이 담고 있는 의미는 소박한 수락이 아니다. 자신이 붙들려고만 했던 자본주의 현실의 질서와 거리를 두면, "후엔은 대식만물점의 주인에서 한줌의 흙이 되기까지 했다"는 유물론적인 사실만이 남는다. 따라서 8273과 8275의 죽음이 중층적인 원인들에 따라 여러 가지 해석들을 가져온다 해도, 후엔의 처의 시선에서 볼 때 그들의 죽음은 결국 '자연사'로서의 죽음일 뿐이다.

그들의 죽음은 부조리한 공간질서에서 필연적으로 결과할 수밖에 없었다는 점에서 사회적 타살이면서도 사회에 대한 부정적 저항을 함축하고 있기 때문에 의도적 자살이기도 하겠지만, 전체의 관점에서 바라보면 결국 '자연사'에 해당한다. 그러므로 인간이 생물학적 존재이든 역사문화적 존재이든지 간에, 인간의 죽음은 "한줌의 흙"인 물질로 돌아가는 것이라는 냉정한 시선을 통해, 죽음까

141) 서정인, 「가위」, 『가위』, 앞의 책, 308면.

지도 사물화한 사회에 대한 급진적인 거부를 드러낸다. 요컨대 후엔 처의 시선은 자본주의의 질서와의 전면적인 단절을 의미한다.

박탈감과 권태의 감정은 곧 근대세계 질서에 대한 부정의식과 다르지 않다. 즉 이들의 권태는 단순히 현실세계를 부정하는 것으로 끝나지 않고, 애초에 유토피아가 존재한 적이 없었다는 근원적인 부정과 박탈감을 주는 자본주의 질서 하에서 어떠한 미래적 전망도 불가능하다는 묵시론적 태도에서 기인한다.

서정인의 문학은 말의 타락을 경계하고 그것을 치유하여 자본주의 문명 전체의 병리적인 질환을 치유하는 길과 같다. 멜랑콜리한 시선으로 문명사적 질환을 조명하고 그곳의 질서로 바로잡는 문학의 길을 지향한다. 서정인의 소설에서 그런 비극적인 상황이 앞으로 계속되리라는 우울한 진단에 이른 것은 바로 그렇기 때문에 문학이 지속적으로 필요하다는 역설에 다름 아니다. 서정인의 소설에 나타난 멜랑콜리는 시대와의 부정적 화해를 전면화함으로써 타락한 세계에 대한 미적 근대 비판을 수행한다.

2000년 이후에 발표된 『말뚝』과 『용병대장』의 중세 수사의 이야기는 그의 문학세계의 흐름에서 단절적인 변화가 아니라 하나의 연속성을 지닌 것으로 다가온다. 『말뚝』은 르네상스 이탈리아의 화려한 영광을 보지 않고 그 이면에 숨겨진 교황과 사제들, 용병대장들의 부패와 권력의 남용을 주시하여, 종교권력에 항거한 사보나롤라 수사가 말뚝형에 처하게 되는 음울한 서사를 그려낸 작품이다. 특히 이 작품이 중세 수사들의 아키디아(acedia, 무력감/이는 '정오의 악마' 라고 불리면서 수도사들의 종교적 신앙심을 시험했던 것이기도 함)를 매개로 르네상스의 이면을 주시하고 있다는 점이 주목되는데, 이러한 점으로 보아 서정인의 소설세계에서 용병과 수사들의 이야기는 불현듯 솟아난 새로운 이야기가 아니라 초기소설부터 지속된 멜랑콜리의 변주라 할 수 있다.

### 3) 유토피아의 문제

이청준의 『당신들의 천국』(1976)은 일제강점기의 식민 지배와 유신독재 하의 상황을 소록도를 무대로 하여 연관시킨 작품이다. 일제 수호 원장이 지배하던 소록도의 상황과 5·16군사쿠데타 이후 오마도 간척공사 현장을 서사의 초점으로 삼고 있는 것은 매우 의도적인 대목이다. 이 소설은 소록도와 한센병의 역사 기억을 서사화 함으로써 몇 가지 주요한 문제를 제기하고 있다.

이 문제적인 소설에서 유토피아의 문제를 어떻게 다루고 있는지를 읽기 전에 한 가지 먼저 검토할 사항이 있다. 이 자리에, 해방 이후 월남한 시인 한하운이 "인간쓰레기"로 취급당하는 문둥이들을 위해 "기존의 유토피아 문학과는 다른 구상"으로서 "무하(無何)공화국" 수립을 주장했던 사실은 중요한 참조가 된다. 다음은 한하운의 주장이다.

> 나의 신천지 무하 공화국은 나병 환자가 인간으로서 집단적으로 학대받고 생존권마저 위협을 느낀 나머지의 절규 같은 필요에서 산출된 것이다. 인간의 존엄성에 대한 투쟁이며 병신 몸이면서 살겠다는 의욕이 강한 멍텅구리들만이 가지는 자유와 행복의 집합처이며 그곳에는 폭력도 불안도 없고 흙을 사랑하

고 자연의 일목일초(一木一草)를 사랑하고 서로가 사랑으로써 의지하고 삶을 구가하려는 새로운 복지낙토(福地樂土)이다.[142)]

한하운이 구상한 무하 공화국은 한마디로 말해, "자유와 행복의 집합처"이며 "사랑으로써 의지하고 삶을 구가하려는 새로운 복지낙토"다. 그는 이를 통해서 "30년 이내에 한국의 나병을 근절하고 나병을 하나의 전설 같은 설화로서 이야깃거리로 만들고 아름다운 삼천리 금수강산과 거룩한 배달민족의 혈액 정화와 민족 우생학을 도모하자는 원대한 포부"[143)]를 실현하려 했다.

그런데, 문제는 한하운의 복지낙토 건설이 "무국적인이며 동물 이하의 슬픈 사람들"을 "국민의 한 사람으로서 첨가시키고 인력 개발을 시켜야 비로소 현대 민주주의의 복지사회 건설이 출발되리라 생각"[144)]을 지향하는 가운데, 유신체제 하의 '국민 만들기' 프로젝트와 매우 유사한 구조와 방향을 지향했다는 점이다. 한하운이 구상한 유토피아가 5·16쿠데타 이후 소록도병원에 부임한 조창원 원장의 "혁명사업" 공약[145)]의 하나인 '오마도 간척사업'의 현장에 강제적으로 동원된 한센인들의 비극과 마주친 것은 아니러니

142) 한하운, 「천형(天刑) 시인의 비원(悲願)- '무하(無何) 공화국'의 수기」(1958), 『한하운 전집』(인천문화재단 한하운 전집 편집위원회 엮음), 문학과지성사, 2010, 724~725면.
143) 한하운, 「천형(天刑) 시인의 비원(悲願)- '무하(無何) 공화국'의 수기」, 『한하운 전집』, 앞의 책, 723면.
144) 한하운, 「유걸기(流乞記)」(1962), 『한하운 전집』, 앞의 책, 766면.
145) 조창원 원장은 혁명공약의 철저한 이행을 강조하면서 "정정당당", "인화단결", "상호협조", 그리고 "재건(再建)"을 병원 운영방침으로 정하여 이를 위해 노력하자고 강조하였다(국립소록도병원, 『소록도 80년사』, 1996, 147면).

한 사실이다. 이 낙원 건설의 현장에서 추방된 사람들은 결국 한센인 자신들이었던 것이다.

한하운의 유토피아적 구상은 왜 유신체제의 지배논리와 닮게 된 것일까. 그리고 그것은 왜 실패할 수밖에 없었는가. 이런 질문을 매개로 할 때 『당신들의 천국』이 제출한 유토피아에 관한 물음에 더 가까이 다가갈 수 있다. 이 소설에서 던지고 있는 물음, 즉 소록도는 과연 환자들을 위한 "진정한 천국"인가. 그 대답은, 소록도라는 섬을 누구의 시선에서 바라보느냐에 따라 다를 것이다.

> 원장이 그처럼 감탄해 마지않는 섬의 조경은 실상 섬 자체의 그것이 아니었다. 조경에 관한 한 아름다운 것은 섬이 아니라, 섬 바깥쪽이었다. 섬에서는 그것을 바라볼 수 있을 뿐이었다. 화가가 전해 준 소녀의 이야기도 섬 안에 남아 있을 때는 아름다울 수가 없었던 것이었다. 그것은 화가와 함께 섬을 떠나서 섬 밖에서 비로소 아름다운 이야기가 되고 있는 것이었다.[146]

보건과장 이상욱은 원장과 화가가 바라보는 섬의 모습에 대해서 회의적인 태도를 보인다. 그에 따르면 원장과 화가가 바라보는 섬의 모습은 어디까지나 섬 바깥에서 만들어진 '아름다운' 환상에 불과하다. 섬 안의 '슬픈' 현실을 아름다운 그림으로 완성한 화가나 섬의 조경에 감탄하고 있는 조백헌 원장의 시선으로는 섬 안의

---

146) 이청준, 『당신들의 천국』, 앞의 책, 28~29면.

사람들이 겪고 있는 아픔의 실체를 온전하게 볼 수 없다. 섬의 진실은 섬의 안과 밖을 아우르는 시선을 통해서 만날 수 있는 것이다. 여기에 또 하나의 시선이 추가된다. 그것은 환자이면서 소설가인 한민의 시선이다.

> 이상한 일이었다. 상욱이 한민에게 들려준 이야기는 다만 소년의 탈출에 관한 것뿐이었다. 노루 사냥 사건의 주인공이 소년의 아비라는 관계는 말로 일러준 일이 없었다. 한데도 한민은 이미 모든 것을 알고 있었다. 그는 노루 사냥 사건의 주인공 이순구의 내력에서부터 소년의 이야기를 풀어나가고 있었다. 한민이 알고 있는 일 가운데 상욱을 더욱 놀라게 한 것은 후일 소년의 귀향에 관한 것이었다. 상욱은 소설의 제목이 「귀향」이라 붙여진 데 대해 처음엔 납득이 잘 가지 않았다. 이야기가 어떻게 끝나고 있는지나 알고 싶었다. 원고지를 되집어다 끝부분 몇 장을 들춰보니 소년은 후일 성년이 되어 다시 섬으로 돌아와 섬 일을 신념껏 돌보는 것으로 결말이 지어져 있었다. 그래서 아마 소설의 제목을 「귀향」이라 한 모양이었다.[147)]

인용된 구절에서 한민의 소설 「귀향」이 어떤 이야기를 담고 있는지를 짐작할 수 있다. 한민은 이상욱이 들려준 소년의 섬 탈출에 관한 이야기 외에 소년의 아버지에 관한 숨은 내력과, 후일 소년이

---

147) 이청준, 『당신들의 천국』, 앞의 책, 140면.

성장하여 섬으로 '귀향' 하는 이야기를 덧붙여서 한편의 소설로 완성한다. 소년의 아버지와 소년의 귀향에 관한 이야기는 단지 허구가 아니라 섬 안의 사람들이 알면서도 숨겨 온 이야기다. 이 점에서 그의 소설은 사실과 허구, 섬의 안과 밖을 하나로 종합하는 있는 셈이다. 이렇게 「귀향」은 소년의 '떠남과 되돌아옴', 그리고 소년의 과거와 현재, 섬 안과 밖을 아우르고 있는 이야기라고 할 수 있다.

소설 속의 소설 「귀향」을 빌어서 『당신들의 천국』은, 이 섬이 환자들을 위한 '진정한 천국' 인지를 묻는다. 이상욱의 말을 따르면 "진정한 천국이란 실상 그 설계나 내용이 얼마나 행복스러워 보이느냐보다 그것을 누리고자 하는 사람들의 선택 여부와 내일의 변화에 대한 희망이 어느 정도까지 허용될 수 있느냐에" 있는 것인데, 이 섬이 그런 자유와 행복을 누릴 수 있는 천국이라면, 환자들은 왜 이 섬을 떠나는 "배반"을 계속하고 있는 것인가.

> 바깥 세상을 빌려 길러놓은 원망과 저주와 공포 때문에 이들은 감히 다시 섬을 빠져나갈 생각조차 해 볼 수 없는 철저한 '환자' 로 길들여져 버립니다. (…) 그것은 차라리 그 저주스런 땅으로의 두려운 추방이기 때문입니다. (…) 그래서 이들은 환자로서 두려운 땅으로 섬을 쫓겨나가는 추방의 길이 아니라, 섬의 지배자들이 저들에게 버릇 들여온 공포를 박차고 자신의 선택과 용기에 의지한 희망찬 인간에의 모험을 택하게 된다는 것입니다.(이상욱)[148]

환자이면서 인간인 한센인들은 '환자' 로서의 특수한 처지로 인해 섬 바깥에서 이미 추방된 자들이다. 그런 그들은 그 '저주스런 땅으로의 두려운 추방의 길'이 아니라 섬 안에서 '환자'가 아닌 '인간에의 모험'을 택하게 된다. 이렇게 그들은 섬 바깥으로 탈출을 시도하는 방식으로 섬 안의 지배 질서에 대항한다. 그로써 그들은 인간의 길을 선택한다. 그렇다면, 이 섬은 환자들에게 진정한 낙원이 아니라 '당신들의 천국'에 불과하다. 그들은 섬의 안과 밖, 그 어디에도 거주할 수 없는 사람들, 즉 섬의 안과 밖에서 추방된 자들일 뿐이기 때문이다.

이 소설은 "진정한 천국"이 어떤 곳인지, 또 어떻게 그것이 가능한지를 구체적으로 제시하지 않는다. 다만, 진정한 낙원은 어느 한쪽의 힘만으로 절대로 불가능한 일이라고 말한다. 즉 진정한 천국은 한하운의 무하 공화국처럼 한쪽의 요구만으로 세워질 수 있는 것이 아니며, 낙원과 혁명을 명분으로 삼은 독재자의 강제적인 지배와 폭력만으로도 건설될 수 없는 것이다. 무엇보다 진정한 유토피아는 바깥에서 주어지는 것이 아니라 그것을 실현하려는 모든 사람들의 의지 속에서 함께 추구되어야 한다.[149] 끝없는 질문 속에서 찾아나가야 하는 '과정으로서의 유토피아'는 쉽게 마련될 수 없다고 이 소설은 답한다.

---

148) 이청준, 『당신들의 천국』, 앞의 책, 397~398면.

149) "유토피아라는 진짜 알맹이 있는 삶을 가능하게 하는 곳은 토피아라는, 유토피아로 가는 과정 속에서만 존재한다. (…) 그의 귀향소설이 현실 비판적인 면모를 띠고, 현실 비판적인 소설이 귀향소설적인 면모를 띠고 있음은 그것 때문이다(김현, 「이청준에 대한 세 편의 글」, 『문학과 유토피아』, 문학과지성사, 1992/1993, 253~255면).

### 4) 운명공동체

『당신들의 천국』은 한센병의 '스티그마(stigma)'[150)]를 통해 운명, 공동체, 역사, 타자성 등 다양한 물음을 던진다. 한센병에 대한 낙인은 근대 이후 한센인 통치 정책과 정치적 지배 상황, 그리고 윤리적 가치 등 외부적 맥락과 상관된 것이기에 낙인에 대한 해석적 차이는 소설의 주제의식을 결정하는 주요한 변수로 자리한다.

또 한센병의 기억을 서사화하는 데에 있어서 직면할 수밖에 없는 문제인 역사적 사실과 문학적 서사 사이의 불일치는 '왜 쓰는가' 혹은 '왜 쓰지 못하는가'라는 자의식적인 물음을 낳는다. 이러한 서사적 욕망은 작가 혹은 작품의 정치적, 미학적, 윤리적 지평과 관련이 깊다.

먼저, 이 소설에 등장한 '노루사냥' 사건에 대한 서술은 눈길을 끈다.[151)] 소설 속의 노루사냥 사건은 한민이라는 청년이 자살한 후에 남긴 소설의 한 부분을 통해 등장한다. 한민의 소설에는 이상욱이 들려준 소년 이야기(주정수 원장 시절 섬을 떠난 소년이 뱃노래의 환청 때문에 섬으로 돌아온 이야기)가 들어 있는데, 여기에서 이상욱이 들려준 소년 이야기는 노루사냥 사건과 겹쳐 있다. 한민의 소설은, 소년의 아버지를 노루사냥 사건 당시의 이 순시로 설정해놓음으로써 이상욱이 바로 그 한국인 순시가 숨겨 키운 아들일

150) 원래 '스티그마'는 뜨겁게 달군 인두를 가축에 찍어 소유를 표시하는 '낙인'을 의미한다. 스티그마는 수치(shame), 불명예(disgrace), 얼룩(stain) 등과 유의적 관계에 있는 말이다(어빙 고프만, 윤선길 옮김, 『스티그마』, 한신대학교출판부, 2009).

수도 있다는 가능성을 내비친다.

소설 전체에서 한민의 소설은 부차적인 에피소드에 불과하지만, 그것은 실제로 일어난 노루사냥 사건과 이상욱이 들려준 소년의 이야기를 내적으로 연계시킴으로써 '운명'에 관한 문제를 제기한다. 이는 이 순시의 배반이 단지 '그'만의 일이 아니라 이상욱의 일이 될 수도 있다는 것, 즉 '너'의 일이 곧 '나'의 일이 될 수도 있다는 윤리적 물음을 함축하고 있다는 점에서 문제적이다. 그러므로 황희백이 언제나 이순구가 배반한 내력을 상욱에게 되풀이했고, 상욱은 "이 섬과 자신에 견딜 수 없어질 때마다 노인에게로 가서 그 참혹스런 배반의 내력을 들었"(161면)다는 부분도 사소하게 읽을 부분이 아니다.

『당신들의 천국』은 이 순시의 배반 행위를 그가 무엇보다 섬사

151) 소록도병원에서 발간한 책에서는 일제말 소록도갱생원에서 일어난 노루사냥 사건을 다음과 같이 기록하고 있다. "1937년 7월 중일 전쟁이 발발한 후로는 배급량도 현저히 줄어들고 작업장에 나가 봐야 노예처럼 부려먹고 노임도 제대로 주지 않았으며 (…) 원의 사정이 이렇다 보니 단속하는 순시와 환자간의 자주 발생하였다. 어느 날 구북리의 여독신사 환자가 같은 방의 아픈 환자를 위하여 미음을 끓이다가 순시에게 발각되었다. 김(金) 모라는 이 한국인 순시는 미음 끓이던 냄비를 구둣발로 차서 밟아 버렸고, 이 환자에게는 가차없는 벌이 가해졌다. 평소 일인 직원들보다 환자들을 더 괴롭혀 환자들로부터 원망의 대상이 되어 왔던 터라 이 사실을 알게 된 구북리 청년들은 더 이상 참을 수 없는 의분을 느끼고 보복할 것을 결의하였다./ 김(金) 순시의 외곽선 순회 당번일을 노려 숲 속에 잠복해 있던 김병환(金炳換), 손재현(孫在憲), 박홍주(朴洪住), 김계술(金季述) 등은 지나가는 김(金) 순시를 붙잡아 사정없이 구타하였고 (…) 노루사냥으로 알고 달려온 간호주임과 직원들에 의해 김(金) 순시는 구출되었고, 이 일에 가담한 청년들은 모조리 체포되어 결국 소록도 형무소에서 3개월 내지 6개월씩 복역하였다."(국립소록도병원, 『소록도 80년사』, 앞의 책, 64~65면). 심전황의 『소록도 반세기』(전남매일출판국, 1979.)에서는 이 사건을 소록도 "개원 이후 첫 사고였다"(30~31면)고 기록했다.

람들의 은밀한 배려 속에서 아이를 숨겨 키우다가 무사히 섬에서 내보낸 '내력' 을 지닌 사람이라는 점에 초점을 맞춘다. 따라서 진정한 천국을 만들기 위한 윤리적 준거점을 "섬 안에 무서운 배반의 역사가 싹트기 시작한 상서롭지 못한 징후의 시초"(127면)라 할 이 첫 번째 '배반' 사건에서 찾고 있다. 『당신들의 천국』은 순시의 배반을 통해 개개인의 진실과 배리되지 않는 공동체의 가능성을 모색한다.

환자와 환자가 아닌 사람들, 환자들과 원장, 그들은 어떻게 하나가 될 수 있을 것인가. '우리' 가 사회적 소수자로 살아왔던 환자들의 고통을 함께 나눌 수 있고, 그들과 함께 하나의 공동체를 만들어가는 것이 과연 가능할까.

이러한 물음은 한센병의 특수성, 즉 병이 치유되어 전염성이 사라진 뒤에도 남아 있는 '흔적' 으로 인해 한센인들을 '건강인' 과 '사회' 로부터 격리, 배제했던 역사를 상기할 때 결코 간단하게 해결할 수 있는 것이 아니다. 이 스티그마가 한센인들에 대한 사회적 편견을 낳는 가장 큰 이유가 되었고 그들을 '타자' 화할 수 있었던 부정적 근거가 되었기 때문이다. 따라서 이 소설에서 제기한 공동체에 관한 문제는 한센인에 대한 낙인의 기억을 넘어 '운명공동체' 를 마련할 수 있겠는가라는 질문과 닿아 있다는 점에서 의미가 깊다.

『당신들의 천국』은 이러한 문제들을 다양한 인물들의 관계를 통해 서사화한다. 한민, 서미연, 윤해원 등과 같은 인물들이 지닌 숨은 내력이 중요한 이유는 여기에 있다. 중심 인물인 조백헌, 이상욱, 황희백이 차지하는 비중은 당연히 크다고 할 수 있겠지만 이들의 주변에 위치한 한민, 서미연, 윤해원 등 미감아 혹은 음성병력자로서의 "내력"을 가지고 있는 인물들을 가볍게 여길 수 없다. 서미연은 소록도에 봉사자로 자원하였지만 자신의 신념에 대한 투철한 신념이나 확신을 가지고 있지 않는 인물이다. 누이 곁에 있기 위해 스스로 병에 걸린 "분홍색 미치광이" 윤해원은 건강한 사람들의 배려를 오만한 동정으로 여기면서도 건강인 서미연에 대해 연정을 품고 있다.

이들이 지닌 각자의 내력은 미감아인 이상욱과 음성병력자인 황희백의 내력과 융합하면서 조백헌 원장이 추구하는 '공동체'를 성찰하게 한다. 황희백과 이상욱의 입장에서 다음과 같이 종합된다.

> "그 두 가지가 뭔고 하니, 팔다리 성한 놈 어느 놈도 문둥이 위해 본심으로 일하는 놈 없고 선심 베풀고 싶어하는 놈 없다는 거 알고 있는 게 그 하나고, 그러니까 문둥이도 자기 말고 딴사람 위해 아무것도 생각할 거 없고 일할 거 없다는 생각 가지게 된 것이 그 두 번째지. 문둥인 남이 자기 위해 일해 준다는 거 곧이들을 수 없고, 남 위해 일하는 법 없다는 소리야. 이건 원장한테도 마찬가지야. 우린 아직도 원장이 우리 위해 일한다고 믿고 있지 않아. 마찬가지로 우리 문둥이들이 원장 위해 일한다는 생각 역시 천부당만부당한 생각이지."(황희백)[152]

---

152) 이청준, 『당신들의 천국』, 앞의 책, 245~246면.

흔적 없이 섞인다는 건 불가능한 일이었습니다. 억지로 섞여 들면 숨는 꼴이 되었구요. 초인적인 인내와 용기가 없는 한 운명을 같이하기란 그토록 힘이 드는 일이었지요. 그래서 전 저 자신에게서나마 숨어 산다는 생각이 가실 때까지 이 육지를 견뎌 보려고 오늘까지 이 안간힘을 써 가며 버티고 있는 꼴입니다.

어쨌거나 그 섬과 원장님 사이의 화해가 불가능했던 것은 처음부터 양쪽 다 각자의 운명을 따로따로 살고 있었기 때문이었습니다. 그리하여 섬사람들은 그들의 운명의 가르침대로 자유를 행해야 했고 자유로써 그들의 운명을 살아내야 했기 때문이었습니다. 끊이지 않은 탈출극의 윤리가 섬과 섬사람들의 내력 깊은 자유에 근거하고 있었음을 원장님께선 이해하고 계실 줄 믿습니다.(이상욱)[153]

먼저 인용한 문단은 황장로가 조원장에게 오마도 간척사업을 계속 추진하라고 권유하면서도 문둥이들에 대한 경계를 늦추지 말라고 충고하는 대목이다. 황장로는 문둥이들이 원장의 과업을 위해서 헌신할 수 없다는 것을, 그래서 결국 오마도 간척 사업이 실패할 때마다 조원장의 내부에 숨겨진 잔인성이 드러날 것이라고 경고한다. 그 이유는 원장이 환자들의 처지를 아는 것과 그들처럼 된다는 것은 전혀 다른 일이기 때문이다.

섬을 떠난 이상욱이 조백헌 원장에게 보낸 편지에서 읽을 수 있

153) 이청준, 『당신들의 천국』, 앞의 책, 393면.

듯이, 이상욱은 섬의 안과 밖, 양쪽의 질서에 완전히 들어가지 못한 채 떠나고 되돌아오는 과정을 반복할 수밖에 없는 이유는 그가 섬 밖의 사람들과 "운명을 같이하기"가 어렵기 때문이라고 말한다. 섬사람들과 원장의 화해가 불가능한 이유도 "양쪽 다 각자의 운명을 따로따로 살고 있었기 때문이"며, 원장이 추구하는 공동체를 이룰 수 없는 근본적인 이유는 같은 "내력"을 지니지 않았기 때문이라는 것이다. 따라서 원장은 "'우리들' 모두의 이름으로 '함께' 행해지는" 낙원의 공동체를 강조하지만, 그것은 섬사람들에게 폭력적인 강요와 설득이 될 수밖에 없다.

개개인의 '운명'과 내력에 대한 이해는 공동체가 마련되기 위한 필수적인 전제 조건이다. 달리 말해 진정한 공동체가 가능하려면 "국외자적 편견"을 벗고, 개인들의 자유에 근거한 운명을 살아감으로써 가능한 것이다. 서미연과 윤해원, 이상욱과 황장로, 이 각각 지니고 있는 "숨은 내력"을 서로 아껴주는 것은 곧 운명공동체를 구성하기 위한 근본적 토대라 할 수 있다. 『당신들의 천국』은 운명공동체를 현실적으로 실현할 수 없지만 추구해야 할 이념형으로 남겨 둔다. 환자와 건강인이 경계 없이 뒤섞인다는 것은 그만큼 어려운 일이기 때문이다.

이 운명공동체를 상상의 영역으로 지연시키면서 그 실현가능성을 모색하는 자리가 『당신들의 천국』이 지닌 윤리성이라 할 것이다. 공동체에 대한 어떤 해답을 구체적으로 제시하지 않은 부분은 인식의 한계가 아니라 한편 시대적 징후로 읽힌다. 일제강점기와 유신독재 하에서 환자들의 진정한 공동체는 오직 상상할 수 있는 영역이었고 그래서 더욱 추구되어야 할 이념형에 가까운 것이었다.

바로 그러한 점에서 이 소설이 미종결의 서사로 끝나고 있는 부분이 각별하게 다가온다. 조백헌 원장이 윤해원과 서미연의 결혼식 축사를 읽는 장면은 운명공동체의 실현을 앞으로 다가올 미래의 일로 지연시키고 있는 것으로 해석해 볼 수 있다. 또 섬을 떠난 이상욱이 언젠가 섬으로 돌아오리라는 것을 편지라는 형태로 전하고 있는데, 이 또한 그가 섬으로 귀환하리라는 예감을 줄 뿐이며 실제로 귀환할 것이라고 단언하긴 어렵다.

소록도 수용소의 역사가 잘 보여주듯이, 한센인들은 지배권력에 의해 삼금된 상태에서 스스로 말할 수 없는 사람들이었다. 이처럼 언어화되지 못한 한센인의 고통은 이야기, 편지, 함성, 환청 등 여담의 서사를 통해서 말해진다. 이런 맥락에서 볼 때 이 소설 속의 주변적 서사 장치들이 지닌 의미가 한층 부각된다. 탈출을 시도하다 '죽은 사람들', 소년과 소녀의 '이야기', 자살한 한민이 남긴 '소설', 섬 바깥에서 이상욱이 보낸 '편지' 등 이 소설에 배치된 여담(digression)의 서사체들은 한센병의 역사적 기억을 하나의 시각으로 해석하여 봉인되는 것을 거스르는 장치들이다.

이 주변적 서사 장치들은 충분히 밝혀지지 않는 한센병 역사의 진실을 환기시킨다. 그리하여 소록도의 역사는 섬 안의 경험을 껴안고 섬 바깥으로 나간 사람들의 이야기, 바깥 사람들의 시선으로 본 섬 안의 이야기, 그리고 안과 밖의 경계에 있는 사람의 이야기 등을 종합함으로써 구성될 수 있는 것이다. 침묵하고 있는 고통의 흔적들을 비추면서 우리의 시선을 사회적 타자에게로 이끈다. 이와 같은 바탕 위에서 이 소설은 타자의 고통과 운명을 함께 나눌 수 있는 공동체를 조심스럽게 요청한다.

이와 같은 미종결의 서사들은 한편 운명공동체의 가능성을 묻는 한편 한센병의 역사 기억을 말한다는 것이 무엇을 뜻하며 그것이 왜 필요한지를 묻는 방식이기도 하다. 그들의 고통을 함께 나누는 것이 얼마나 힘겨운 일이며 그 고통의 역사를 사실 그대로 재현할 수도 말할 수도 없는 명백한 한계 앞에서, 문학이 역사적 기억을 말한다는 것은 어떤 의미를 지닐 수 있는가. 이 점을 문학적인 문제로 쟁점화 했다는 점에서 이 소설의 실천적 의미를 찾을 수 있다.

## 3. 원한과 저주의 낙인: 한승원과 임철우

한승원의 연작 『안개바다』(「석유등잔불」(1976), 「안개바다」(1978), 「꽃과 어둠」(1979))는 다양한 '소리'가 서사의 심층을 주조하는 지배음이다. 이 소리는 또 등장인물의 정념 행로를 구조화 한다. 서사의 줄기만을 따라 읽어 갈 때, 이 연작의 심층에 자리한 소리의 중요성을 간과할 수 있다. 그러나 이 연작에서 소리는 '원한의 서사'와 긴밀한 짜임관계를 이루고 있다는 점에서 되살필 부분이다.

연작 『안개바다』는 연작 『신화』(「황소에게 밟힌 순이의 발-신화·1」(1973), 「우리들 모두의 여자-신화·2」(1973), 「먼 나라 통신-신화·3」(1975))와 연작 『한』(「어머니-한·1」(1974), 「홀엄씨-한·2」(1975), 「우산도-한·3」(1975))과 연계되어 있다.[154] 소년의 성장과정을 서사화한 『안개바다』와 어머니가 겪은 고난의 행로를 서사화한 연작 『한』은 한의 생성과 맺힘, 그것이 지속되는 과정을 보여준다.

한승원의 연작 『안개바다』는 연작 『신화』와 연작 『한』과 상호텍스트적 관계를 이루면서 '신화'와 '한', '역사'의 접점에서 이데올로기적 대립과 집단폭력의 욕망을 서사화하고 그 내밀한 폭력의 구조를 집중적으로 조명한다. 세 편의 연작에 나타난 '원한'의 서사는 신화와 역사의 경계를 초월하여 항존해 온 '폭력'의 구조를 살피려는 시도와 닿아 있다. 이 점에서 한승원의 소설에서 자주 엿보이는 폭력, 에로스, 욕망, 신화와 같은 테마들은 지라르의 이론적 바탕 위에서 해석될 점이 적지 않다.[155]

연작 『신화』의 동물적 폭력성은 연작 『한』과 연작 『안개바다』에서 역사적 폭력성으로 바뀌었을 뿐 폭력의 구조와 남성적 폭력에 의한 여성의 수난은 동일하게 반복된다. 이러한 점을 주의 깊게 보았을 때, 연작 『안개바다』의 심층에 드리워진 원한의 서사가 70년대 유신체제 하에서 여순사건과 반공국가 수립기의 역사 기억을 자유롭게 발언할 수 없었던 폭력적 상황을 서사화함으로써 '대항기억으로서의 서사'의 역할을 한 점을 의미 있게 부각할 수 있다.

---

154) 세 편의 연작은 한승원, 『목선』(문이당, 1999)과 『아리랑 별곡』(문이당, 1999) 참조, 여기에서 주로 논의할 「석유등잔불」, 「안개바다」, 「꽃과 어둠」은 『아리랑 별곡』에서 인용하였다, 이하 작품 제목과 면수만 표기.

155) 이 점은 한국에서의 '지라르' 이론이 1977년 김윤식에 의해, 그리고 1980년 김치수에 의해 번역 수용되었고 비평가 김현이 1980년 5월의 충격 이후에 '폭력의 문제'에 관심을 가지면서 르네 지라르의 이론을 인류학, 철학, 사회학적 연구방법론으로 확장하여 신화와 문학, 성스러움과 권력의 구조를 분석하였던 것과도 연관된다(김현, 「한국에서의 지라르 수용」, 『폭력의 구조/시칠리아의 암소』, 문학과지성사, 1992, 24~28면).

그런데 지금까지 한승원의 연작 『안개바다』를 비롯한 그의 소설들에 내재된 '한'의 정서는 대체로 '토속적' 혹은 '민중적'인 관점에서 논의되었다. 그런 것은 한의 구조와 미학, 역동성을 밝히려는 1970~1980년대의 '한' 담론에서 '원한의 서사'가 주목될 수 없었던 상황도 있을 것이다. 이 시기에 '원한'의 감정은 삭제되어야 했고 언젠가는 극복되어야 할 부정적 감정이었기 때문이다. 하지만 그런 흐름에서는 한승원 소설 속의 '원한의 서사'가 지닌 대항적 의미를 드러내는 데에 한계가 있다. 이에 여기서는 한승원 소설 속의 원한 서사가 내포하고 있는 역사적 맥락과 징후를 독해하는 작업으로부터 그동안 한 담론에서 충분히 주목받지 못한 원한의 역사성을 보게 되리라는 기대를 안고 있다.

더불어 임철우의 거의 모든 소설에서 반복되는 "원한과 저주"의 감정과 자주 등장하는 어휘인 "낙인(烙印)"을 주목한다. 그의 소설에 깊게 자리한 역사적 트라우마는 한마디로 '저주의 낙인'으로 요약된다. 『봄날』 이전과 이후에 나온 거의 모든 작품들은 '저주의 낙인'을 반복적으로 서사화하고 있다는 점에서 서로 연속성을 이룬다.[156] 그러나 그동안 임철우 소설 연구는 『봄날』을 그의 대표작으로 거론하면서 『봄날』 이전과 이후의 작품들의 연관성에

---

156) 임철우 소설에 대한 대표적인 논의는 『봄날』에 관한 논의와 연구사를 상세하게 정리한 양진오, 『임철우의 『봄날』을 읽는다』(열림원, 2003)를 들 수 있다. 비평글로는 김병익, 「연민 혹은 감싸안는 시선」, 『달빛 밟기』, 문학과지성사, 1987; 김현, 「아름다운 무서운 세계」, 『아버지의 땅』, 문학과지성사, 1984; 오생근, 「단절된 세계와 고통의 언어」, 『그리운 남쪽』, 문학과지성사, 1985; 정호웅, 「기록자와 창조자의 자리-임철우의 '봄날'론」, 『작가세계』, 세계사, 1998 등을 참조.

대해선 많은 관심을 보이지 않았던 것 같다.

임철우의 소설적 전개 과정은 오월 경험이 녹아든 '광주 서사체'에서 출발하여 '낙일도 서사체'를 아우르면서 한국근현대사로 그 트라우마의 서사를 확대하는 방향으로 이루어졌다.[157] 고향섬의 인물, 사건, 배경 등을 초점화하여 주변부의 트라우마를 서사화하고 있는 것이 특징이다. 소설 속에서 반복되는 이미지, 감정, 공간, 에피소드 등은 모두 주변부 역사적 트라우마를 '말하는 방식'과 관련된 서사적 징후들이다.

특히 『붉은 산, 흰 새』(1990)와 『그 섬에 가고 싶다』(1991)에 나오는 '동백꽃' 에피소드는 '저주의 낙인'이 찍힌 '나'의 정체성에 대한 주요한 기억을 내포하고 있는 것으로 보이는데, 이 글에서는 그것을 역사문화적 맥락에서 자세히 독해할 것이다. 이런 과정은 "빨갱이"와 "문둥이"로 낙인찍힌 주변부적 존재들이 어떤 과정을 거쳐 해방 이후, 이데올로기적 타자로서의 위치를 갖게 되었는지를 해명하는 기회가 될 것이다.

고통의 기억과 결별하지도 못하고 현실의 삶에도 완전히 귀속되지 못한 이 '멜랑콜리'한 감정[158]은 『봄날』 이전과 이후의 소설

---

157) 임철우 소설의 서사적 원천은 크게 두 가지 계열, 즉 6·25 전쟁을 원천서사로 한 '낙일도 서사체'와 '5·18 광주'를 원천사사로 삼은 '광주 서사체'로 나눌 수 있다. 이 중에서 '광주 서사체' 계보의 소설 가운데 초기소설에 해당하는 작품들에 관한 논의는 공종구, 「임철우 소설의 트라우마 : 광주 서사체」, 『현대문학이론연구』 11집, 현대문학이론학회, 1999. 5~24면 참조.

158) 김영찬, 「망각과 기억의 정치-임철우 장편소설 『백년여관』(한겨레신문사, 2004)에 담긴 역사적 트라우마를 중심으로」, 『문화예술』 306호, 한국문화예술진흥원, 2005, 42~44면.

전체에 흐르는 지배적인 정조라 할 수 있다. 임철우의 소설은 『봄날』의 '증언'이 끝난 뒤에도 제주4·3, 해방과 전쟁, 베트남전쟁, 5·18 등 해방 이후의 역사를 한 자리에서 다루면서 주변부의 역사기억을 서사화하는 작업을 지속해 왔다. 그 여정을 읽어 본다.

1) 회귀하는 유령들

한승원의 연작 『안개바다』는 주인공 소년 '식'의 감정 변화와 함께 총소리, 말[言], 노랫소리 등 다양한 '소리'를 다양하게 배치하고 있다. 다양한 '소리'는 소년 주인공 '식'이 느끼는 답답함, 불안, 원망, 억울함, 슬픔 등 여러 가지 감정들과 조우한다. 식의 "울음"은 "총소리", "노랫소리" 등 역사적 폭력의 일상을 청각화한 소리, 아이들의 "웅성거림"과 "우김질", 마을 사람들이 전하는 "소문", 굴방에 숨어 지내는 아버지, 형, 매형의 "침묵" 등 다양한 소리 형태들과 짜임관계를 형성한다.

소설의 곳곳에는 식의 '귀에 들리는 소리'가 반복적으로 삽입되어, 식의 감정의 내면과 추이를 점층적으로 드러낸다.

> 삐걱 소리와도 같은 피요옹 소리가 귓속을 가득 채웠다.
>
> 눈앞에 또 푸른 연기 같은 어둠이 밀려들었고 도깨비불 같은 별무늬가 흘렀으며, 귀가 피요옹 하고 울었다.
>
> 가슴이 펄럭거리고 관자놀이와 귓속이 욱욱거렸다. 그 욱욱거림에 따라 눈앞에 펼쳐진 풍경들이 아득하게 멀어졌다가 가까워졌다가 했다.

총소리가 산줄기를 찢고 솔두벙 속에 숨은 식의 가슴을 쳤다. 가슴이 철렁 무너지는 듯했다. 눈앞이 아찔하고 귀가 피요옹 하고 울었다.

식의 눈앞에는 또 푸른 연기 같은 어둠이 짙게 퍼졌고 도깨비 같은 별무늬가 흐르면서 귓속이 피요옹 하고 울었다.[159)]

식은 들리는 소리를 들을 뿐, 스스로 목소리를 내는 경우는 거의 없다. 식의 감정은 목소리가 아니라 답답함, 불안, 두려움, 질투, 의심, 억울함, 원망 등의 다양한 감정들이 뒤섞여 있는 "울음"으로 표출된다. 식의 감정을 지배하는 또 하나의 심층서사는 누이들의 "울음소리", 달리 말해 '누이' 들의 수난과 희생의 이야기다.

누이들의 울음소리는 바깥으로 드러나지 않은 역사적 폭력의 흔적이다. 식은 "여자귀신 우는 소리가 들렸다는 소문"이 작은아버지와 순이누나, 그리고 작은누이와 관련된 어떤 사건의 내막을 숨기고 있다고 추측하면서 그 소리와 소문의 실체가 무엇인지에 대해 의문을 가진다.

작은아버지의 어떠한 점이 왜 나쁘고 밉다는 생각도 없이 식은 퉁명스럽게 말을 했는데 그해 겨울, 동네에는 상엿집에서 밤에 웬 여자귀신 우는 소리가 들렸다는 소문이 나돌았다. 그 소문을 들으면서 식은 그저 막연하게 그 울음소리가 어쩐지 그

159) 한승원, 「석유등잔불」, 232~236면.

해 늦가을에 작은아버지한테 두들겨 맞은 순이누나가 부엌방에서 흐느껴 울던 그 소리와 비슷한 것일 거라는 생각을 했었다. (…) 그것은, 상엿집에서 여자귀신의 울음소리가 났다는 소문이 동네에 퍼진 뒤의 일이었는데, 어머니와 아버지의 속삭임 속에는 분명 '상엿집'과 '순이'와 '작은아버지'라는 말들이 섞여 있었다. (…) 작은아버지와 순돌이 하이칼라 머리를 움켜잡고 싸운 적이 있었다. 도둑골 논에서 나락을 짊어지고 오다가였다. 그것은 상엿집에서 여자귀신의 울음소리가 들렸다는 소문이 나돈 지 며칠 뒤의 일이었다.[160)]

차조숲을 헤치고 오는 소리가 났다. 누님의 울음소리는 계속 이어지고 있었다. 누님을 죽이지는 않은 모양이었다. 구레나룻 시꺼먼 유격대원이 일어섰다. (…) 차조숲 헤치는 소리가 그치고 누님의 울음 섞인 목소리가 또 들렸다. (…) 차조숲 헤치는 소리가 없어졌다. 저쪽 밭 끝에서 누님의 흐느끼는 소리만 들렸다. 그것은 순이누나가 작은아버지한테 두들겨 맞고 부엌방 안에서 흐느껴 울던 소리와 비슷했다. 벌벌 떨리는 다리로 몸을 일으켰다. (…) 그것이 순돌이었다.[161)]

식은 누이들에 관한 소문을 추적하여 하나의 해석에 이른다. 식

160) 한승원, 「안개바다」, 276~295면.
161) 한승원, 「안개바다」, 302~304면.

의 작은아버지가 식의 집에 아기업개로 들어 와 있는 순이누나를 건드리자 그 분풀이로 순이의 오빠인 순돌이를 비롯한 유격대원들이 식의 작은아버지를 죽이고 작은누이를 윤간한다. 유격대원과 살던 순이누나는 고향을 떠나고 작은누이는 자살을 한다. '여자귀신 우는 소리'에 얽힌 순이누나와 작은누이에 관한 이야기는 역사적 혼란이 지속되는 동안 누이들이 그 폭력에 의해 어떻게 희생되었는지를 전해준다. 이데올로기적 폭력의 희생물인 누이들이 겪은 "슬픔"은 여성성, 에로스, 자연의 희생을 포괄하여 의미화 한다.

연작 『안개바다』는 누이들이 겪은 수난의 역사를 '자연물'의 영역으로까지 확장한다. '안개바다'라는 제목이 암시해 주듯이, 연작 전체에서 자주 등장하는 어둠, 나무숲, 달, 안개, 바다, 낙지, 문어 등은 소리 없는 고통의 흔적을 대리하는 은유적 자연물이다. 그 중에서 '안개'의 이미지는 특별한 상징성을 갖고 있다. 안개는 아득하게 사라진 소리들을 불러들인다.

> 안개는 어쩌면 살아 있는 물뭍 동물 같았다. (…) 난리가 난 뒤부터, 안개가 끼면 묘한 울음소리가 들리곤 한다더라고 형이 말했었다. 안개 낀 날 아침나절에 강도령묘 끝에 사람 뼈 건지는 것을 구경 갔다가, 형은 분명히 무슨 소리인가를 들었다는 것이었다. 열두어 살쯤 먹은 남자아이가 '아악' 하고 피맺힌 소리를 지리는 것 같기도 하고, 나발 소리 같은 것이 산모퉁이를 돌고 등성이를 넘고 골짜기를 흘러서 아득하게 메아리 쳐오는 것 같기도 하더라는 것이었다. 그리고 형은 그런 소리가 들리는 까닭을 설명해 주었다. 소리라는 것은 원래 물체가 울려 생

겨지는 것인데, 그것은 결국 이 대기 가운데로 아득하게 사라져간다는 것이었다. 그런데 안개가 끼면 대기 속으로 사라져 없어진 듯했던 소리들이 다시 살아난다는 것이었다. 그것은 대기 속에 흩어진 채 그 소리의 요소들을 간직하고 있던 잘디잔 물방울이라든지 먼지라든지가 한데 어우러지면서 만드는 소리라고 했다. 그것은 반드시, 풀지 못한 원한을 가슴에 차돌멩이 같이 품은 채 죽은 사람의 소리에 한한다고 했다.[162)]

식은 안개가 묻힌 숲깊을 뛰어 내려가기 시작했다. 서로의 하이칼라 머리를 잡은 손들이 눈앞을 가리고, 땅에 묻힌 큰동네 조태식의 손에 들어 있었다는 머리칼이 생각났다. (…) 짚가마니 속에서 서로 엉키어 있었다는 문어들과, 그것들을 떼어내자 나불거렸다는 해골바가지와 갈비뼈를 생각했다. 짚가마니 속에 처박힌 채 정식은 얼마나 발버둥치며 악을 써대었을까. (…) 아버지는 그것을 향해 한 번 더 누님의 이름을 불렀다. 메아리만 울려왔다. 그게 어쩌면, 구정식이 으악 하고 비명을 지르는 소리 같기도 하고, 그 아이의 아버지가 잘 불었다는 나발 소리 같기도 했다. 아니 작은누님이 바다안개 속을 날면서 대답을 해보내는 듯한 소리 같기도 했다. (…) 그것은 꿈이었다.[163)]

162) 한승원, 「꽃과 어둠」, 372~374면.
163) 한승원, 「꽃과 어둠」, 376~385면.

식의 형의 말에 따르면, 안개가 끼면 대기 속으로 사라져 없어진 소리가 다시 살아난다는 것이다. 그런 것은 '난리' 가 난 뒤부터 생긴 일이라 한다. 누이들의 울음소리는 안개 속으로 소리 없이 스며들어 거기에 맺힌다. 소리는 안개로 응결된다. 즉 소리 없는 '안개' 는 "풀지 못한 원한을 가슴에 차돌멩이같이 품은 채 죽은 사람의 소리"의 흔적이다. '안개' 는 역사가 기억하지 않은 타자들의 아픔과 이름 없이 죽어간 사람들의 소리가 맺힌 곳이다. 안개 속의 '메아리' 는 누이들과 마을 사람들의 죽음을 환기시키며 아직 풀리지 않은 역사적 기억을 되묻는다. 이처럼 '안개' 는 빛이 아니라 '소리', 밝음이 아니라 '어둠' 의 지층에 스며들고 맺힌 고통의 기억을 되살린다.

식이 듣는 누이들의 "울음소리"는 안개 속에 '스며들다-맺히다' 로 의미화 된다. 식의 정념 행로는 '울음-소문-안개와 메아리' 라는 소리 기호들의 의미작용을 통해서 '불안-원망-억울함-슬픔' 등 원한의 '맺힘' 으로 귀결된다. 소녀 식의 정념과 소리 기호의 징후를 통해서 인식적 층위에서 포착될 수 없는 '박해 받은 자들' 의 어두운 기억을 조명한다.

앞서 살핀 소리와 이미지, 그리고 원한의 감정이 결합되고 있는 것은 비단 『안개바다』만이 아니라 한승원의 여러 소설들에서 읽을 수 있다. 그중에서 『포구』의 한 대목을 인용해 본다.

> 성진은 깔따구라고도 하고, 눈에놀이[蠖蠓]라고도 하는 독한 벌레를 생각했다. 갯가의 숲이나 갯벌밭의 나문재[海紅菜]나 바위에 붙어 사는 검은 깨알만한 독충이었다. (…)

그것을 안개섬 사람들은 독한 의붓어미의 뼛가루가 된 벌레라고 했다. 전실(前室) 자식들을 모두 독살한 죄로 원님이 그 의붓어미를 맷돌에다 갈아서 죽였는데, 그 가루가 또 기어이 그런 독종의 벌레가 되었다는 것이었다.

"꽃이 되고, 나비가 되고, 물새가 되고, 구름이 되고, 무지개가 되고……."

그는 속으로 중얼거리면서 폐선이 누워 있었던 듯한 자갈밭의 주변에다가 고루 그걸 뿌렸다. 그의 머릿속에는 그 뼛가루들이 흘러가고 날아가서 스며드는 길이 환하게 보였다. 바닷물에 섞여 흐르다가, 안개로 피어나고, 파도 끝에서 퉁기는 포말로 날아서 구름이 되어 떠돌고, 봄비로 퍼부처져서 장미나무에 스며들고, 그게 새빨간 꽃으로 피어나고, 참외밭 수박밭으로 쏟아져서 달디단 맛으로 스몄다가 쌍꺼풀지고 외짝 보조개 선명한 소녀의 볼에서 홍조로 살아나고, 한 임부의 뱃속으로 스며들어 아기의 눈알이 되고, 젖꼭지가 되고 난소가 되고 뇌수가 되고…….

검은 점박이 갈매기 한 마리가 끄억 소리를 내며 갯벌밭 위를 날고 있었다.[164)]

이 소설에 배치된 "굴방", "반동자", "문둥이", "안개" 등은 텍스트 바깥의 역사적 폭력을 가시화 한다. '울음', '소문', '안개'는 각

164) 한승원, 『포구』, 앞의 책, 130~132면.

각 주인공 식의 개인적 발화, 마을 사람들의 집단적 발화, 희생의 기억에 대응하는 소리의 양상들이다. 그것들은 여순사건 직후에서 반공정부 수립에 이르는 동안 소년 식을 비롯해 새텃몰 사람들이 겪은 역사적 폭력을 미시적으로 서사화하는 장치로 활용된다.

한승원 소설의 서사의 심층을 지배하는 소리와 이미지들은 역사 속의 숱한 죽음들이 발언할 수 없었던 고통의 침묵을 드러낸다. 한승원의 소설에서는 그 소리와 이미지가 자연물 전체로 확장되고 있는 점이 특징적이다. 그리하여 그의 소설을 흐르는 '원한의 서사' 는 인식적 층위에서가 아니라 정념의 차원에서 역사적 기억을 환기하면서 가장 낮은 목소리로 역사적 폭력과 희생의 기억들을 기록한다.

임철우 소설은 망각될 수 없는 손짓, 몸짓이 회귀하면서 저주의 기억을 환기시킨다. 그것은 미리 말해 망각에 대한 지속적인 저항의 한 표현이라 할 수 있다. 임철우의 소설들은 "죽음보다 더 깊은 망각의 늪 속에 빠져"(「붉은 방」, 177면) 있는 우리를 저주스런 기억으로 이끈다. 그의 소설들은 광주의 트라우마를 서사적 근원으로 하여 그 체험의 강도를 한국현대사 전체로 확장하면서 음울한 어조와 환상적인 분위기로 주변부의 역사적 기억을 그려 낸다. 유골, 환청, 환영, 유령, 괴물 등 어두운 이미지가 그 강도를 재경험하게 한다.

임철우의 소설에서 역사적 트라우마는 색채, 소리, 냄새 등 감각적 이미지의 언어로 변형되어 재현의 언어를 넘어선 고통, 표현의 영역을 초과해 있는 상처를 우리에게 끊임없이 환기시킨다. 실체가 없고 코드화될 수 없는 그것들은 가시화되지 않는 역사적 고통의 기억을 불러온다. 그 저주스런 살해의 기억은 산 자들에게 종결된 과거가 아니라 현재진행형의 삶인 것이다.

> 그(천씨 노인)는 바람 속에 은밀히 숨겨져 있는 그 묵직하고 비릿한 쇠붙이의 내음이 무엇을 의미하는지를 알고 있다. 그것은 잘 손질된 쇠붙이와 날 세운 무기의 내음 같기도 하고, 아직 채 식지 않은 피의 온기와 그것의 끈적거림, 누군가의 소름끼치는 비명과 고함 소리, 그리고 수백 수천 수만이 넘은 사람들의 목구멍으로부터 미친 듯이 터져나오는 통곡 소리를 숨기고 있는 것도 같다.[165]

> 아이는 안다. 세상엔 그런 것들과는 전혀 다른 아주 특별한 소리가 존재한다는 사실을. 물론 어른들은 아무도 그들의 존재를 알지 못한다. 그것들은 매우 특별한 시간, 특별한 장소에만 모습을 드러내기 때문이다. 그들은 하나같이 이상하고 기묘한 모습을 가졌다. 얼굴도 머리도 몸통도 없다. 다만 손 하나뿐. 손은 그들의 얼굴이고 머리고 몸뚱이다. 그들은 아주 밝고 연한 초록색을 띤다. 그래서 어둠 속에선 조그만 불덩이처럼 보이기도 한다.[166]

---

165) 임철우, 『붉은 산, 흰 새』, 문학과지성사, 1990, 12면.
166) 임철우, 『백년여관』, 앞의 책, 57~58면.

천씨 노인은 불어오는 바람에서 "쇠붙이와 날 세운 무기의 내음"을 맡고, "피의 온기와 그것의 끈적거림"을 느끼고, 비명과 고함 소리, 통곡 소리를 듣는다. "바람 속에 은밀히 숨겨져 있는 그 묵직하고 비릿한 쇠붙이의 내음이 무엇을 의미하는지를 알고 있"(『붉은 산, 흰 새』, 12면)는 사람은 이 마을에서 올해 예순여덟 살인 '천씨 노인' 뿐이다. 아이 신지는 정체불명의 소리가 "못 가! 못 간다! 아암, 차마 이대로는 못 가고말고!"(『백년여관』, 58면)라는 외치던 죽은 증조할머니의 울음소리와 닮았다고 생각한다. "바람"과 "손들"에 묻어 있는 불길한 징후를 보고 듣고 느낄 수 있는 노인과 아이는 그것이 무엇을 뜻하는지를 예감한다.

이들의 몸은 살아 있지만 이미 죽음의 경험을 겪은 사람들, 즉 "아직 살아 있되 실은 벌써 오래전 죽은 자들"(『백년여관』, 182면)이기 때문이다. 그 정체불명의 유령들, 낯선 이방인들이 노인과 아이에게 두려우면서도 친숙한 느낌으로 다가오는 이유는 그것들이 사실 우리 곁에서 함께 살다가 어느 날 문득 사라진 우리들이 친숙한 '이웃' 이기 때문이다.

산 자들은 살아 있는 것도 죽은 것도 아닌 중음(中陰)의 유령들처럼 삶과 죽음의 경계영역에 불안하게 거주하며, 그들은 늘 재앙의 위기에 처해 있다. 망각된 기억은 이들의 몸의 징후로 끊임없이 되살아난다. 혓바닥이 똑같이 뭉툭하게 잘려진 채로 돌아온 아이들(「불임기」), 말더듬 증세를 보이는 무석과 미친 여자 귀단(『붉은 산, 흰 새』), 광기에 찬 '복수'와 기억상실증에 걸린 '요안'(『백년여관』) 등은 모두 4·3, 전쟁, 분단, 5·18의 역사적 고통을 몸 그 자체로 증언한다. 이들의 몸은 역사적 트라우마가 남긴 흔적을 광기,

외침, 침묵, 말더듬 등과 같은 비분절적 언어로 호소한다.

임철우 소설에서 그려지고 있는 주변부 타자들의 '몸'은 역사적 고통을 말하기 위한 매개적 수단이 아니라 고통 그 자체를 '말하는 몸'이다. 몸의 징후는 "살아 있는 시체들", "입이 없는 것들"이 증언하는 고통이다. 역사적 희생으로 인한 고통 속에서 지금도 살아가고 있는 사람들에게 삶이란 죽은 것과 다름없는 지옥의 경험일 뿐이다.

망각될 수 없는 역사적 트라우마에 갇힌 주변부적 존재들의 몸을 통해서 임철우의 소설은 역사적 살해와 폭력이 아직 끝나지 않았다고 묵시적인 어조로 경고한다. 바람 속에 묻어온 "내음"과 얼굴도 머리도 몸통도 없이 손 하나뿐인 "그들", 이 정체불명의 유령들은 산 자들의 삶을 혼란 상태로 몰아넣고 '우리'의 정체성을 위협한다.[167] 그러나 임철우의 소설은 그것이 "살아 있는 한, 고통이 여전히 지속되는 한, 그건 과거가 아니라 그들에겐 엄연한 현재"(『백년여관』, 21~22면)이며 악몽이나 몽상이 아니라고 강조한다. 유령들의 회귀가 계속되는 한, 현재는 고통이 지속되는 과거이며 도래할 미래 역시 역사적 고통이 반복되는 과거의 연장일 뿐이다.

167) "이방인·신·괴물은 우리를 변경으로 이끄는 극한의 경험을 재현한다. 그들은 이미 확립된 범주들을 뒤엎고는 다시 한 번 생각해 보라고 시비를 걸어온다. 그들은 알려져 있지 않은 것으로 이미 잘 알려져 있는 것을 위협하기 때문에 무시무시한 공포 저쪽으로 격리된다"(리처드 커니, 이지영 옮김, 『이방인·신·괴물 : 타자성 개념에 대한 도전적 고찰』, 개마고원, 2004, 12면).

### 2) 빨갱이와 문둥이: 전염의 공포와 소문

앞에서 한승원과 임철우의 소설에서 원한과 저주의 감정이 소리, 손짓, 몸짓 등 유령과 같은 정체불명의 존재들과 함께 회귀하는 것을 읽어 보았다. 이어서, 두 작가들의 소설에서 '소문' 이라는 집단적 소리 형태가 어떤 주변부의 기억을 드러내는 역할을 하는지를 살펴볼 것이다.

이 과정에서 뜻하지 않게 호남 지역에서 여순사건과 한국전쟁을 전후한 시기에 좌우이념의 혼란과 갈등의 상황에서 '빨갱이' 와 '문둥이' 가 서로 뒤섞이는 장면을 엿보게 될 것이다. 아울러 역사 이면에 감춰진 이야기와, 사실과 무관하지 않는 소문의 특별한 위상도 함께 드러낼 수 있으리라 본다.

먼저 한승원의 「석유등잔불」과 「안개바다」중에서 두 장면을 읽어본다.

> ① 식은 금방 목이 메었다. 눈시울이 뜨거워졌다. 가슴에서 울음이 밀고 올라왔다. 아버지는 왜 이남 편을 들려면 이남 편을 들고, 이북 편을 들려면 이북 편을 들고 할 일이지, 박쥐처럼 반동자가 되어 있는 것일까. 철우 아버지는 분명 이남 편인 모양인데 말이었다. 아버지는 그 철우 아버지와 순경들과 가까이 지내곤 하면서도 왜 이남 편을 들지 않고 있는 것일까. 왜 태도를 분명히 하고 있지를 못하는 것일까. 아버지가 원망스러웠다. 입을 열기만 하면 금방 울음이 터져 나올 것 같았다. (…) 아버지는 왜 반동자냐고, 얼른 어느 편이 되든지 되라고 말해

주고 싶었다. (…) 식은, 아버지가 분명 반동자인 모양이다 싶으니 눈앞이 아찔해졌다. 멀미를 하는 것처럼 가슴이 울렁거렸다. 귀가 표옹 하고 울었다. (…) 아버지는 왜 반동자냐고, 아버지가 반동자이기 때문에, 우리는 이남과 이북 가운데 어느 쪽이 이겨야만 살 수 있게 되느냐고, 아버지는 어느 쪽에 가까우냐고, 묻고 싶은 것이었다. (…) 아버지는 왜 반동자냐고 물었다. 아버지가, "반동자?"하고 되물으면서 어머니의 얼굴을 보았다. 아버지가 이남 편을 드는 것을 보니까 반동자는 아닌 모양이다 싶었다.[168]

② 자기가 그런 반동자 새끼라니, 이건 치가 떨리도록 분하고 억울하였다. 아버지에게 무엇을 어떻게 잘못했는데 반동자가 되었느냐고 묻고 싶었다. (…) 아버지는 왜 보안서에 나가서 자수를 하지 않고 이렇게 밤이면 피해다니기만 하는 것일까. 아버지만 자수를 하면, 작은누님은 여성동맹엘 가고, 형은 재욱이네 형처럼 학생동맹엘 가고, 식은 소년단엘 나갈 수 있을 게 아닌가. (…) 우리 집은 정말로 반동자 집인 모양이다 싶으니, 식은 가슴이 쓰렸다. 아버지는 언제까지 자수를 하지 않고 밤이면 이슬밭에서 숨어 웅크리고 자곤 하려는 것일까. 자수를 하여도 정찬호 아저씨처럼 죽게 될까. 나도 큰동네 정식이같이 죽게 될까. (…) 아버지가 원망스러웠다. 왜 아버지는 인민군 편도 순경

---

168) 한승원, 「석유등잔불」, 225~243면.

편도 아닌 '반동자'의 신세를 면하지 못하고 있을까."[169)]

식의 감정 변화를 표면적으로 읽었을 때 그 변화들은 감정들의 혼란 정도로 생각할 수 있다. 그러나 식이 아버지가 '반동자'라는 사실 때문에 아버지를 "원망"하게 되는 심리적 과정은 섬세한 독해를 요한다.

①에서 식은 "아버지는 왜 반동자가 되어 있는 것일까"라는 의문에서 시작하여 아버지의 모호한 태도를 답답하게 여긴다. 식은 철우의 아버지와 비교했을 때 아버지의 태도는 이것도 저것도 아닌 '반동자'의 그것인 것만 같고, 또 어쩌면 아버지가 진짜 '반동자'가 아닐까라고도 생각한다. ②에서 볼 수 있듯이, 아버지가 자수를 하면 소년단에 나갈 수 있을 것이라고 기대하지만 아버지는 끝내 자수를 하지 않기 때문이다. 식은 이남 편을 드는 철우의 아버지와 이북 편을 드는 재욱의 아버지와 견주면서 아버지가 둘 중의 어느 편이든지 되었으면 좋겠다고 생각한다. 하지만 식에게 아버지는 어느 편도 아닌 '반동자'일 뿐이다. 결국 식은 자신이 '반동자 새끼'라는 사실이 분하고 억울하다고 생각하고 아버지를 '원망'한다.

이처럼 식의 "울음"과 "원망"의 감정은 자기촉발적인 것이 아니라 '매개'된 욕망이다. 즉 식이 아버지가 '반동자'라는 사실을 확인하고 원망을 품는 것은 식이 철우와 재욱의 아버지를 욕망하기 때문이다. 게다가 식은 '반동자'인 아버지를 원망하면서도 '반

---

169) 한승원, 「안개바다」, 253~305면.

동자' 라는 말이 무엇을 가리키는지를 정확하게 알지 못한다. '반동자' 라는 말은 식의 정체성의 불안과 아버지에 대한 원망을 해석할 수 있는 징후다.

그러면 아버지를 지칭하는 '반동자' 라는 말은 어떠한 의미로 사용되고 있으며, 그 의미는 어떻게 달라지고 있는지를 자세히 읽어보자.

> ③ 언젠가 삼수가 "우리 동네는 반동자가 꼭 한 집 있닥 하더라"하고 말한 적이 었었다. 그때, 철우가 "반동자가 어짠 사람이라냐?"하고 물었었다. 옆에 있던 영철이 "이펜도 저펜도 안 드는 사람이제잉"하더니 어디서 누구에게 들어 안 것인지, "세상에서 제일로 무서운 악질은 반동자락 하더라. 반동자락 할 때 '반' 이란 글자가 반쪽을 나타내는 말 아니냐? 그런께 반동자는 이펜도 저펜도 안들고, 박쥐같이 쥐펜을 들었다가 새펜을 들었다가 하는 사람이란다. 제일로 먼저 죽여사 쓸 사람이 반동자락 하더라" 하고 말을 했었다.[170]

> ④ 그 바닷물결소리 같은 소문이 이튿날 마을 안을 감돌았다. (…) 구수홍 씨는 큰동네에서 남로당에 가담한 청년들을 하나씩 둘씩 꾀어 자수를 시킨 악질 반동자라고 했다.
>
> 한수와 널펜이는 또 청년들을 이끌고 학교로 가서 교장, 교감

170) 한승원, 「석유등잔불」, 225면.

을 죽이려고 했다는 것이었다. 교장, 교감은 한수와 널펜이가 경비대에 들어가기 전에 그들을 교실 마룻장 밑에 숨겨 주곤 한 마 선생을 밀고하고 그 마 선생의 지시에 따라 남로당 연락병 노릇을 한 6학년의 진멧몰 아이들을 모두 퇴학시켜 가지고 회령 파출소로 넘겨버린 반동자들이기 때문이라는 것이었다.[171)]

⑤ 반동자라는 말이 가지는 의미가 얼마나 무서운 것이며 치욕적인 것인가 하는 것을 잘 알고 있었다. 인민군이 밀려옴으로 해서 생겨날 새 세상을 반대하는 사람이 반동자라고 재욱이가 그러던 것이었다. 또, 반동자들은 일본 놈들 세상에는 일본 헌병 앞잡이 노릇을 하였을 뿐만 아니라, 대한민국 세상에는 다시 위대한 영웅들을 잡아내는 순경들의 앞잡이 노릇을 한 우익분자들이기 때문에 그놈들을 제일 먼저 죽여야 된다고 하던 것이었다. 재욱이는 어디서 누구한테 그런 말을 들어서 그에게 전하는 것인지 몰랐지만, 그는 자기도 모르는 사이에 정말 그래야 할 것이라고 맞장구를 쳤던 것이었다.[172)]

'반동자'는 누구의 편에 서서 이야기하느냐에 따라서 완전히 다른 의미를 내포한다. 「석유등잔불」의 영철과 삼수, 마을에 퍼진 '소문', 「안개바다」의 창길이는 '반동자'라는 말을 각각 다른 뜻으

171) 한승원, 「석유등잔불」, 229~230면.
172) 한승원, 「안개바다」, 253면.

로 사용한다. ③ 영철의 말에 따르면 반동자의 '반'은 반쪽 혹은 절반[半]의 의미를 갖는 말이기 때문에 '반동자'는 이편도 저편도 안 들고 있다가 이편을 들었다가 저편을 드는 박쥐 같은 사람이다. ④ '소문'에 따르면 남로당에 가입한 청년들을 자수시킨 구수홍 씨와 마 선생을 밀고한 학교의 교장, 교감이 악질 반동자이다. ⑤에서 재욱이는 인민군 하에서 새 세상을 반대하는 사람들이, 일본 헌병 앞잡이 노릇을 한 우익분자들이 '반동자'라고 말한다. 재욱의 말은 사실 소년단장 창길의 말이다.(창길이는 재욱이 아버지도 식의 아버지를 뒤이어 이장을 해왔고, 철구네 아버지 역시 식의 아버지를 뒤이어 해방 직전부터 어협총대를 해 오던 이 동네의 알부자였으므로 그들은 모두 '반동자'라고 말한다.)

③에서 ④와 ⑤로 '반동자'라는 기표에 대한 기의가 달라진 것은 마을의 정치적 상황이 변모한 지점을 드러낸다. ③은 여순사건 발발 직후의 혼란스러운 상황에서 나온 것이며 ④와 ⑤는 여순사건 당시 반란군의 편에서 제기된 주장이라는 점을 쉽게 읽을 수 있다. 여순사건 발발 직후, 인민군 치하의 상황, 그리고 경찰 치하의 상황으로 바뀔 때마다 '반동자'라는 하나의 기표에 대해 여러 가지의 기의들이 각각 다르게 대응했다. '반동자'라는 말은 여순사건의 발발 직후에 어느 쪽에도 속하지 않는 사람을 가리키는 말이었다가 인민군의 지배 하로 들어선 후에는 인민군의 편을 들지 않는 사람들을 지칭하는 말이었다. 이와 같이 식의 아버지를 지칭하는 '반동자'라는 말은 정치적 상황이 달라짐에 따라 그 기의가 달라지는 것, 즉 단 하나의 기의에 대응하지 않는 채 떠도는 기표에 가까웠다.

식에게 아버지뿐만 아니라 형, 매형은 모두 알 수 없는 '반동자' 일 뿐이다. 이런 상황에서 표출된 식의 "울음"은 모방욕망의 대상이 되어야 할 '상징적인' 아버지가 없다는 것을 의미한다. 식의 정념은 '반동자' 라는 부유하는 기표에 의해 '들리다-떠돌다' 라는 여정을 보이며, 이것은 개인적 정체성의 위기와 사회적 위기를 동시에 의미화 한다. 식의 불안은 철우와 재욱, 삼수와 창길이라는 짝패들의 욕망을 욕망하는 모방욕망의 끝없는 순환 속에서 점점 커져 간다. 식의 "울음"은 '반동자' 라는 기표에 들어 있는 모방욕망의 갈등구조를 드러내며, 짝패들의 갈등이 커짐에 따라 집단폭력이 전염병처럼 확산되는 이데올로기적 대립 상황을 나타내는 감정적 은유이다.

식의 울음과 불안 감정을 지배하는 또 다른 소리는 가족들과 마을 사람들에게서 우연히 듣는 '말' 이다. 집단적 감정의 투사물인 "소문"은 식의 감정 변화, 정치적 상황의 변화, 그리고 그에 따른 사람들의 태도 변화가 어떻게 일어나는지를 잘 보여준다. 그래서 소문을 읽음으로써 집단폭력과 그 욕망의 구조를 엿볼 수 있다.

"여수, 순천에서 난리난 것 모르냐?"
앞뒤꼭지 삼천리인 영철이 철우를 향해 소리쳐 말했다.
"반란군 때려잡는 것은 시간문제락 하더라."
철우가 지지 않고 대꾸를 했다.[173]

---

173) 한승원, 「석유등잔불」, 221면.

누군가의 컬컬한 목소리가, 「일제 때 너무했느니, 그 집 성제간들이」하고 말했다. 한참 노 젓는 소리만 들려오다가 이물 쪽에서 쇳소리 나는 목소리가, 「염전 하나 있다고 동네 사람들을 쥐잡대끼 했든 모양이데」하고 받았다. 배 한가운데서, 「징용도 덕산서 젤로 많이 가고 공출도 젤로 많이 하고 안 그랬는가? 일본 놈들 말이 내덕도 안에서 찬호를 빼놓고는 면장할 사람이 없다고 했다는 것을 보면 알제」하는 말에 고물 쪽에서, 「쌈을 했다고만 하면 형제판에 덤벼들어 칼부림을 하는 악종이라고 소문이 안 났는가?」하였다. 이때 누군가가, 「암만 그래도 삼형제를 한꺼번에 죽인 것은 너무한 것 같구만」하고 말했다. 이어 여기저기서 숙덕거렸다.[174)]

「석유등잔불」의 서두는 아이들의 대화 장면을 통해 여순사건 직후의 혼란한 상황을 압축적으로 제시한다. 아이들의 말은 결국 여수와 순천이 반란군의 수중에 들어갔고 머지않아 광양, 보성, 장흥까지도 반란군의 세상이 될 것이라는 주장과 곧 반란군이 소탕될 것이라는 주장, 이 서로 다른 성격의 소문이 뒤섞이고 있는 새텃몰의 정치적 혼란을 말해 준다.

이어지는 「안개바다」의 한 장면은 간밤에 일어난 참혹한 죽음에 관해 마을 사람들의 해석이 들어 있다. 그런데 사람들의 목소리는 여기저기 떠도는 말, '소문'을 옮겨 놓은 것에 불과하다. 아이

174) 한승원, 「안개바다」, 280면.

들의 우김질과 마을 사람들의 목소리를 결정짓는 숨은 힘은 바로 얼굴 없는 '소문'이다. "-하더라", "-그렇다고 했다"라는 간접적 진술 형태를 빌고 있는 소문은 소년 식과 마을 사람들의 믿음, 생각, 행동의 방향을 결정하고 이끄는 매개체다.

연작 『안개바다』의 곳곳에는 다양한 형태의 소문들이 중층적으로 배치되어 있다. 그 중에서 특히 '문둥이'에 관한 언급이 등장하는 부분은 집단폭력의 욕망과 그 이면에 얽힌 특수한 역사적 국면을 드러내는 징후적 표지다. 식의 아버지를 가리키는 '반동자'라는 말은 '문둥이'에 관한 속설, 비유적 표현들과 인접하여 그 부정적 이미지를 획득한다. 이를 다음에서 더 자세히 읽어 보자.

> 찬바람 맞은 어린 목화다래는 꿀처럼 달았다. 하나 따서 먹고 싶었다. 그러나 식은 참았다. 구수홍 씨는 아버지와 친구였다. 그리고 그걸 따먹으면 문둥이가 된다고 하던 것이었다. (…) 가무잡잡한 얼굴에 손톱자국 많은 삼수가 (…) 뒤따르는 애들을 돌아보고 어린 다래를 따먹으면 문둥이가 되니까 너희들은 따먹지 말라면서 능청스럽게 다래를 이끝으로 자르고 속을 까먹고 있었다. (…) 철우도 삼수처럼 어린 다래 하나를 따다가 입에 넣었다. 철우 아버지는 이장을 하고 있었다. 식은 철우의 말이 옳을 것이라는 생각을 했다. 그게 옳아야만 할 것 같았다. 뒤따르는 아이들이 목화밭으로 뛰어들어가서 제각기 어린 다래 한 개씩을 따다가 입에 넣었다.[175)]

인민군이 이 섬에 들어오기 며칠 전부터였다.

식은 남의 아기 잡아먹고 숨어 사는 문둥이 같은 아버지의 모습을 본 적이 있었다. (…) 남의 아기 잡아먹고 숨은 문둥이처럼 굴방 속에 들어앉아 있는 매형을 생각했다.[176]

부엌방 뒤쪽의 굴방 속에는 보안서 부서장을 하던 매형이 숨어 있었다. 인민군이 들어와 있는 동안 아버지가 들어 있던 거기에, 순경들이 들어온 뒤부터는 매형이 들어앉아 있는 것이었다. 동네 사람에게 쫓겨날까 두려워서 숨어 있는 문둥이같이 그는 햇볕 볼 생각을 하지 않았다.[177]

재욱과 철구는 배를 철썩철썩 때리면서 "빨갱이는 필요 없다, 쩌리 가거라" "공산당은 필요 없다, 쩌리 가거라"하고 소리를 맞추어 식을 향해 외쳐댔다. 순경들이 들어왔는데도 학교엘 나오지 않고 있는 그를 놀려대고 있는 것이었다. 그는 슬펐다. 가슴이 답답해서 개울을 타고 내려갔다. 이때, 그들이 다시 소리를 맞추어, "누구누구는 즈그 집에다가 즈그 매형을 숨겨 놨다네. 누구누구는 즈그 굴방에 빨갱이 한 놈을 숨겨 놨다네"하고 외쳐댔다. 그는 분이 났다. 울음이 터져나오려고 했다. 그러나 그들의 놀림 따위에 울어서는 안 된다고 이를 물었다.[178]

---

175) 한승원, 「석유등잔불」, 222~223면.
176) 한승원, 「안개바다」, 252~313면.
177) 한승원, 「꽃과 어둠」, 325면.
178) 한승원, 「꽃과 어둠」, 357면.

위에서 읽을 수 있듯이, '문둥이'와 '반동자'는 어떤 접점을 이루는 가운데 '빨갱이'라는 말에 구체적인 맥락을 더한다. 「석유등잔불」에서는 식을 '반동자'라고 손가락질을 하며 따돌린 삼수의 행동을 철우가 뒤따르고, 그 철우의 행동을 식이 모방하고, 이들의 행동을 다른 아이들이 뒤따른다. 이러한 모방욕망의 구조는 소년단장이 된 창길이의 말을 재욱이 모방하고 재욱의 말을 식이 다시 모방하는 데에서도 동일하게 반복된다. 창길과 삼수, 그 반대편에 있는 재욱과 철우, 그리고 식은 서로가 서로의 욕망을 욕망하는 대상이자 중개자인 '괴물 같은 짝패들'이다.

모방욕망의 연쇄 고리는 식을 '반동자 새끼'라는 표지를 부여하여 다른 아이들과 변별되는 '차이'를 지닌 '희생양'으로 만들었을 때 종결된다. 여기에서 아이들의 말과 행동이 "목화다래를 따먹으면 문둥이가 된다"는 속설과 겹쳐 있다. 이것은 "문둥이처럼" 굴방에 갇혀 지내는 식의 아버지, 매형, 형의 모습으로 연결된다.[179] 인민군이 들어와 있는 동안에는 아버지가, 순경들이 들어온 뒤에는 인민군의 편에 서 있던 매형이 문둥이처럼 굴방 속에 숨어 지내고 있었던 장면은, 곧 '반동자'로 낙인찍힌 이들이 모두 '문둥이'에 관한 '소문' 속에 몸을 숨기고 있었던 것으로 해석할 수 있다.

인민군이 물러가고 경찰지배로 들어선 후, 재욱과 철구는 식의

179) 이 굴방은 갑오년 난리 때 식의 증조할아버지가 숨어서 지내다가 동학 쪽에도, 관군 쪽에도 가담을 하지 않고 살아났었고, 일제 때는 천도교 구파의 총무를 지낸 바 있는 어른이 한 달인가를 머물다가 갔었고, 공출이 심할 때는 나락을 쌓아둔 틈에 작은아버지를 숨겨 징용을 피하게 했다고 했던 곳이다.

아버지와 매형을 반동자가 아니라 "빨갱이"라고 부른다. 이제 식의 아버지, 매형, 형, 그리고 식은 '반동자' 가 아니라 빨갱이가 된 것이다. 여기에서 '반동자' 라는 말이 '문둥이' 라는 질병 이미지와 인접하여 아버지, 매형, 형이 '빨갱이' 라는 하나의 말로 흡수되는 부분은 각별한 해석을 요한다. '문둥이' 처럼 굴방에 숨어 있는 아버지와 형, 매형은 좌우의 어느 편에도 분명하게 속하지 못한 '반동자' 였다. 이들이 나중에 모두 '빨갱이' 이라고 불리는 것은 기이한 역사적 국면에 해당한다. 이들에게 '빨갱이' 라는 '희생양' 의 표지를 부여한 것은 '문둥이' 에 대한 부정적 이미지와 실체 없는 '말' 인 '소문' 에 의해 가능했다. 즉 문둥이에 관한 속설은 반동자라는 기표와 밀접하게 결합하여 그것은 결국 빨갱이라는 구체적인 형상을 낳는다.

아버지, 매형, 형이 이승만정권의 반공이데올로기가 확립되는 과정에서 '빨갱이' 라는 단 하나의 기의로 흡수될 수 있었던 것은 문둥이에 관한 준비된 공포감과 반공이데올로기를 승인한 사람들의 말에 의해서 가능했던 것이다. 이는 좌우의 혼란 시기에 빨갱이라고 분류된 사람들이 단순하게 공산주의 사상을 가진 사람이 아니라 '양민을 학살하는 살인마' 라는 악마성의 이미지로 부각된 것이라는 논의를 구체적으로 뒷받침한다.[180] 그것은 반공국가 성립 과정에 숨은 폭력욕망에 의한 '희생양' 의 창출 메커니즘에 다름 아니다.

연작 『안개바다』에서 집단적 감정의 투사물인 '소문' 은 '말하

---

180) "빨갱이"란 말은 해방공간에서 공산주의자를 가리키는 용어로 사용되다가 여순사건을 거치면서 위협과 적의를 제공하는 짐승, 비인간, 악마의 이미지로 부각된다(김득중, 『빨갱이의 탄생』, 선인, 2009).

다-퍼지다' 라는 전염의 구조를 띠며, 그것은 식의 불안한 감정을 결정하는 숨은 힘으로 작동한다. 소문은 좌우의 갈등 속에서 일어난 모방욕망의 구조와 집단욕망의 폭력성, 그리고 무엇보다 좌우의 대립에 속하지 않은 특수한 위치의 '희생양' 을 창출하는 논리적 기제가 된다. 식과 식의 아버지가 호소하는 "억울함"이라는 감정은 좌우의 대립이 기초하고 있는 폭력희생의 구조를 보여주는 징후이다.

임철우의 소설에 등장하는 인물들은 거의 저주와 공포, 부끄러움과 죄책감에 사로잡혀 있다. 그것은 "시워지지 않는 핏지국처럼 내게는 저주와 공포의 낙인으로 깊이 박혀져 있"(「아버지의 땅」, 100면)는 '아버지' 의 죽음과 관계가 있다. "아버지의 피는 다시 내 몸 속으로 흘러들어와 내 심장과 실핏줄 하나하나까지 완벽하게 지배하고 있었던 것"(「붉은 방」), 즉 '나' 는 아버지의 "원한과 복수와 저주와 증오의 피"를 이어받은 "핏자국의 낙인"이다. 현재의 '나' 의 몸에는 죽은 아버지들의 기억 중에서 변형 혹은 망각된 것들이 함께 기입되어 있는 것이다.

따라서 아버지라는 "낙인"의 기호를 풀어내는 과정, 즉 아버지의 기억 중에서 망각된 것, 그 망각된 것의 드러남에 의해 비로소 '나' 의 정체성이 해명될 수 있다. 소설 속의 '나' 는 "아버지. 당신은 누구입니까. 아니, 나는…… 나는 도대체 당신의 누구입니까."(『붉은 산, 흰 새』, 159면)라고 반복해서 묻지만 그 해답을 쉽게 찾지 못한다. '나' 와 '아버지' 의 "낙인"에 얽힌 진실의 한 단락을 『붉은 산, 흰 새』와 『그 섬에 가고 싶다』에서 반복되고 있는 '동백꽃' 에피소드를 통해서 읽을 수 있다. 이 에피소드는 기억과 망각의 상호작용을 통해 "낙인" 찍힌 주변부적 타자들의 정체성이 어떻게 재구성 혹은 변형되었는지를 잘 보여준다. 두 편의 소설에서 유사하게 반복되는 장면 중의 일부를 읽어 보자.

> ① 높다란 진흙의 울타리 너머로 올려다보이는 둥글고 푸르른 하늘. 그 한 가운데에 언뜻 소리없이 떠올라 멈추어 있던 어머니의 얼굴. 그리고 자신의 가슴에 안겨져 있던 그 시들어빠진 동백꽃 묶음……. 그 기괴하고 이상스러운 구도의 풍경은 아직도 그의 뇌리 한복판에 깊이 각인되어 있는 것이다.
>
> 세 살 때였을까. 아니, 네 살 혹은 다섯 살? 그때 어머니는 그를 왜 그 흙구덩이 속에 그처럼 오랫동안 버려두었던 것일까. 왜…….[181]

> ② "으응, 사나흘 뒤엔가 즈그 어미가 공동묘지로 다시 찾아올라가 보았등갑드라. 가서 보니께, 영낙없이 잠이 들어 있는 것 맨키로, 허리를 꼬옥 웅크린 채로 숨이 끊어져 있드란다. 즈이 어미가 따서 준 동백꽃을 그러안고 말이여. 그런디 세상에, 그 어린 것이 그동안 저 혼자 구덩이 밖으로 기어 나올라고 얼매나 흙을 긁어대고 몸부림을 쳤었는지, 열 손가락 손톱이 죄다 흙이랑 피범벅이 돼서 훌렁 뒤집혀 있더라지 뭣이냐."[182]

---

181) 임철우, 『붉은 산, 흰 새』, 앞의 책, 168면.
182) 임철우, 『그 섬에 가고 싶다』, 살림, 1991, 261면.

①은 무석이 어렸을 때 동백꽃을 안은 채 흙구덩이에 갇혀 있던 기억을 회상한 부분이고, ②는 할머니가 들려준 어떤 아낙네의 이야기이다. ①과 ②에서 동일하게 반복되는 장면은 한 아이가 ‘동백꽃’을 안고서 ‘구덩이’에 버려진 채 있었던 기억이다. ‘나’는 누구인가라는 정체성의 물음은 왜 아이가 구덩이에 버려져 있었는가라는 기억 속의 의문과 동일한 것이다. 아이가 왜 구덩이에 버려지게 되었는지에 관해서는 주변에 장치된 곁이야기에 의해 차츰 밝혀진다.

①에 얽힌 이야기는 다음과 같다. 무석의 아버지 원구는 이내 귀단이 강제로 사내들에게 변을 당해 생긴 아들이 무석이라는 소문(이 소문은 낙일도 사람들에게는 공공연한 비밀이다)을 듣고 귀단에게 폭력을 휘두른다. 원구에게 무석은 “빨갱이 놈들한테 받아온 씨앗일 뿐”(240면)이다. 결국 귀단은 어느 날 어린 무석을 해묵은 무덤 근처의 구덩이에 버린다. ②에서 할머니가 들려준 이야기는 이렇다. 에미끼미 동네에 살았던 불쌍한 한 여자가 우연히 딸아이의 한쪽 엉덩이에 생겨난 이상한 반점을 발견하고 진료소를 찾아갔는데, 의사는 아이의 반점을 보고 소록도로 데리고 가라 한다. 여자는 아이가 문둥병에 걸렸다는 사실을 숨기기 위해 공동묘지 근처에 있는 구덩이에 아이를 버리고 온다.

동일하게 반복되는 동백꽃 에피소드 ①과 ②를 한 편의 이야기로 연결하여 읽어 보면, 어린 무석이 ‘빨갱이’의 자식이라는 낙인 때문에 버림받았던 사실이 나중에 ‘문둥병’에 걸린 딸아이의 이야기로 변형된 흔적이 드러난다. 즉 구덩이에 버려진 아이 무석은 원래 빨갱이의 자식이었는데 나중에 그 사실을 숨기기 위해 한 여자의 딸아이가 문둥병에 걸린 이야기로 변형한 것이다.

이 변형의 흔적이 무엇을 의미하는지를 읽기 위해서는 다음과 같은 질문이 더 필요하다. 어떤 '맥락'에서 빨갱이의 자식이 문둥병 환자로 치환되는 것이 가능했을까. 그 '무엇'이 이들, 빨갱이와 문둥이를 교환가능한 관계로 만들었을까. 서로 관계없는 것들 사이에서 자리바꿈이 일어나기 위해서는 둘 사이에 어떤 공약수가 있어야 가능할 것이기 때문이다.

어떠한 맥락에서 빨갱이가 문둥이로, 이데올로기적 적색공포가 질병의 은유로 치환될 수 있었는지를 해명하기 위해서 소설 속의 한 부분(③)과 한 한센인의 증언(④)을 참조하여 몇 가지 추정적 사실을 추출하고, 그것을 텍스트 바깥에 있는 역사문화적 자료에 의지해 확인하는 방법적 읽기가 요구된다. 이런 읽기는 소설적 허구와 증언적 호소가 역사적 사실과 맞닿아 있는 부분을 확인하는 과정도 되어 줄 것이다.

> ③ 문둥이 떼가 나타났다는 소문이 얼핏 스치기만 해도 집집마다 대문 방문을 꼭꼭 닫아 걸고 숨어 버리던 마을 사람들의 모습이 떠올랐다. 만에 하나, 딸아이가 그 몹쓸 병에 걸렸다는 사실이 알려지는 날에는 아낙의 식구들은 고향땅에 발을 붙이고 살 수가 없을 거였다. 그들 부부는 물론이려니와 어린 아들까지도 문둥이 취급을 당할 건 뻔한 일이었다.[183]

183) 임철우, 『그 섬에 가고 싶다』, 앞의 책, 257~258면.

④ "그전에 유전이라 그랬는데. 유전도 아니에요. 단지 사람들이 무섭게 알고 막 그래서 이름도 더럽잖아요. 문둥병이라고… 이 병든 사람들 천대를 했는데 실은 아무… 피부병이여. 다른 거시기가 아니고… 피부병이라도 꼭 보이는 데만 그렇거든요. 몸땡이에는 아무 이상 없어요. 누구든지… 병든 사람들 아무리 이상하게 생긴 사람도 근데 얼굴 있는디. 모가지 우로 하고. 손도 여기서 여기 보이는데. 다리도 이 밑으로. 안 보이는 데는 아무 거시기 없어요. 그런께 병이 무서운 병이죠. 보기만 흉하고." (…) "몸에는 아무린 이상 없어요. 아무리 중한 사람도 벳겨 놓고 보면 몸에는 아무 이상이 없어여. 그러니까 이 병이 무섭죠… 꼭 보이는 데만… 사람 보이는 데만 그런께. 긍께 사람들 무섭게 하는… 나는 사람들을 무섭게 하는 걸 이상하게 생각 안 해요. 내가 그래 안 했더라도 나도 그럴 것이다 그 생각을 했어."(환자 권○○씨의 증언)[184)]

③에서 읽을 수 있는 것처럼, 한센인들은 신체적 고통은 물론이고 가장 가까운 가족에게도, 이웃에게도 소외되는 이중삼중의 고통을 겪어야 했다. 가족 중에서 나병에 걸린 환자가 있다고 소문이 나면 그 가족 전체가 이웃들에게서 배척당해야 했기 때문이다. 이와 같이 한센병이 '전염' 된다는 잘못된 인식은 한센인들을 가족,

184) 인용한 내용은 해방 후와 전쟁 상황 하의 기억을 증언한 부분 중의 일부이다. 서울대학교 사회발전연구소, 『한센인 인권 실태조사』(국가인권위원회 인권상황실태조사 연구용역보고서), 2005. 12. 633~649면 참조.

마을, 사회 전체에서 추방해야 한다는 논리를 낳을 수 있었다. 한센인들의 몸은 한 환자의 증언에서 읽을 수 있듯이(④) 병의 흔적이 눈에 잘 보이는 곳에 위치해 있기 때문에 다른 사람들에게 더욱 큰 공포감을 주었다. 가시적으로 드러나는 곳에 있는 흔적은 건강인과 뚜렷하게 구별짓는 낙인이 될 수 있었다. 한센병에 대한 공포감은 나균이 전염된다는 것과 한센인의 몸에 직접 드러난 표식에 의해 가능했고 그것은 한센인을 역사적 타자로 만드는 구체적인 근거가 되었다.

소설 속의 '동백꽃 이야기'에서 우리는 빨갱이가 문둥이로 치환될 수 있었던 맥락에 대한 하나의 단서를 얻을 수 있다. 그것은 바로 '전염의 공포'이다. '전염'이라는 질병학적 은유가 보이지 않는 것 혹은 알 수 없는 것이 주는 두려운 '공포'감과 결합하게 된 것이다. 한센병에 대한 전염의 공포감은 곧 빨갱이의 사상에 전염되어 그들에게 협력할 수 있다는 논리로 비약한 후 빨갱이를 학살할 수 있는 명분을 마련했던 것과 구조적으로 유사하다. 그것은 가족을 잃었다는 슬픔보다 더 큰 두려움이었다.

위의 논의에서 얻은 추정적 단서와 역사적 사실에 의지해, 우리는 '동백꽃 이야기'에서 빨갱이가 문둥이로 치환된 부분에 대한 하나의 해석에 이를 수 있다. 근대 이후 일제강점기를 거쳐 지속적으로 형성된 한센인에 대한 준비된 공포감은 빨갱이라는 비가시적인 존재성을 가시화하여 그들을 학살할 수 있는 하나의 심리적 동인이 될 수 있었다. 한센인에 대한 부정적 이미지는 해방공간과 여순사건의 혼돈 속에서 탄생한 '빨갱이'라는 말로 분류된 모호한 사람들에 대해 구체적인 표상과 이미지를 획득한다. 전염의 공포를 매개로, 문둥이와 빨갱이는 역사적 타자로서의 '낙인'을 공유할 수 있었다.

임철우 소설 속의 '동백꽃 이야기'는 빨갱이와 문둥이로 "낙인" 찍힌 주변부적 타자들에 대한 학살의 기억이 변형 혹은 망각되는 과정과 밀접한 관계가 있다. 이는 또 '나'의 저주스런 정체성을 "빨갱이"와 "문둥이"라는 낙인이 찍힌 주변부적 존재들의 이야기 형태로 바꾸어 서사화하고 있는 것이다. 학살의 기억을 견디기 위한 이야기의 변형은 양방향에서 동시에 이루어졌을 것이다. 빨갱이로 기억되는 죽음이 주는 공포가 너무 컸을 때 빨갱이라는 낙인을 숨기기 위해 한센인으로 변형되는 한 방향, 이와 반대로 가족 중의 한 사람이 환자라는 사실을 숨기기 위해 후일 한센인을 독립군이나 좌익세력으로 변형시키는 이야기가 다른 한 방향이다.

이렇게 임철우 소설은 주변부 타자들의 역사적 기억과 그 망각의 과정을 떠도는 '소문'과 '이야기'를 활용하여 드러낸다. 그것은 우리에게 망각된 역사의 시층을 한층 더 선명하게 보여준다. 그런 점에서 앞서 읽은 '동백꽃' 에피소드는 지배권력 담론에 의해 소외된 변두리의 기억, 기록되지 못한 우연적 사건, 기록에서 추방된 사소한 기억들을 복원하는 '대항기억'의 서사로서의 역할을 감당했다고 할 수 있다.

### 3) 집단 폭력과 죄의식

역사적 폭력은 우리에게 무엇을 남겨 주었는가. 새삼 말할 것도 없이 역사 속의 사건은 육체적인 고통과 함께 정신적 위기를 야기

했다. 작가들은 일련의 집단 폭력에서 어떤 윤리적 위기를 감지하고 그것을 어떤 방식으로 표출했는지를 살펴본다.

흥미롭게도 김승옥과 임철우는 4·19와 5·18로 인한 위기상황을 공통적으로 만화가가 '직선'을 그리지 못하고 있는 상태로 그려 낸다. 그럼으로써 작가가 처해 있는 윤리의 위기를 극명하게 보여준다.

> 이야기인즉, 하얀 켄트지를 펴놓고 먼저 연필로 만화 초(草)를 뜬다. 그러고 나면 펜에 먹물을 찍어 연필 자국을 덮어 그리는데, 직선을 그려야 할 경우에 어쩐지 손이 떨려서 그만 자를 갖다 대고 그려 버릴 때가 가끔 있다는 것이다. 그렇게 해서 다 그리고 난 뒤에 작품을 보고 있노라면 어쩐지 자꾸 그 직선 부분에만 눈이 가고, 죄의식이 꿈틀거린다는 것이다. 그리고 독자들이 이렇게 외치는 소리가 들리는 듯하다고 한다. 그건 당신의 선이 아니다. 그것은 직선이라는 의사밖에는 가지고 있지 않는 자(尺)의 선이다. 당신은 우리를 속이려 하는구나, 라고.[185]

> 직선. 세상의 모든 사물을 추호의 의심도 없이 두 쪽으로 날렵하고도 완전하게 갈라 놓는 바로 그 강력하면서도 단호한 선 말입니다. 펜을 쥔 손가락이 털털 떨려 와서, 자가 없이는 아무리 간단한 직선이라도 영영 그려 낼 수가 없어졌어요. 그 까닭에

---

185) 김승옥, 「생명연습」, 『무진기행』, 앞의 책, 53면.

> 신문은 몇 번인가 만화가 펑크난 채 찍혀져 나가야 했습니다. 모두가 독가스 탓이죠. 회사에서나 집에서나, 거리에서도 잠자리에서도 그 지독한 놈으로부터 벗어날 수가 없었으니까요.
>
> (…) 저, 말이죠. 나는 다시 만화를 그릴 수가 있을까요? 자를 대지 않고서도 그 빌어먹을 놈의 직선을 예전처럼 쓱쓱 그려 낼 수 있겠느냐구요.[186)]

김승옥의 소설에서 만화가가 '직선'을 직선으로 그리지 못한 채 '죄의식'을 느끼는 것은 이청준이 전짓불의 공포 아래에서 소설을 쓰지 못하는 상황과 같이 역사적 폭력에 의한 것이다. 즉, 만화가가 직선을 직선으로 그리는 것은 시대의 억압 아래에서도 작가로서의 양심을 지키는 것이고 그래서 독자의 기대를 배반하지 않는 것이다. 임철우의 소설에서 '나'는 어느 날 '독가스 냄새'를 맡은 후 더 이상 "강력하면서도 단호한 선"을 그리지 못하는 상황에 처하게 된다. 이런 '나'에게 직선을 직선으로 그리는 것은 곧 독가스 냄새와 같은 역사적 폭력을 견디면서 그 폭력이 주는 고통의 경험을 사실 그대로 증언하는 것과 같은 일이다.

이렇듯 김승옥과 임철우 소설의 주인공들에게 '죄의식'은 폭력적 사건에 의해 미리 주어진 것이다. 이런 상황에서, 직선을 그린다는 것은 억압과 폭력의 세계 앞에서 자신의 양심과 진실을 지켜내는 태도를 요청한다. 하지만 죄의식을 완전히 벗어나 직선 그리

---

186) 임철우, 「직선과 독가스」, 『그리운 남쪽』, 앞의 책, 136~143면.

기, 즉 자신의 윤리적인 선택과 결단에 의한 소설쓰기는 결코 쉽지 않은 일이다. 이들의 소설에서 죄의식, 양심, 윤리는 4·19와 5·18의 집단 폭력과 함께 출현하고 그것을 지켜내려는 의지와 함께 커진다.

이들은 역사적 폭력에 의해 주어진 죄의식에 사로잡힌 작가로서의 위기 상황을 호소하고 동시에 작가로서 감당해야 할 윤리적 책임을 묻는다. 이 윤리의 위기를 벗어나기 위해서는 스스로의 결단과 양심에 따른 선택이 요구된다.

김승옥의 경우, 환상과 현실의 거리조차 구별할 수 없게 슬프게 미쳐버렸고 사람을 미워하는 법을 배우고 말았다는 자각과 함께, "아아, 그들을 죽이든지 그렇지 않으면 내가 떠나든지 해야 겠다."(「환상수첩」, 8면)는 결단을 내린다. 김승옥에게 환멸의 세계를 벗어나는 방식은 내가 그들을 '죽이든지' 내가 그들을 '떠나든지' 하는 것이다.[187)]

임철우는 광주 5월의 현장에서 얻은 "평생 지우지 못할 정신과 마음의 외상", "내 몸의 일부"가 되어 있는 "낙인"의 기억을 확인하는 자리에서 글쓰기를 시작한다.(『봄날』 1권, 9면) 그에게 소설쓰기란 평생 동안 함께 지내야 할 죄의식의 원점이자 결코 망각되어서는 안 될 역사적 폭력의 기원을 더듬는 일이다.

오월광주의 기억을 그린 한승원의 소설 「어둠꽃」(1985)과 「당

---

187) 이것은 김승옥이 4월 혁명 직후에 그린 시사만화 『파고다 영감』의 한 장면과도 겹친다(천정환·김건우·이정숙, 『혁명과 웃음』, 앨피, 2005, 332~343면).

신들의 몬도가네」(1985)에서는 오월광주의 현장에서 일어난 그 폭력의 정체가 과연 무엇인지를 다음과 같이 묻고 답한다. "우리를 이렇게 만든 것을 누구일까. 그의 눈앞에서는 어둠이 술렁거리고 있을 뿐이었다. 어둠이 우리를 이렇게 만들었다. 이 어둠을 누가 만들고 있는가."[188] 한승원은 우리를 이토록 만든 '어둠'의 실체를 광주항쟁의 피해자들의 시각에서 다룬다.

> 분수대에서 쇼를 벌인 그 여자가 자기의 아내 순애인지도 모른다고 종남은 생각했다. 그렇다면 순애는 결국 자기로 인하여 정신이 분열되었는지도 모르는 것이었다.
>
> 그가 그때 광주 안에 얼룩무늬 옷을 입고 나타났고, 그날 광장을 향해 총알을 날렸고, 방망이를 휘둘러 대던 사람이라는 것을 아는 사람은 아무도 없었다. 중매를 선 사촌누님이나 취직 자리를 알선한 매부인 고근홍 상무까지도 그 사실을 알지 못했다. 공수부대에 몸을 담고 있기는 했지만, 자기가 소속되어 있는 부대는 그 무렵에 부산에 있었다고 거짓말을 했다. 서울에 살고 있는 그의 아버지나 어머니나 동생들까지도 그렇게 알고 있었다. 자기 가족들에게도 그는 사실대로 말을 할 수가 없었다.
>
> 제대를 한 다음 고근홍 상무 밑에서 일을 하면서부터 그는 자기를 비롯한 수많은 군인들이 누군가에게 이용을 당했다는

---

188) 한승원, 「어둠꽃」, 『해변의 길손』, 문이당, 1999, 340면.

> 것을 깨닫기 시작했다. 그러나 그 깨달음마저도 발설을 할 수가 없었다. 자기가 그때 그렇게 그 도회에 투입되어 총칼을 휘둘렀다는 사실을 참회하는 투로 털어놓는다 할지라도 자기는 사람들한테 밟혀 죽게 될 것 같았다. 그 비밀은 응어리가 되어 그를 자나 깨나 아프게 고문을 하곤 하였다.
>
> 그가 정신질환을 가진 순애를 버리지 않는 것도 그 때문이었다. 아내가 장차 그 병을 여의든지 여의지를 못하든지, 자기는 아내를 자기의 운명처럼 안고 살아야 할 것 같았다. 그래야만 자기가 지은 죄를 몇백 분의 일만큼이라도 삭감해 낼 수 있을 것 같았다.[189]

「어둠꽃」에서 아내 순애와 남편 종남은 살아 있는 피해자들의 전형적인 모습이다. 순애한테 정신질환의 병력이 있다는 것을 모르고 결혼을 한 종남은 순애를 아내로 맞아 살아야 할 것 같은 강박에 사로잡혀 있다. 죄의식에 갇힌 남편, 정신질환을 앓고 있는 아내, 모두 살아 있지만 미친 것이나 다름없는 사건의 피해자들이다.

종남의 죄의식은 그가 그날 광장에서 얼룩무늬 옷을 입고 방망이를 휘두른 장본인이라는 사실을 아내를 비롯한 자기 가족들에게도 사실대로 말한 적이 없기 때문에 그의 마음속에 더욱 깊게 자리해 있다. 공수부대 진압군이었다는 사실을 숨긴 종남은 순애의 정신분열증이 자신이 저지른 그날의 죄 때문이라고 생각한다. 그래

---

189) 한승원, 「어둠꽃」, 『해변의 길손』, 앞의 책, 325~326면.

서 종남은 순애를 마치 운명처럼 껴안고 사는 것이 죄의식을 속죄할 수 있는 방법이라고 여긴다.

이제 오월이 남겨준 유산은 명백하다. 어둠 속의 괴물들이 저지른 집단 폭력은 가해자 혹은 피해자나 상관없이 모든 살아 있는 사람들에게 죄의식과 정신분열의 광증을 안게 만든 것이다. 임철우 소설은 누구의 도움도 받지 못한 채 외롭게 죽어간 광주사람들과 우리 모두가 죄의식을 공유하고 있는 가해자이면서 피해자라고 말한다.

> 그녀는 공범이었다. 남편도, 다섯 살 난 아들노, 자취하는 계집애들도, 한결같이 공범자들이었다. 그들이 자신에게 닥칠지도 모를 위험을 회피하기 위해 스스로 방임해 두고 있는 완충지대에서 그 끔찍한 범죄는 독버섯처럼 자라나고 있었고, 그 독버섯을 키우고 있는 사람들은 다름 아닌 바로 그들 자신이었다. 분명히 그녀들은 어떤 음모를 묵인하고 있었고 그 범죄에 결과적으로 협력하고 있는 셈이었다.[190)]

> "너희들이야. 너희들이 바로 아이들을 죽인 거야! 거짓말하지 마. 너희들은 모두 알고 있어. 더 이상 속이려 들지 마! 너희들이야. 아이들을 죽인 것은 너희들이란 말야! 너나없이 우리는 공범이야! 모두가 똑같은 공범이라구!"[191)]

---

190) 임철우, 「그들의 새벽」, 『아버지의 땅』, 문학과지성사, 1984/2007, 60면.
191) 임철우, 「불임기」, 『그리운 남쪽』, 앞의 책, 206면.

광주사람들은 광주 안에 갇힌 채 바깥에서 구원자가 와 주길 외롭게 기다리고 있었다. 이러한 기억 구도 안에서 그의 소설은 밖에서 학살의 현장을 지켜봤던 방관자들과 싸움의 뒤편에 있었던 가해자들이 결국 같은 공범이라는 인식으로 귀결된다. 아버지가 죽는 광경을, 아이들이 끌려가는 광경을 구경하듯 방관했던 사람들은 결국 학살을 자행했던 가해자들과 마찬가지로 공범인 것이다. 가해자와 피해자 간의 용서와 화해의 자리가 쉽게 마련될 수 없는 이유는 바로 여기에 있다.

### 4) 증오의 깊이: 아버지들의 역사

여기에서는 한승원과 임철우 소설 속의 아버지들이 증오와 복수, 원한의 감정들과 함께 출현하면서 드러내고 있는 역사의 이면을 살필 것이다. 뒤얽힌 역사 속에서 아버지와 아들의 관계는 영원히 화해할 수 없는 투쟁일 수밖에 없다. 그것은 새로운 혁명의 시대를 열기 위해서는 이 '증오의 깊이'를 쉽게 간과하지 않아야 한다는 말과 다르지 않다.

먼저 한승원의 연작 『아버지와 아들』(1989)과 그 후속편에 해당하는 『아버지를 위하여』(1995)는 '살부(殺父)'의 모티프를 주요한 화두로 삼고 있다. 이 두 편의 소설 사이에 출간된 대하장편 『동학제』(1994)에서도 동학혁명의 하나의 추동력으로서 '아비 극복의 과정'을 언급한 바 있다.[192] 이 '아버지 죽이기'라는 행위를 통해서 한승원 소설이 던지고 있는 물음은 과연 역사 속의 아버지란 어떤 존재이며 그들이 남긴 증오의 역사를 어떻게 극복할 것인가이다.

연작 『아버지와 아들』은 주인공 박주철이 고향 '절골'로 귀향하면서 시작된다. 소설의 주요 내용은 아버지와 아들의 이념적 갈등과 대립을 통해 전개된다. 그 중심축에는 아버지의 역사에 대한 아들의 증오가 놓여 있다. 그 증오가 극단적으로 드러난 것이 '살부계(殺父契)'라는 모임이다.

> 해방과 육이오를 전후해서 내덕도 지방의 살부계(殺父契) 사건은 널리 이름이 난 것이었다. 친일파 지주를 아비지로 둔 아들들이 조직한 계였다. 그 아들들은 아버지의 체면 때문에 징용이나 징병엘 갔다가 왔거나 그것을 피해 대처로 도망을 쳤다가 돌아온 사람들이었다.
>
> 그들 대부분은 해방직후에 건국준비위원회에 가담했고, 그 뒤로는 인공과 남로당에 참여를 했다. 그 살부계의 활동은 여순반란사건과 육이오 전쟁통에 은밀하게 섬 안의 모든 마을 세포위원들을 중심으로 계속되었다.
>
> (…)

---

192) 소설 속의 이마동은 이렇게 말한다. "우리들은 모두 자기의 썩어 빠져 있는 아버지들을 죽이고 자기의 왕을 죽여야 삽니다."(『동학제』4권) 이마동의 말은, 새로운 세상을 열기 위해서는 유교이념을 바탕으로 한 왕도정치를 무너뜨리는 것, 즉 아버지들을 살해함으로써 가능하다는 주장이다. 이 소설이 동학 '혁명'이 아니라 동학 '제'라는 제목을 붙인 것도 민중들에게 혁명은 일종의 '한풀이'나 '제의'라는 뜻에서 그런 것이다(신덕룡, 「바다, 욕망과 반역의 공간-한승원의 『동학제』론」, 『한승원 삶과 문학』, 164~165면).

편중된 부(富)의 올바른 분배문제를 중심으로 한 사회개혁을 바라는 젊은이들이 수두룩한 이 섬 안에서 행세를 하려면, 누구든지 자기 집안의 불합리함부터 척결을 하고 나서야만 했다. 그렇지 않으면 그 세력 속에 끼일 수가 없었다."[193]

위에서 읽을 수 있듯이, 일제시대가 끝난 후 해방과 한국전쟁 시기에 있었던 살부계(殺父契)는 새로운 세상을 꿈꾸는 아들들에 의해서 결성된 '아버지 죽이기' 모임이다. 이 모임은 친일에 가담한 자기 아버지를 차마 자기의 손으로 죽일 수 없는 아들들이 자기와 비슷한 처지에 있는 누군가의 손으로 아버지를 죽이기 위해서 조직한 것이다. 그렇다면, 이 '아버지 살해'는 역사의 변혁을 위해 정당화될 수 있는 행위인가. 아버지들의 증오스런 역사를 지우고 새로운 혁명을 이룩하려는 아들들에게 아버지 살해는 필연적으로 요청될 수밖에 없는 과업인가. 아들들은 이렇게 대답한다.

"아버지를 죽이는 것은 혁명이고, 죽이지 않고 타협하는 것은 답습이고 정체입니다. 역사라는 것은 아들의 아버지 죽이기에서 비롯됩니다. 유물변증법도 그와 다름 아닙니다. 아버지와 아들 사이의 그 화해 없는 영원한 투쟁…오늘의 우리 세대들이 고민하고 몸부림치는 것이 그것 때문입니다."(윤길)[194]

---

193) 한승원, 「겨울 폐사-아버지와 아들 5」, 『아버지와 아들』, 나남, 1989, 160면.
194) 한승원, 「겨울 폐사-아버지와 아들 5」, 『아버지와 아들』, 앞의 책, 217면.

아들 윤길에게 아버지를 죽이는 것은 혁명이고 그렇지 않은 것은 답습이고 정체와 다름없는 것이다. 그의 주장에 의하면, 혁명이란 보수적인 반동적 성향의 아버지를 살해함으로써 가능한 것이며 그것이 바로 민중들을 위한 변혁이다. 또, 좌익 성향의 아들 윤길에게 '반동'이라는 말은 거대한 혁명의 물결을 막는 것을 뜻하지만, 아버지 주철은 '반동자'라는 말이 그런 뜻을 담고 있다는 것을 해방과 분단의 소용돌이를 겪고 한참 지난 후에서야 알게 된 사실이다.

이렇게 좌우의 이념적 혼란을 직접 경험한 아버지의 세대와 그것을 겪지 않은 아들의 세대에게 반동과 혁명의 의미는 다른 맥락을 지닌 것일 수밖에 없다. 따라서 아버지 세대를 부정함으로써 혁명을 꿈꾸는 아들과 그런 아들에게 공감하지 못한 아버지는 서로 화해하지 못한다. 이 소설의 결말이 보여준 것처럼 아버지에 대한 아들의 증오와 아버지 살해 욕망은 여전히 지속될 수밖에 없을 것이다.

『아버지를 위하여』에서는 아버지와 아들의 대립을 세대나 이념 간의 대립이 아니라 종(種)들 간의 싸움으로 해석하면서 '아버지 살해'에 대한 다른 관점을 제기한다.

> "존재하는 모든 것들은 자기 존재를 보호하기 위하여 최대한의 공격을 가합니다. 그 공격이 사랑의 얼굴을 하고 나타나기도 하고 파괴나 죽음의 얼굴을 하고 나타나기도 합니다. 죽기로 작정하고 나니 너무 억울했습니다. 죽을 결심을 한 그 용기로 상대를 죽이기로 한 것입니다. 귀신도 모르게 그 결판을 내기로 작정했습니다."(박기백)[195]

다른 종들과의 싸움보다 같은 종끼리 가장 치열하게 싸움을 한다는 이른바 극지병(極地病)이라는 증상에 의하면, 모든 존재들이 자기 보존을 위해서 영토 확장을 시도하는 과정에서 "자기 이웃을 공격"하는데, 그 공격은 "사랑" 혹은 "파괴(증오와 저주와 싸움)"의 형태로 나타난다.

그렇다면 이 소설 속의 아들 박기백이 아버지를 살해한 것은 가장 가까운 가족 내부에서 일어날 수밖에 없는 세력 싸움의 한 형태이며 그것은 파괴적인 증오의 결과라고 해석된다. 아버지의 살해는 저 먼 '오이디푸스' 신화에서부터 기나긴 역사를 지니고 있다는 점에서 필연적이라는 논리다.

앞서 읽은 두 편의 장편 연작소설에 등장한 '살부(殺父)'의 모티프는 단지 아버지를 죽이는 행위를 옹호할 것인가 반대할 것인가라는 그런 이분법적인 선택을 요구하기 위한 것이 아니다. 한승원 소설이 이 모티프를 통해 의도하고 있는 바는 아버지들이 겪은 폭력, 반란, 학살, 전쟁 등이 아들 세대에게 남겨 놓은 그 '증오'의 씨앗을 사유함으로써 새로운 역사를 기획할 수 있겠는가 하는 문제다. 나아가 한승원 소설이 '아버지 살해'를 통해 묻고 있는 것은 왜 그런 증오가 되풀이될 수밖에 없었고, 왜 서로 용서와 화해를 할 수 없게 되었는가라는 보다 근본적인 질문이다.

분단과 전쟁에서 목도한 이념의 대립과 갈등은 학살이 증오를 낳고 증오가 다시 학살을 낳는 역사의 반복을 남겨 주었다. 이로

---

195) 한승원, 『아버지를 위하여』, 문이당, 1995, 194면.

인해 임철우 소설에서 고향은 "증오와 원한과 슬픔의 씨앗"이 자라나는 저주와 재앙의 땅으로 묘사된다.

> 학살은 증오를 낳았고, 증오는 복수를 낳았으며, 그 증오와 복수는 또 다른 광기를 불러일으켰다.
>
> 얼핏 세상은 완전한 두 개의 적대 집단으로 분리되어 버린 게 아닌가 싶었다.[196]

고향의 땅과 바다 밑까지 죽은 아버지들의 핏덩이가 삶에 스며들어 있기 때문이다. 그래서 고향섬 사람들에게 역사란 "그 알량한 이데올로기네 정치적 신념이네 하는 따위들을 이해하고 받아들이고 실천할 힘도, 재주도, 능력도 애당초 전혀 갖추지 못한 처지"(『붉은 산, 흰 새』, 180면)에서 직면할 수밖에 없었던 혼란스러운 경험 그 자체였다.

「늑대의 바다」(1984)에서 『붉은 산, 흰 새』(1990), 그리고 『백년여관』(2004)에서 고향 사람들은 아직 제주4·3, 전쟁과 분단, 광주5·18이 주었던 그 "증오와 원한"의 기억에서 벗어나지 못한 채 살아간다. 임철우의 소설은 그 뿌리 깊은 증오의 역사를 '늑대 전설'로 형상화하여, 집단적인 학살의 원초적 기억과 한국현대사의 폭력적 현장을 겹쳐 놓는다.

---

196) 임철우, 『붉은 산, 흰 새』, 앞의 책, 179면.

까마득한 옛날, 낙일도는 하늘이 보이지 않을 만큼 섬 전체가 온통 빽빽한 나무 숲으로 둘러싸인 무인도였다고 했다. 그래서 이따금 멀리 육지에서 나무를 베러 오는 사람들 외에는 사람의 발길이 닿지 않는 외진 곳이었다. 그러다가 언제부턴가 나라에서 죄인들을 이 섬으로 귀양을 보내기 시작했는데, 그 사람들은 왠지 모두가 오래지 않아서 죽곤 하더라는 것이었다. 알고 보니 그건 섬에 살고 있는 수많은 늑대들의 소행이었다는 것이다. 이윽고 육지에서부터 많은 사람들이 낙일도로 농사를 짓기 위해 흘러 들어오기 시작했고, 그들은 숲 속에서 살고 있는 그 숱한 늑대들을 없애기 위해 숲에 불을 질러 버리고 말았다. 나무들로 울창했던 섬이 삽시간에 불구덩이로 변해 버린 것은 물론이었다. (…) 그래서 낙일도엔 단 한 마리의 늑대도 살아남지 못하게 된 셈인데, 이상하게도 언제부턴가 그 짐승을 보았다는 사람들이 생겨나기 시작했다. (…) 그것들은 꼭 한 군데에 흔적을 남겨 두는 버릇이 있는데 그건 다름 아닌, 물이 빠져나간 갯벌 위에 찍힌 제 발자국이라고 했다. 하지만 사람들은 그 발자국을 좀처럼 발견할 수가 없었다. 그도 그럴 것이, 날이 새기 전에 이미 밀물이 들어와 그 흔적을 말끔히 지워 버리고 마는 까닭이었다.[197)]

낙일도에 전해지는 바다늑대에 관한 전설에는 섬에 자리한 죄

197) 임철우, 「늑대의 바다」, 『그리운 남쪽』, 앞의 책, 53~54면.

의식, 학살, 증오에 관한 원초적 기억들을 상징적으로 묘사되어 있다. 육지 사람들이 섬으로 들어오기 시작하면서 이 섬은 학살의 현장이 되고 만다. 나라에서 죄인들을 귀양을 섬으로 보내자 섬의 늑대들이 그들을 살해하게 되고, 이후엔 섬 바깥의 육지 사람들이 차츰 섬으로 흘러 들어와서 섬에 살고 있던 원주민인 늑대를 학살하기 시작한다. 그러나 늑대들은 완전히 사라지지 않고 가끔 자신들의 흔적을 남겨 놓는다.

늑대전설은, 육지 사람들에 의해서 이 섬이 어떤 학살과 폭력을 겪었는지를 말해 주고 있으며, 아직까지 원래 섬에 살던 늑대들의 증오와 복수가 지속되고 있다는 것을 암시해 준다. 이 소설에서 늑대전설은 봉구 아버지가 귀향한 이유를 뒷받침하는데, 그것은 오랜 증오와 원한의 기억 때문이다. 봉구 아버지는 "이글이글 타오르"는 "바다 늑대의 형상"을 하고서 삼 년 만에 마을로 돌아온다. 소문에 의하면 아버지가 비바람 속에서 살아난 것이 "늑대한테 씌인 것"이거나 "도깨비 조화"일 거라고 했는데, 그 바다늑대 이야기라면 낙일도 사람이면 누구나 잘 알고 있는 전설 같은 이야기였다. 그것은 봉구의 아들에게도 되풀이될 것이라는 불길한 예감을 남겨 준다.

낙일도에 전하는 증오의 기억은 『붉은 산, 흰 새』(1990)에서 한원구가 섬으로 귀향하는 과정에서 상기된다.

> 낙일도 사람들에겐 꼭 한 가지만은 변하지 않고 그대로 남아 있는 게 있었다. 그것은 그해 여름에 육지인들이 남겨 놓고 간 증오와 원한과 슬픔의 씨앗이었다. 그 씨앗들은 저마다 섬 사람들의 가슴속에서 음지 식물처럼 안으로 안으로 뿌리를 뻗

고 싹을 틔웠다. 이윽고는 온 심장을 고름으로 가득 채운 다음 스스로 까맣게 오그라들고 말았다. 하지만 그건 결코 죽어 버린 것은 아니었다. 세월이 흐르는 동안 고름덩이는 딱딱하고 옹골찬 옹이로 굳은 채 저마다의 심장 저 깊숙한 어디쯤에 아프고 무겁게 박혀 있는 것일 뿐이었다.[198]

아버지의 몸뚱이로부터 흘러나온 검붉은 핏덩이가 개펄 여기저기에 고여 있는 게 눈에 띄었다. 자신을 낳아 주고 오십 평생을 키워 준 고향의 흙 속으로, 바닷속으로, 아버지의 피는 소리없이 스며들고 있는 거였다. 개펄 위에 썰물이 그려 놓은 무수한 주름들은 마치도 굶주린 육식동물의 거대한 흡반처럼 보였다. 원구는 낙일도가 아버지의 피를 빨아들이고 있다고 생각했다. 고향섬 전체가 게걸스레 피 묻은 입술을 다셔 가면서 아버지의 몸뚱이를 서서히 삼켜 가고 있는 거였다.[199]

십오 년 전, 고향을 떠난 원구에게 고향은 아버지를 죽인 곳이고 "증오와 원한과 절망밖에는 아무것도 안겨준 것이 없"는 그런 저주스러운 곳이다. 원구는 아들 무석이 자신의 핏줄이 아니라 "그 빨갱이놈들의 씨앗"이라는 것도 알고 있었다. 그가 고향을 떠난 것도, 돌아온 것도 고향이 일방적으로 안겨준 그것들을 고향으

198) 임철우, 『붉은 산, 흰 새』, 앞의 책, 16면.
199) 임철우, 『붉은 산, 흰 새』, 앞의 책, 193면.

로 고스란히 되돌려 주고 싶었기 때문이다. 그래서 그 기억을 완전히 지우고 싶은 것이다. 하지만 낙일도의 기억은 지우고 싶어도 절대로 잊혀지지 않았다. 빨갱이로 몰릴까, 반동으로 몰릴까, 안절부절하던 그 시절, "육지인들이 남겨 놓고 간 증오와 원한과 슬픔의 씨앗"은 낙일도의 풍경이 여러 번 바뀌는 동안에도 전혀 변하지 않았기 때문이다. 그 오랜 '증오'의 사슬을 끊고, 서로 '용서'하는 일이 가능할 수 있을까. 아버지 원구는 앞으로 자신의 삶이 "다만 증오와 저주만을 읊조리며 저 칠흑의 어둠 속을 향해 죽는 날까지 거슬러 나아가게 되리라는 것을", "증오와 고통의 낙인을 찍어 새기는 시간들에 지나지 않을 뿐이라는 사실을" 깨닫는다. 무석 역시 아버지와 자신의 관계에서 누가 누구를 용서하고 용서받아야 할지 알지 못한다. 무석은 아직 아버지를 용서할 수 없다는 사실을 알게 되었기에 아버지의 곁을 이제 떠나리라 결심한다.

「늑대의 바다」에 나오는 바다늑대 이야기는 『백년여관』에서 케이가 들려준 불섬[火島]의 유래에서 동일하게 반복된다. 그 이야기는 이렇다.

> "먼 옛날 영도에 수없이 많은 늑대들이 무리를 지어 살고 있었다고 하지. 그런데 육지 사람들이 하나둘 옮겨오면서, 늑대들은 결국 저 섬까지 쫓겨났어. 그걸 기어코 없애 버리겠다고 사람들이 저 작은 섬에다 불을 놓았어. 엄청난 불길이 석 달 열흘 동안 밤낮으로 타올랐고, 수천 마리 늑대들의 울음소리가 그치지 않았다지. 그때부터 저 작은 섬을 불섬이라고 부르게 되었다는 얘기야. 어디선가 들었음직한 전설이지?"[200]

'불섬'이 기억하고 있는 그 뿌리 깊은 증오가 말해 주는 것은 바로 분단의 대립적 상황이 지금까지도 "어김없이 되풀이되고 있는 그 잔인하고도 완벽한 역사의 반복성"이다. 『봄날』의 초반부를 '불의 얼굴'이라는 부제를 달아 잡지에 연재한 것은 저 먼 아버지들의 역사에서 타오른 증오와 복수의 불꽃이 아직도 계속되고 있음을 보았기 때문일 것이다. 여기에서 한승원의 『불의 딸』과 임철우의 『붉은 산, 흰 새』 등 여러 편의 소설들에 등장하는 불 이미지가 한편 증오의 역사 기억과 관련이 있음을 어렵지 않게 읽을 수 있다.

---

200) 임철우, 『백년여관』, 앞의 책, 94면.

# 3부
# 추방당한 자들의 귀환: 애증의 변증

## 1. 귀환, 추방의 형식

1960년대 이후, 4·19에서 5·18로 이어진 분노의 물결은 계급과 계층의 차이를 막론하여 사회 체제 전반에 저항한 연대의 장이었다. 1970년대 유신체제 하의 반독재민주화투쟁은 박정희 정권에 저항한 학생운동과 재야운동이 전면에 서면서 대중화되었고, 노동자 농민을 중심으로 하는 기층민중운동이 성장하면서 더욱 거세졌다.[201] 그 저항의 목소리를 몇 마디로 간결하게 정리하긴 어려운 일이다. 요약이 허용된다면, 그것은 부조리한 현실에 대한 거침없는 항의와 새로운 사회를 향한 끝없는 열망, 즉 '분노와 유토피아'

201) 민주화운동기념사업회 연구소 엮음, 「총론: 유신체제하 반독재민주화투쟁의 전개와 그 성격」, 『한국민주화운동사2-유신체제기』, 돌베개, 2009, 29면.

의 접점에서 분출된 결과라 할 수 있다.

4·19혁명 직후, 시인 김수영은 "혁명은 왜 고독한 것인가를/혁명은 왜 고독해야 하는 것인가"(「푸른 하늘을」(1960. 6))라고 한 것일까. '혁명'과 '고독', 이 이질적인 것들의 동시적인 배치는 어떻게 가능했을까. 그것은 어쩌면 혁명이라는 사건이 또 다른 층위의 감성들을 개시하는 지점이라는 사실을 말해 주는 표지가 아닐까. 4·19 1주년을 맞이한 김수영은 "4·19 당시나 지금이나 우두머리에 앉아 있는 놈들에 대한 증오심은 매일반이다."(「아직도 안심하긴 빠르다-4·19 1周年」(1961))라고 일갈하면서, 혁명 이후에도 변함없는 정치적 상황에 대해 깊은 우려를 표현한 바 있다.[202] 김수영의 우려가 적중이라도 한 듯, 4월혁명이 일어난 다음해에 곧바로 5·16군사쿠데타가 일어났다.

한편, 1962년 지휘자 안익태는 박정희 정권 하의 한국사회가 훌륭한 지휘자를 만난 듯하여, 예전에 느꼈던 유랑하는 나그네의 마음이 수그러들었다고 했다. 5·16 '혁명돌맞이축하' 국제음악회를 구상하던 그는 박정희 대통령에게 오케스트라를 연주하는 훌륭한 지휘자가 되어 주길 당부했다.[203] 그러나 환상적인 협화음이 연주되리라는 기대가 깨지기까지는 그리 오랜 시간이 걸리지 않았다.

1970년 11월, 공장 노동자 전태일의 분신은 당시 퍼져 있는 분노를 집결하는 힘이자 저항의 불길을 일으킨 "인간 불꽃"으로 기

---

202) 김수영, 『김수영 전집 2-산문』, 민음사, 1981/2000.
203) 1962년 〈경향신문〉 1월 4일자, 〈동아일보〉 1월 6일자, 〈동아일보〉 1월 14일자 기사 참조.

억된다. 그의 죽음은 도시 중심의 근대화가 오히려 빈민층을 생산하는 결과를 초래했고, 사회가 그들의 소외와 박탈을 근거지로 삼아 어떻게 인간 자체를 말살시켜 왔는지를 온몸으로 증언한 사건이었다. 그가 당시의 지옥 같은 노동 현실에 직면해서 제기한 '바보회' 등은 유토피아적 발상이라는 한계를 지니고 있었지만,[204] 그것은 '근로기준법'을 준수하지 않는 당시의 상황을 그대로 반사하는 거울로서 의미가 있었다.

1970년대 초, 전태일이 구상한 소설 「현실에 반항하는 청년의 몸부림」의 초고와 죽음 직전에 남긴 유서(遺書)에서, 우리는 그런 절망적인 현실을 견디어야만 했던 한 인간의 절절한 호소를 듣는다.

> 여기 본능을 모르는 인간이 있습니다. 그저 빨리 고통을 느끼지 않고 죽기를 기다리는 생명체가 있습니다. 그리고 죽어가고 있습니다. 그것도 미생물이 아닌, 짐승이 아닌, 인간이 있습니다. 인간, 부한 환경에서 기부당하고, 사회라는 기구는 그들 연소자를 사회의 거름으로 쓰고 있습니다. 부한 자의 더 비대해지기 위한 거름으로.
>
> 선생님, 그들도 인간인 고로 빵과 시간, 자유를 갈망합니다.[205]

---

204) 전태일은 바보회의 활동지침의 하나로 "돈 많은 독지가를 찾아내서 한 5,000만 원 투자하라고 해서 평화시장 안에 근로기준법을 준수하는 모범업체를 하나 만들자"는 방안을 제시하기도 했다(민중생존권투쟁의 분출-전태일의 분신과 광주대단지사건, 『한국민주화운동사1-제1공화국부터 제3공화국까지』(민주화운동기념사업회 연구소 엮음), 돌베개, 2008/2012, 630면).

잠시 다니러 간다네. 잠시 쉬러 간다네.

어쩌면 반지의 무게와 총칼의 질타에 구애되지 않을지도 모르는, 않기를 바라는, 이 순간 이후의 세계에서,

내 생애 다 못 굴린 덩이를, 덩이를, 목적지까지 굴리려 하네.

이 순간 이후의 세계에서 또다시 추방당한다 하더라도, 굴리는 데, 굴리는 데, 도울 수만 있다면,

이룰 수만 있다면[206]

그는 "미생물이 아닌, 짐승이 아닌, 인간"으로서 "빵과 시간, 자유"를 원했다. 그러나 사회는 "생명체"의 그런 기본적인 요구조차 거부했다. 이제 죽음이란 "이후의 세계"로 몸덩이를 옮기는 것에 불과한 것. 그는 "이 순간 이후의 세계"에서도 또다시 "추방"되리라는 것을 예감했고, 이후의 세계에서 추방당한다 하더라도 굴리는 일을 멈추지 않겠노라고 다짐했다. 우리는 전태일의 마지막 목소리에서 죽음 이전과 이후 세계에서 동시에 추방당한 자의 절규와, 이곳은 더 이상 인간이 살 수 없는 곳이라는 절망, 그럼에도 이후의 세계에서 생애 못다 한 일을 계속할 것이라는 저항의 몸짓을 함께 듣는다.

1970년대 유신체제는 국내외의 상황을 정치적으로 이용해 민족의 수난과 안보위협의 상황을 강조하고, 생존권 유지와 민족발

205) 전태일기념관건립위원회 엮음, 『어느 청년노동자의 삶과 죽음-전태일(全泰壹)평전』, 돌베개, 1983; 조영래, 『전태일 평전』, 돌베개, 1991/2005, 215면.
206) 조영래, 『전태일 평전』, 앞의 책, 303~304면.

전을 위해서 노력하지 않을 때에는 죽음과 멸망이 있을 뿐이라는 논리를 그 통치이념의 기반으로 삼았다. 당시 문화공보부에서 간행한 10월유신 홍보자료에서 눈에 띄는 대목은 역사적인 수난을 강조하고 그것에 대처할 의지와 노력을 부추기는 문장들이다.

> 개인이나 국가가 그의 생존과 발전을 위해서 스스로의 활로를 개척하려는 노력을 기울이는 것은 지극히 당연한 일… 내외적 위협요인을 극복할 수 없게 될 경우… 역량의 배양과 태세 정비를 서두르는 것… 할 수 없을 때 그 결과는 오직 죽음과 멸망이 있을 뿐이다. …우리의 태세가 잘 갖추어져 있고 힘이 있을 때는 어떠한 외난도 능히 물리치고 생존권을 유지하고 민족적 발전을 견지하였지마는 우리의 힘이 약하고 대비가 소홀할 때는 갖은 민족적 수난을 면할 수 없었다. 이것은 우리가 역사를 통해 얻은 값진 교훈이다. …날이 갈수록 더욱 세차게 또한 급격하게 우리를 위협하는 작용을 더해 가고 있다. …10월 유신 이것은 바로 이러한 판단 아래 민족의 활로를 개척하기 위한 노력으로서 취해진 민족지도자의 영단인 것이다.[207)]

1980년 5월, 신군부 정권의 폭력에 저항한 민중들의 분노가 거리 위로 터져 나왔다. 오월의 광주는 무자비한 국가폭력과 학살에

---

207) 「10월 유신의 의의와 전망」, 문화공보부, 1972. 11. 10, 7~9면. 김행선, 『박정희와 유신체제』, 24면에서 재인용.

대항한 무고한 시민들의 외침과 함성으로 가득 찬 뜨거운 연대의 장이었다. 오월 그날을, 시인 김남주는 "피와 눈물 분노와 치떨림이 모든 인간의 감정이/사랑으로 응어리져 증오로 터진 다이너마이트의 폭발이었다"고 기록했다. "오월 그날이 다시 오면/우리 가슴에 붉은 피 모으며/오월 그날이 다시 오면/우리 주먹에 증오의 힘 모으며"(「오월 그날이 다시 오면」) 그날을 맞이하자고, 그리고 "적어도 적어도 오월의 광주에는", "서정이 들어 설 자리가 없다 자격도 없다"(「바람에 지는 풀잎으로 오월을 노래하지 말아라」)[208]고 외쳤다.

그 뜨겁게 타오르는 항쟁에서 다 표출되지 못했던 분노의 파편들은 지금 어디에 있는가. 오월광주에서 정점에 달한 저항과 분노는 슬픔과 고통, 억울함과 서러움, 증오와 복수, 저주와 원한이 서로 뒤섞인 채 아직 우리 곁에 여전히 살아 있는 역사적 현실이다. 우리는 그날의 기억 하나를, 1980년 5월 26일 밤 전남도청에 남아 있었던 한 시민군의 증언에서 마주하게 된다.

> "도청 건물 2층까지 쭉 뻗은 나무를 타고 내려왔어요. 나무는 화창한데, 동료들은 시체로 있더라고요." (…) "죽고 싶은 마음을 이겨 내려고 옛 전남도청에 가서 그때 그 나무한테 물어보기도 했어요. '네가 그때 본 장면을 한번 말해 봐라' 하고

---

208) 김남주, 『조국은 하나다』(백낙청, 염무웅, 황석영 엮음), 도서출판 남풍, 1988, 161~162면.

요. 그런데 나무는 아무 말이 없더라고요."[209)]

이 시민군에게 그날의 '나무'는 무엇인가. 그날, 그가 시체 곁으로 타고 내려온 그 나무는 어쩌면 '그날'의 침묵을 말할 수 있는 유일한 무엇일지도 모른다. 그러나 그날을 증언할 수 있는 그 나무는 아무 말도 하지 않는다, 아니 하지 못한다. 나무는, 그날을 기억하고 있는 모든 것이면서 동시에 아무것도 아닌 것이다. 그 나무는 그날 이후부터 '실어증'을 앓고 있는 시민군의 '몸', 아니 수많은 사람들의 '몸'일 것이다.

그날들이 남겨 준 슬픔과 분노, 씁쓸함과 무력감을 온전하게 담아낼 수 있는 '말'이 있을 수 있을까. 문학적 글쓰기는 들리지 않는 이들의 말과 목소리를 더 듣기 위해서가 아닐까.

> 어떤 경우에 우리는 말을 잃는가? 겪고 있는 일이 혹은 겪었던 일이 언어로 표현 불가능할 때, 그러니까 언어 너머에서 도래할 때이다. (…) 아마도 1980년 오월 이후 1980년대 내내 한국문학이 급진적이었다면 그것은 그것이 지극히 정치적인 사안들을 다루었다는 이유 때문이 아니다. 오히려 그것은 실어증 때문이었다고 말해야 한다. 시민 2,000여 명이 국가의 폭력 앞에 무자비하게 학살당하는 사건 앞에서 박탈당한 자들

209) 2013년 4월, 광주트라우마센터에서 열린 '5·18 민주화운동 트라우마, 치유의 첫발을 내딛다' 주제 발표회. http://www.hani.co.kr/arti/society/area/581203.html 참조.

은 기존의 언어와 예술적 식별체제로는 더 이상 어떠한 발화도 불가능함을 깨닫는다. 말을 잃고 말하는 방식을 잃는다. 이제 실어증 상태의 사도들에게 필요한 것은 '감성적인 것들의 재분할' 이었다.[210)]

기억들을 증언할 수 있는 조각난 말의 파편들은 "상처받고 고통 받는 죽은 자와 산 자의 울음", "'폭동' 이나 '항쟁' 혹은 '용서' 나 '화합' 의 언어로 담론화되기 이전의 언어이며 창에 찔리고 총에 맞아 피를 흘리고 있는 '고통 받고 있는 몸(the body in pain)'"[211)]일 것이다. 극단적인 폭력의 경험으로 인해 언어를 박탈당한 자들은 더 이상 이전과 똑같은 언어로 말할 수 없을 것, 이것이 바로 역사적 사건을 다룬 문학에서 우리가 읽어야 할 침묵의 자리가 아닐까.

작가들은 4·19에서 5·18광주에 이르는 잔악한 폭력의 경험에서 한국전쟁, 제주4·3, 여순사건, 일제강점기로 거슬러 올라가 그 역사적 기원을 추적한다. 그날들이 남겨 준 통증은 부끄러움, 빼앗김, 억울, 증오, 복수 등과 함께 회귀한다.

---

210) 김형중, 「오월문학과 실어증–야콥슨, 바디우, 랑시에르를 중심으로」, 『인문학연구』 45집, 계명대학교 인문과학연구소, 2011, 83~87면.

211) 김성례, 「근대성과 폭력–제주 4·3의 담론정치」, 『근대를 다시 읽는다 2』(윤해동·천정환·허수·황병주·이용기·윤대성 엮음), 역사비평사, 2006, 523면.

## 2. 빼앗김과 부끄러움

소설은 역사적 경험이 준 고통 그 자체를 재현하는 것보다 '역사가 우리에게 무엇을 남겼는가' 라는 질문을 움켜잡고 그날 이후에 남겨진 것, 그 잔여물들을 인간학적·철학적·정치학적 논점에서 해석하기 시작한다. 죽음의 역사적 현장에서 느낀 고통은 '배고픔' 과 '허기' 와 같은 생물학적 결핍감으로 끝나지 않는다. 그것들은 '지루함', '답답함', '절망감', '두려움', '부끄러움' 등 심리적인 고통으로 변증되면서 '극기', '정열', '빼앗김', '자유', '윤리', '인간' 등을 재해석하는 바탕이 된다.

> 정열이라고 하면 도인의 머릿속에 우선 떠오르는 것은 어쩐지 수양(首陽)이었고, 연산군(燕山君)이었고, 일본 군국주의자들이었고, 히틀러였고, 중공의 홍위병(紅衛兵)이었다. 그리고 약간은, 한국의 정치, 경제, 사회, 문화, 그 모든 것에서 엿보이는 그 무엇이었다.
>
> 그것은 판단이 결핍됐을 때 나오는 우격다짐의 행동이었고, 무기교(無技巧)를 감추려는 광란의 몸짓이었고, 지나가 버린 일, 또는 이렇게 쓸 수도 있고 저렇게 쓸 수도 있는 시간에 대하여 인간들이 근본적으로 느끼고 있는 절망감에 호소하는 과격한 프로파간다였다. 진정한 혁명에서는 그것을 지배했던 이성과 지성의 빛이 무엇보다도 두드러져 보이듯이 인간을 무더기로 도살했던 과거 역사적인 여러 사람들에게서 공통되게 드러나는 것은 무엇보다도 정열이라고 도인은 생각했다.[212)]

> 혁명군은 가장 강력한 세력으로 지상의 모든 권력을 통합하고 무시무시한 포고를 발한다. 일체 시민은 그 생활을 혁명군의 명령에 따르고 의지해야 한다. 아침 기상은 몇 시에, 보행은 어떻게, 식사는 어떤 종류로, 대화는 어떤 성질의 것만을……. 그리고 당국은 모든 명령을 일사불란하게 이행시켜 나갈 강력한 통제와 조직력을 행사한다. 그런 상황은 상상이 그리 어렵지 않을 것이다. 정치란 시민 생활의 일부에 불과하지만 혁명주의자에겐 생활의 전부가 되어 버리는 것이니까. 더욱 지배자는 언제나 독재의 욕망이 있는 것이고, 그의 독재는 자신의 한정된 취미를 대중의 법률로 삼고 싶어하는 경향이 많으니까.[213)]

어느 때 어느 곳에서나 '정열' 을 외치는 사람들, 그들의 모습은 수양(首陽), 연산군(燕山君), 일본 군국주의자들, 히틀러, 중공의 홍위병(紅衛兵)의 모습과 겹쳐진다. 그들이 부르짖는 정열은 "절망감에 호소하는 과격한 프로파간다"였고 또 그것은 "인간을 무더기로 도살했던 과거 역사적인 사람들에게서 공통되게 드러나는 것"이다(「60년대식」). 정열을 신봉하는 사람들은 자신들의 생각에 합류하지 않은 사람들에게 끊임없이 '죄의식' 을 심어 주면서, 언제든지 독재의 희생양으로 몰아갈 수 있었다. 정열은 '내일' 이나 '미래' 를 위해서라면 이 순간의 고통은 무시되어도 좋다는 독재자의 논리로

---

212) 김승옥, 「60년대식」, 『내가 훔친 여름』, 앞의 책, 415~416면.
213) 이청준, 「마기의 죽음」, 『예언자』, 열림원, 2001, 67면.

변질되기 쉬웠다("그 데모의 성공, 망할 놈의 '역사적 사건' 위에 저 장난 같은 말이 자리를 잡고 있기 때문에 이토록 나를 압도해 오는 것이다./우리의 내일을 발명한다?"(「그와 나」, 373면)

그것은 가짜 구세주인 독재자가 "우리의 내일을 발명한다"는 미래건설, 민족발전과 국가안보, 근대화라는 구실 아래 누구든지 언제든지 동원시킬 수 있었던 유신체제의 기본 이념과도 크게 다르지 않았다. 강력한 통제와 조직력을 행사하는 그들은 스스로 '혁명군' 임을 자처하면서 자신의 지배욕망을 대중이 지켜야 할 법률의 초석을 마련한 후 강제적으로 실현시키려는 의지에 사로잡혀 있었다(「마기의 죽음」·「예언자」, 『당신들의 천국』).

이렇듯 '정열' 이라는 단어로 대중을 선동한 유신독재의 논리는 끊임없이 인간성 자체를 개조시켜 결국 쓸모없는 인간으로 만들어 버리는 전체주의의 논리와도 구분되지 않았다. 물론 한국의 유신체제와 서구의 전체주의가 동일한 것은 아닐 것이다. 하지만 한국전쟁, 여순사건, 4·19혁명, 유신체제를 한꺼번에 경험한 이 작가들의 문학은 당시의 한국적 상황이 전체주의의 역사에 근접해 가고 있다고 진단한다. 또 그러한 논리는 학교나 관공서, 군대, 병원 등 근대적인 규율체계가 지배하는 어느 곳에서도 발견할 수 있을 정도로 한국사회 모든 곳에 편재해 있었다는 것만은 분명하게 감지된다.

이청준의 연작 『소매치기』(1968~1971)에서 '소매치기가 된 소설가' 는 현실이 얼마나 '가짜' 로 가득 찬 추(醜)한 세계인지를 폭로하면서 '진짜' 인 것처럼 가장한 현실이 진정 '가짜' 라는 사실을 들춰낸다. 「소문의 벽」(1972)에서 소설가 박준의 광기와 진술공포증은 자유로운 발언을 금기하는 사회에서 비롯된 증상인 한편 저항의 한 표현이었다. 「예언자」(1977)에서 '여왕봉'은 개별적인 사람들의 고유성을 모두 박탈해 버린 가면의 천국, 모든 가치가 규격화되고 획일화된 '관리 사회'의 축소판이라 할 수 있다. 소설가(예언자) 나우현의 자살에 가까운 죽음은 여왕봉의 지배질서를 무조건 수락하고 용인하는 패배자의 비참한 최후가 아니라 가면 뒤에 도사리고 있는 지배 권력을 드러내는 수난자의 그것이다.

이제 우리에게 더욱 분명해지는 것은 유신체제가 낙원 건설의 이념 아래 실상 인간 자체를 개조시키는 억압적인 체제였다는 사실이다. 다음과 같은 소설 속의 문장들에는 당시의 사회현실에 대한 비판적 통찰이 엿보인다.

> 멍청이나 미친개들이 많이 사는 곳에서는 어디에서든지 항상 '위대한 영도자'가 나오는 이유가 바로 그것이다.[214)]

> 모든 사고의 질료를 차단해 버리고 무의미한 공간만을 제공함으로써 사고를 불가능하게 했고 정신을 마비시켰다.[215)]

> 이제 기름을 먹기 시작한 기계처럼 저희들 스스로 그 가형자와 수형자의 역할을 교대교대 감당해 나가기 시작하고 있었다.[216)]

---

214) 김승옥, 「내가 훔친 여름」, 『내가 훔친 여름』, 문학동네, 2004, 38면.
215) 이청준, 「마기의 죽음」, 『예언자』, 앞의 책, 65면.
216) 이청준, 「줄빽」, 『숨은 손가락』, 열림원, 2001, 111면.

도장을 찍지 않고 봉투째 가져가 버릴 수도 있었고, 혹 자기들 자체 내의 윤리와 질서를 위해서 동원병들의 확인 손도장이 필요했다면, 단순히 "찍어라"하고 말만 하면 되었다.[217]

정신을 마비시키고 오직 침묵의 훈련만을 강요하는 체제, 아무런 저항 없이 모든 것을 완전히 빼앗을 수 있는 구조 하에서는 더 이상 강제적인 외부의 협박 같은 것은 필요하지 않았다. 체계의 부속품으로 전락한 인간은 기계처럼 반응하고 체계적으로 관리되는 동원병일 뿐이다. 그런 체제 아래에서 산다는 것은 미치거나, 죽거나, 떠돌거나, 아니면 가짜 혹은 악당이 되는 길을 의미했다.

독재정권과 결탁한 자본주의적 근대화의 어두운 손길은 도시와 농촌을 가리지 않고 파고들면서 모든 사람들을 '돈'의 노예로 전락시켰다.

빼앗은 사람은 빼앗지 않으면서 계속 더 빼앗을 수 있고, 빼앗긴 사람은 빼앗기는 줄도 모르고 계속 더 빼앗길 것이다. 빼앗기면서 빼앗기는 줄 모르고 있을 때는, 빼앗기면서 빼앗기는 줄 모르는 것의 재해는 빼앗긴 것을 되찾지 못하고 앞으로 더 빼앗기는 것 정도다. 빼앗기면서 빼앗기는 것을 모르는 것의 재해는, 빼앗기면서 빼앗기는 줄을 모르고 있었다는 것을 알아차렸을 때는, 빼앗긴 것을 못 찾는다거나 더 빼앗기게 된다거나가 아니라,

---

217) 서정인, 「가위」, 『가위』, 앞의 책, 259면.

> 빼앗기면서 빼앗기는 줄 모르는 상태가 언제까지 계속될 수 없다는 사실 즉, 빼앗기면서 빼앗기는 줄 모르고 있었다는 것을 알아차렸다는 사실 자체이다. 끝까지 빼앗김이 빼앗김 같지 않을 수 있다면 얼마나 좋으랴! 모르면 약이다. 빼앗김이 언제까지나 빼앗김 아닌 것처럼 보일 수 없다는 말은, 빼앗김은 빼앗김같이 보이지 않았을 동안에도 내내 빼앗김이었다는 말과 같다. 빼앗김은 빼앗김으로 보일 때나 빼앗김으로 보이지 않을 때나, 언제나 빼앗김이었다. …빼앗김은 내내 거기에 있었다.[218)]

『달궁』에서 전쟁으로 인해 고향 지리산 '달궁'에서 내쫓긴 인실이의 삶은, 유신독재와 근대화의 과정을 함께 겪으면서 자기 자신도 모르는 사이에 모든 것들을 빼앗겨 왔던 숱한 사람들의 비극적인 운명을 가리킨다. 좀 더 생각해 보면 역사가 시작될 때부터 "언제나 빼앗김"이 있었던 것인데, 그동안 우리는 자신이 빼앗기고 있다는 사실을 전혀 알아차리지 못했거나 때론 선량하고 친절한 사람들의 동정심에 가려 그 빼앗김의 구조를 제대로 보지 못했을 뿐이다.

거의 모든 것들을 빼앗아간 당시의 사회는, 한 번 들어가면 결코 살아 돌아오지 못하는 '감옥', 오직 죽은 자로서 살다가 시체로만 회수될 수 있는 '수용소'로 묘사된다. 여기에서 과연 '인간적인 것'이란 무엇인가라는 문제에 대한 본격적인 성찰이 이루어진다.

---

218) 서정인, 『달궁 하나』, 민음사, 1987, 61~62면.

"그들은 환자이기 이전에 인간인 거지요. 환자로서의 생존 양식과 일반의 그것을 구별짓기에 지쳐 버린, 그래서 환자로서의 자신의 특수한 처지를 벗어 버리고 보다 깊은 생존의 충동에 따라 인간으로서 섬을 나가고자 한 사람들이 이들이란 말입니다. 한데 그 환자와 환자 아닌 사람들이 실상은 같은 사람들이 아니겠습니까. 말하자면 이 섬에 삶을 의지하고 있는 사람들은 누구나 환자로서의 남다른 처지와 인간으로서의 보편적인 존재 조건들을 두 겹으로 동시에 살아 나가고 있는 셈이지요."[219]

"영문을 들어올 때 죽어 버린 혼은 어떻게 하고요?"

"몸이 건강해지면 혼도 되살아나지 않겠소?"

"그렇지요? 당신의 혼이 되살아날 수 있는 죽음을 당했어요. 그러나 나는 지금 당장 집으로 돌아간다 해도, 영영 폐인이 될 것 같아요. 나는 넋을 잃어버렸어요."[220]

사람과 사람이 아닌 것은 큰 차가 없었다. 조금만 사람이 아니면 아주 사람이 아니었다. 그가 그동안 거기서 실현한 반인간, 반자연은 그 열 칸에 하나, 백 칸에 하나만 가지고도 그를 사람 아닌 것으로 만들기에 충분했다. 사람이 아니기는커녕, 사람이라는 이름조차 부끄러웠다. 그를 사람이라고 부르다니,

---

219) 이청준, 『당신들의 천국』, 앞의 책, 36면.
220) 서정인, 「가위」, 『가위』, 앞의 책, 266면.

그건 사람에 대한 모독이었다. 그가 어떻게 감히 그를 짓밟은 수사관들과 같은 종류의 짐승이냐?[221)]

수용소와 같은 현실에서 '인간'과 '인간 아닌 것'의 구별은 없는 거나 마찬가지다. 환자로서의 삶과 인간이면서도 인간으로 존중받기를 그친 비인간적인 삶이 겹을 이룬 공간, 소록도는 감옥이나 수용소와 다를 바 없는 현실을 지시한다. 환자이기 전에 먼저 인간이었던 환자들은 조백헌 원장이 내건 천국건설의 이념 아래 철저하게 희생당하고, 죽어서는 화장터로밖에 갈 곳이 없는 비극적인 운명을 지닌 사람들이었다. 소록도 한센인들의 삶은 1970년대 유신독재 하에서 배제, 추방, 학살되었던 무수한 사람들이 겪은 고통의 역사나 다를 바 없었다.

수용소에서 사람들은 "그들의 깡통 식기에 떨어지는 밥덩이의 무게에 대한 관심이 그들을 감금하고 있는 체제를 의심해 보는 관심과 결국은 표리 동체라는 사실에 생각이 미치지 못"(「가위」, 260면)할 뿐 아니라, '전체'를 의심할 수 있는 정신적 능력조차 아예 사라지고, 잃어버린 넋을 안은 채 죽음의 시간을 기다릴 수밖에 없는 처지였다. 서정인의 「가위」는 어떻게 '체계'가 인간적인 조건을 박탈하고 결국 파멸에 이르도록 하는지를 분석하면서, 당시의 인간들이 처한 거의 모든 상황이 비합리적인 질서에 의해 인간성을 파괴함으로써 인간과 인간 아닌 것의 경계를 식별할 수 없는

221) 서정인, 「해바라기」, 『붕어』, 세계사, 1994, 24~25면.

죽음의 수용소와 같다는 사실을 보여준다.[222] 감금체계와 같은 현실에서 인간의 모습은 고문실로 끌려갔다 나온 사람의 다음과 같은 말처럼 "조금만 사람이 아니면 아주 사람이 아니었다." 즉 수용소에서의 삶은 무고한 사람 그리고 고문기술자까지를 모두 포함해서 사람이라고 부르는 것이 부끄러울 정도로 이미 인간이 살아갈 수 있는 곳이 아니었다(「해바라기」).

지금까지 읽어 본 소설의 내용에서, "인간이 아니었다"라는 진술이 반복되는 것을 눈여겨볼 필요가 있다. 여기에서 '인간이 아니었다' 라는 말은 소극적인 기질을 가리키는 부끄러움이거나 도덕적인 기준에 비추어 본 수치심을 의미하는 것이 아니라, 인간으로서의 기본적인 요건을 박탈당했을 때 느껴지는 부끄러움, 즉 "인간이라는 사실에 대한 부끄러움"을 의미한다.[223] 그것은 추억으로서의 부끄러움도 아니고, 살아남은 자로서의 부끄러움도 아니며, 인간의 존엄성이 완전히 소멸된 비(非)인간 혹은 반(反)인간의 처지에서 느낄 수 있는 부끄러움이다.

따라서 이들의 소설에서 드러낸 "인간이라는 사실에 대한 부끄러움"은 역사적 폭력 앞에서 인간 존재는 무엇이었으며, 거기에서

---

222) 그곳에서의 삶은 유태인 학살현장에서 생존한 프리모 레비가 증언한 내용과 크게 다르지 않다. "이성적으로는 그 끝을 가늠할 수 없을 정도로 긴, 다른 날과 똑같은 하루가 시작된다. 너무나 춥고 너무나 배고프고 너무나 힘이 들어 그 끝은 우리와 더 멀어진다. 그러므로 회색빛 빵 한 덩이에 우리의 관심과 욕망을 집중시키는 것이 더 낫다. 빵은 작지만 한 시간 후면 틀림없이 우리 것이 된다. 그것을 집어삼키기 전까지 5분 동안 그것은 이곳에서 우리가 합법적으로 소유할 수 있는 모든 것으로 변할 수 있다"(프리모 레비, 이현경 옮김, 『이것이 인간인가』, 돌베개, 2009, 94면).

인간적인 것이란 과연 무엇인지, 무엇이어야 하는지를 묻는 정치적 논점을 담고 있다. 이 부끄러움이 말해 주는 것은 우리가 살아온 역사가(특히 유신독재의 상황이) 전체주의의 논리를 지배이념으로 체계화하여 인간의 정신과 육체를 파괴시키고 '인간'이라는 사실 자체를 부끄럽게 여기도록 강요한 감옥이었으며, 또 유토피아의 건설을 목표로 인간의 본성 자체를 바꾸어 '쓸모없는 존재'로 만들어버리는 수용소였다는 사실이다.

이들의 소설에 의하면 그 '수용소'는 더 이상 과거의 역사적인 유물이 아니다.[224] 감옥, 수용소와 같았던 역사와 사회 현실에 대한 근본적인 해부를 통해 이들이 남긴 과제는 다음과 같다. 즉, 수

---

223) "그것(프리모 레비의 기록)은, 사람들이 우리에게 믿게 하려고 하듯이, 우리 전원이 나치즘에 책임이 있다는 것이 아니라, 우리가 나치즘으로 인해 더럽혀졌다는 것입니다. 수용소의 생환자조차, 살아남기 위해서였긴 하지만, 타협하지 않을 수 없었습니다. 나치 같은 그러한 인간이 있다는 사실에 대한 부끄러움, 그것을 저지할 수 없었다는 것을, 그 수단을 알지 못했다는 부끄러움, 타협해 버린 것에 대한 부끄러움…이러한 인간이라는 사실에 대한 부끄러움을 우리 또한 극히 사소한 상황에서 느끼는 경우가 있습니다. …이것은 철학의 가장 강력한 모티브의 하나이며, 그것이 모든 철학을 정치철학으로 만들어 버리는 것입니다"(들뢰즈와 안토니오 네그리의 대담(1990), 「통제와 생성변화」중에서). 우카이 사토시, 박성관 옮김, 「어떤 감정의 미래 『부끄러움(恥)』의 역사성」, 『흔적』 1호, 문화과학사, 2001, 45~46면 재인용).

224) 아감벤은 "도대체 수용소란 무엇인가? 수용소에서 그런 일들을 가능케 하였던 법적·정치적 구조는 어떤 것이었을까?"라는 질문을 통해서 '수용소'를 과거에 속하는 비정상적인 것이 아니라 어떤 면에서는 우리가 살아가고 있는 정치적 공간의 숨겨진 모형(母型, matrice)이자 노모스(nomos, 그리스 철학에서 법 개념)로 바라본다. 그는 수용소가 어떠한 방식으로 인간존재로서의 권리와 특권들을 위법이 아닌 것처럼 위장하면서 완벽하게 박탈했는지를 살피기 위해 그곳의 법적절차와 권력장치들을 주의깊게 탐구한다. 수용소는 근대성의 구조적 본질을 밝힐 수 있는 공간이다(조르주 아감벤, 박진우 옮김, 「수용소, 근대성의 '노모스'」, 『호모 사케르-주권 권력과 벌거벗은 생명』, 앞의 책, 315~339면).

용소에서의 '인간적인 것이란 무엇인가'를 다시 논점으로 삼을 때 한국적 근대의 본질과 구조를 밝힐 수 있다는 것이다.

## 3. 불[火]의 기억

기억 속의 고향과 아직 결별하지 못한 이들은 귀향을 거듭한다. 이들의 귀향과 함께 회귀하는 증오의 기억들은 무엇에 대한 뚜렷한 분노가 아니라 간결하게 정리되지 않는 분노의 기억들을 두껍게 내장하고 있다. 무엇이 이들을 지속적으로 기억 속으로 회귀하게 만드는가. 그 기억들은 대개 앞서 귀향 이야기에서 조금씩 엿보인 '증오, 원한, 복수'의 감정과 결합되어 있다.

그 '불'의 기억들은 때로 혼령이나 귀신과 같은 비가시적인 형상과 결합하고, 때로는 전설 혹은 소문이 되어 떠돌기도 한다. 소문이 허구가 아니라 진실의 단서를 갖추고 있다는 것은 이청준의 「소문의 벽」(1972)의 소설가 박준에게서 읽을 수 있다. 박준에 관한 소문과 그의 진술공포증은 한국전쟁 당시에 박준이 경험한 그 '전짓불'의 공포에서 비롯된다. 이렇듯, 소문은 "다만 안개처럼 잡히지 않는 꼬리가 셋도 달리고 넷도 달려 꿈틀거릴 뿐"인 것이지만 그것이 완전히 거짓말이라고 부인하는 사람들은 아무도 없는 것이다.[225] 떠도는 소문은 드러나지 않는 역사적 진실의 한 국면

225) 한승원, 『해일: 1부 비나리 갯비나리』, 앞의 책, 12면.

에 닿아 있는 것, 즉 소문은 사실과 무관한 것이 아니라 사실에서 번져 나오는 것이기도 하다.

> 많은 사상자를 낸 5·18로 말미암아 광주 사람들은 육체적 정신적인 상처를 입었지만 치유 받거나 보상받지 못하고 계속 억눌림을 당한 까닭으로 정신적인 울분과 공황 상태에 있었는데, 그런 가운데 그 괴이한 소문이 흘러다닌 것이었다. (…)
>
> 임철우 씨의 소설 속에 있는 문장 하나가 어렴풋이 생각난다.
>
> '눈 부릅뜬 반딧불이가 밤하늘을 혼령처럼 날고 있었다.'
>
> 세상이 흉흉하면 유언비어는 그 문장 속의 반딧불이처럼 세상의 비가시적인 허공을 눈 부릅뜨고 킥킥거리면서 날아다닌다.(한승원의 에세이 「오월의 반딧불이」에서)
>
> 폭력에 의해서 닫혀진 사회에 사는 사람들의 의식 속에 흐르는 불만족과 분노가 알 수 없는 구멍을 찾아 폭발하는 것이 유언비어이다.
>
> (…)
>
> 그것은 진실일 수도 있고 전혀 진실이 아닐 수도 있지만, 사람들은 그 이야기를 떠벌이면서 한풀이를 한다. 그것이 집단무의식이다.[226)]

한승원은 5·18 당시에 떠돌던 소문과 유언비어를 임철우의 소

---

226) 한승원, 『한승원의 소설쓰는 법』, 랜덤하우스, 2009/2010, 48~51면.

설에 등장하는 '반딧불이', '혼령'과 같은 비가시적인 형상과 연결시키고, 그것을 집단 무의식의 표출로 설명한다. 유언비어와 소문은 일종의 닫힌 사회에서 표출되는 "불만족과 분노"가 폭발한 집단적인 "한풀이"다.

그러면, 소문은 왜 오월의 광주에서 그토록 널리 퍼져 나갔던 것일까. 임철우의 「사산하는 여름」(1985)은 "그 수원지 밑바닥에 가라앉아 있었다는 소문 속의 시신들"에 관한 이야기가 나오게 된 이유들을 다양하게 추측한다.

> 그것은 어쩌면 오래 굶주린 자의 맹렬한 허기(虛氣)와도 같은 것이 아닐까 하고 K는 생각한다. 그들 스스로도 미처 깨닫지 못하고 있는 깊은 분노와 증오의 흔적이 그들의 눈빛과 상기된 뺨, 그리고 들뜬 듯한 음성에도 눅진하게 묻어 있음을 K는 보았다. (…)
>
> 그래 모두가 굶주려 있어. 미칠 것만큼. 손톱으로 벽을 타고 기어오르려 몸부림쳐 대는 울 안의 맹수처럼 우리들은 이젠 더 이상 참고 견디기엔 너무나 오래 굶주려 있는 거야. K는 무릎으로 차츰 기어들고 있는 햇볕의 울타리를 물끄러미 내려다보며 혼자 뇌까린다. 어쩌면, 이 도시 전체가 정체를 알 수 없는 거대한 힘에 의해 외부와의 접촉이 오랫동안 철저하고도 완벽하게 차단되어 버리고 만 듯한 답답함, 그리고 그 폐쇄되고 압축된 공간 속에 포위된 채 무엇인가 점점 저마다의 목구멍을 죄어들어오고 있는 듯한 엄청난 절박감에 짓눌려 사람들은 제각기 필사적인 몸짓으로 허둥대고 있는 것은 아닐까. 투명하여

> 보이지는 않으나 분명히 존재하는 두꺼운 유리벽처럼 도시의 출구는 여전히 봉쇄되어 있는 채로, 그 막혀 버린 통로의 안쪽에서 사람들의 언어는 유독한 기포가 되어 수면을 향하고 끊임없이 부글부글 피어오르고 있는 것이었다. 공기를 찾아 수면으로 일제히 떠올라 주둥이를 삐끔거려 대는 물고기처럼 모두들 허기진 배를 움켜쥔 채 미친 듯 무엇인가를 지금 갈망하고 있었다. 그렇다면 무엇일까. 그 어떤 힘이 이 도시 사람들을 한꺼번에 굶주리게 하고, 스스로도 이해할 수 없는 적의와 분노에 가득찬 유독한 언어들과 때로는 허망한 소문들까지도 게걸스럽게 먹어치우도록 만들고 있는 것일까. K는 그런 갖가지 상념들 때문에 머릿속이 온통 뒤죽박죽이 되어 버린 느낌이다.[227]

그러니까, 소설 속의 K가 묻고 있는 것처럼 그 '어떤 힘'이 그해 오월광주에서 뚜렷한 형상이 없이 그 많은 유언비어와 소문들을 퍼뜨리게 했던 것일까. 그것은 "그 무엇인가에 대한 팽팽한 적의와 분노, 그리고 미처 풀리지 못한 서슬 시퍼런 원한과 슬픔의 덩어리가 빚어낸 최소한의 보상 심리 같은 것"이거나 "오래 굶주린 자의 맹렬한 허기(虛氣)와도 같은 것", 그리고 "그들 스스로도 미처 깨닫지 못하고 있는 깊은 분노와 증오의 흔적" 같은 것일지도 모른다.

그것이 사실이냐 아니냐를 가리는 것보다 더 중요한 것은 그때 그 사람들이 왜 "신화를 만들어내는 공통의 작업에 참으로 적극적

227) 임철우, 「사산하는 여름」, 『그리운 남쪽』, 앞의 책, 253~254면.

이고도 진지하게 참여"했는지가 방점을 두고 생각해 볼 부분이다. 외롭게 갇힌 사람들에게 소문과 유언비어는 막힌 울분을 토로할 수 있는 유일한 구멍과도 같은 것, 답답하게 폐쇄된 세계에서 사람들이 찾은 출구와 같은 것이라면 그것은 충분히 표출되지 못했던 적의, 분노, 원한, 슬픔, 허기, 증오, 이 모든 것들이 한꺼번에 터져 나온 결과였을 것이다. 그 '어떤 힘' 이란 '분노' 라는 말로만 정리되지 않는 그 모든 감정들의 응어리일 것이다.

이렇듯 이청준, 한승원, 임철우 소설에서 소문은 종종 죽은 혼령과 등장하는 한편 슬픔, 억울함의 감정들과 접속하면서 망각된 역사 기억의 귀환을 함께 도모한다. 소문은 고향으로 돌아오는 사람들의 이야기에 의해 드러나지 않는 역사의 깊이를 거느린다.

바로 여기에서 광주항쟁의 역사를 사실적으로 기록한 임철우의 『봄날』(1997~1998)이 『붉은 산, 흰 새』(1990)의 한씨 가족을 다시 등장시키고, 1990년 『문학과사회』에 "불의 얼굴"이라는 제목으로 연재(32장까지)한 이유가 짐작된다. 이들이 각각의 입장에서 그날의 '불' 을 경험한 대목은 그날의 뜨거운 분노와 함께 또 어떤 분노의 씨앗들이 남겨지게 되었는지를 들여다볼 수 있는 매개가 된다.

> 내가 어쩌다가 이렇게 총을 들게 되었을까. (…) 민주주의니, 자유니, 정의니 하는 거창한 주제 따위를 생각해 본 적은 별로 없어. 난 다만 이 추한 현실을 용서할 수 없었을 뿐이야. 인간이 인간에게 이렇게까지 할 수는 없다는 것. 사람이 이렇게 개나 돼지처럼 처참하고 비루하게 죽임을 당할 수는 없다는 것. 그래서 나도 모르게, 정말 어쩌다가 보니까 총을 들게 되었

을 뿐이지.(무석)[228)]

적은 정작 다른 곳에 있을 터였다. 병사들을 일순간에 맹목적인 증오와 폭력과 광기의 노리개로 만들어서 동족을 처참하게 살육하도록 만들고 마침내는 형제와 친구끼리 서로 총구를 맞대도록 만들고 있는 자들, 이 추악한 범죄를 처음부터 음모하고, 조종하고, 관리하고 있는 자들. 바로 그들이었다, 적은.(명치)[229)]

불현 듯 그날 밤 광장에서의 횃불 시위의 광경이 눈앞에 떠올랐다. (…) 그 이름 모를 수많은 얼굴들. (…) 그 평화롭고 아름다운 행렬. 수천수만의 목소리를 한데 모아 부르던 노래 (…) 윤상현, 무석형, 칠수, 순임이, 민태, 민호…… 친구들, 선배들, 그리고 이름 모를 수많은 사람들의 얼굴, 얼굴들. 그 하나하나는 저마다 작은 불꽃으로 변해 어느덧 작은 개울을 이루고, 강을 이루고, 마침내 바다를 향해 뜨겁게 굽이쳐 흘러가고 있었다. 명기는 조용히 두 눈을 감았다. 목 안에서 울컥 솟구치는 불덩이 하나를 명기는 아프게 되삼켰다. 뜨거운 눈물이 뺨 위로 흘러내렸다.(명기)[230)]

---

228) 임철우, 『봄날』 5권, 문학과지성사, 1997/2006, 404면.
229) 임철우, 『봄날』 5권, 앞의 책, 178면.
230) 임철우, 『봄날』 5권, 앞의 책, 436면.

원구의 세 아들, 무석, 명치, 명기는 각각 일반 시민, 계엄군, 대학생의 입장에서 광주의 그날을 겪게 되는데, 이들이 한 가족으로 설정된 것은 같은 가족과 이웃을 '적'과 '동지'로 나누어 버린 그 오랜 증오의 기억들이 광주의 현장에서도 동일하게 반복되고 있다는 사실을 상징한다.

세 인물의 시선은 윤상현이 보았던 "부정한 것에 대한, 폭력과 불의한 것들에 대한 분노, 인간에 대한 지순하고도 소박한 사랑—오로지 그것 하나만으로, 저 시민들은 저마다의 가슴에 작고 뜨거운 불씨를 지펴 올리며 바로 이 위대한 '인간의 바다'를 만들어"[231] 내고 있다는 그 "불꽃"의 세계를 감싸면서, 오월 항쟁의 주체들이 겪었던 아픔과 그 학살의 폭력적인 실체가 무엇이었는지를 동시에 증언한다.

"내가 어쩌다가 이렇게 총을 들게 되었을까"라고 묻는 무석의 얼굴에서 우리는 결연한 의지에 찬 저항적 투사가 아니라 다만 인간이 인간을 살해하는 "이 추한 현실을 용서할 수 없었을 뿐"이라는 지극히 평범한, 그러나 지극히 당연한 분노를 읽을 수 있다. 일반 시민들이 그날 총을 들었던 것은 윤리적 자각에 의한 행동이거나 거대한 이념으로 무장한 결과가 아닌, 그 살육의 현장을 견딜 수 없는 생명들의 격렬한 저항적 호소에서였던 것이다. 그곳에서 계엄군 명치가 자신을 "맹목적인 증오와 폭력과 광기의 노리개"로 만든 '적'이 바로 그들이라는 사실을 깨닫고 있는 것처럼 학살의

231) 임철우, 『봄날』 4권, 앞의 책, 31면.

기억은 광주에서 또 다시 반복되고 있었던 것이다.

도청이 함락되기 전, 그곳을 떠난 명기는 살아남은 자로서의 죄책감과 부끄러움으로 괴로워한다. 명기는 '광주' 얘기만 들어도 들끓어 오르는 "형언할 수 없는 분노와 절망, 증오와 슬픔" "뜨거운 분노와 슬픔의 불덩어리"가 온몸에 전해지는 것을 느낀다. 그런 명기는 "수천수만의 서로 다른 개체들이 모여 하나가 되는 기적을, 그 놀라운 일치와 화해의 신화를" 떠올린다. "저마다의 작은 불꽃"이 이룬 뜨거운 오월의 "바다"는 또 "불덩이" 하나를 삼켜야만 하는 "뜨거운 눈물"의 시간이기도 했다.

이 "불덩이"가 의미가 분노인지, 증오인지, 슬픔인지, 사랑인지, 우리는 명확하게 알지 못한다. 시인 김남주가 오월이 다시 오면, "증오의 힘"을 다시 모으자고 했던 것은 아직 끝나지 않은 증오가 반복되고 있는 현실에 대한 저항으로서의 "증오"를 기억하자는 뜻이었을 것이다. 이 모든 것을 잊지 않고 기억한다는 것, 이 "원한과 증오"를 망각하지 않는다는 것, 이것이 바로 폭력이 여기로 되돌아오는 것을 막는 저항적 힘일 것이다.

다시 임철우의 『봄날』의 마지막 부분으로 돌아가 본다. 대학생 명기가 앞으로 "소망과 희망의 노래"를 배워 가리라고 다짐하는 대목이다. "이 추한 세상의 악과 폭력이 오직 절망과 증오만을 가르치려 할지라도, 나는 이제부터 희망을 배워 가리라. 인간과 삶을 향한, 가슴 벅찬 소망과 그리움의 노래를……".[232] 그러면, 그날 이후 명

232) 임철우, 『봄날』 5권, 앞의 책, 437면.

기는 “절망과 증오”가 아닌 “희망”의 “노래”를 배워 가게 되었을까.

> 지금 다시 돌이켜 생각해봐도, 차라리 광기라고밖에는 표현할 수 없는 그 방황의 시간들을 나는 결코 명확하게 설명해낼 도리가 없다.
>
> 어째선지 학교가 싫었고, 선생님도 아이들도 모두가 싫었다. 우리를 버려두고 바다로 떠돌아다니는 아버지도 밉고, 날마다 밤늦도록 재봉틀을 돌리는 어머니의 퀭한 눈자위도, 이른 새벽부터 저녁까지 공장에서 파김치가 되어 돌아오는 은분이 누나의 해쓱한 얼굴도…… 죽은 은매의 그 노루처럼 마알간 눈빛도 나는 싫었다. 모두가 마음에 들지 않았다. 온 세상이 우리를 버렸다는 생각, 아무도 우리를 도와주지 않을 거라는 절망감, 이 세상에서 오직 우리 식구들만 버림받고 있다는 증오심…… 그 때문에 나는 아버지가, 그리고 세상이, 아니 누구보다도 내 자신이 마음에 들지 않았다. 모든 것이 두렵고, 싫고, 미웠다. 할 수만 있다면, 그 무엇인가를 향해 복수해 주고 싶었다. 고작 열세 살짜리 내 영혼은 그렇게 조금씩 병들어 가고 있었다.[233)]

『봄날』 이후에 출간된 『등대』(2002)와 『백년여관』(2004)은 그 질문에 대한 하나의 대답이 된다. 『등대』에서 “온 세상이 우리를 버

---

233) 임철우, 『등대』, 문학과지성사, 2002/2007, 앞의 책, 215면.

렸다는 생각, 아무도 우리를 도와주지 않을 거라는 절망감, 이 세상에서 오직 우리 식구들만 버림받고 있다는 증오심"은 지속된다. 『백년여관』은 역사 속에서 희생된 사람들과 저주의 기억에서 아직 벗어나지 못한 채 고통 받고 있는 사람들의 이야기를 반복한다.

『백년여관』의 배경인 영도(影島)는 "산 사람이 딱 절반, 원통한 귀신들이 딱 절반"인 "중음(中陰)의 영토", "육신은 살아 있으되, 사실은 한이 맺혀 벌써 죽은 지 오랜 사람들이고, 살점이랑 창자는 오래전 썩어 문드러졌으되 원통해서 차마 고향을 떠나지 못하니 아직 살아 있는 사람들"이 살고 있는 섬이다. 제주4·3의 아픔을 겪은 조천댁, 강복수 등과 광주5·18을 겪은 케이, 진우, 순옥 등이 소설의 중심축을 이루는 인물들이다. 백년여관에는 제주4·3 당시에 온 가족을 잃고 영도로 건너온 여관집 주인 강복수, 6·25전쟁 때 보도연맹 학살사건 당시 어머니의 죽음을 경험한 후 기억상실증에 걸린 재미교포 요안, 베트남전에서 민간인을 학살하고 외팔이로 돌아온 문태, 5·18의 상처를 안고 사는 은희와 순옥, 소설가 진우 등이 모여든다.

제주도 조천읍이 고향인 무당 조천댁은 어머니 귀덕녀와 마찬가지로 가족의 원통한 죽음을 당한 후 그 섬에서 더 이상 살아가지 못하고 영도로 건너온다. 무당이 된 복수 또한 1945년부터 1949년까지 스물네 차례의 가족들의 죽음을 치른 후, 지금은 혼령들과 같이 살 수밖에 없게 된 사람이다. 이들은 모두 "까닭 모를 증오와 분노 그리고 절망"을 느끼면서 여전히 그 기억에서 벗어나지 못하고 있다.

"선생님을 그토록 집요하게 사로잡고 있는 것은 바로 엄청난 분노와 슬픔과 증오였어요. (…) 지금껏 가슴속에 불덩이처럼 삼킨 채 간신히, 정말이지 필사적으로 견뎌 내고 있는, 이 비정한 세상을 향한 분노와 슬픔을 대체 이제 와서 또 어쩌라는 건가 하고요……. 그러면서도 한편으로는 선생님에게 달려가 따뜻하게 안아드리고 싶었어요. 그 분노와 슬픔이 무엇인지, 그 고통의 무게가 어떤 것인가를 저 역시 조금은 알고 있으니까요."

"그래. 난 이 세상을, 이 놀라운 망각과 배반을 용서할 수가 없어. 하지만, 사실은 꼭 그것뿐만은 아니야. 동시에 난, 난…… 내 자신을 결코 용서할 수가 없었어."[234]

5·18을 겪은 진우가 그러하듯이, 백년여관에 사는 이들은 모두 "슬픔과 분노와 증오"에 사로잡혀 있고 "이 세상을, 이 놀라운 망각과 배반을 용서할 수가 없"는 사람들이다. 이들은 '백년' 동안 이어진 죽음의 기억에서 아직 벗어나지 못한 바다 밑의 '푸른손'들처럼, 살아 있지만 이미 오래전 죽은 자들이나 다름없다. 이곳에서 조천댁이 마련한 제주굿 '영개울림'은 죽은 자들과 살아 있는 사람들을 위한 제의다. 그러나 소설가 진우는 그 제의에서조차도 자신의 기억을 온전히 망각하지 못한다. 소설의 끝에서 진우는 아직까지 고통스러운 기억에 갇혀 있는 백년여관 사람들의 상처를

234) 임철우, 『백년여관』, 앞의 책, 304~305면.

받아쓰기 시작한다.

그날의 기억들은 지금 우리의 곁으로 되돌아온다. 이름도 없이 사라진 사람들과 살아남은 자들에게서 흘러나온 노래는 인간의 삶을 무참하게 짓밟은 오랜 기억들을 천천히 되풀이한다. 흩날리는 그 잔해들은 쉽게 묻힐 수도 없고 묻혀서도 안 되는 역사의 진실일 것이며, 우리가 앞으로 영원히 부르게 될 분노의 노래일 것이다. 추방된 자들의 귀환은 여기에서 다시 시작된다.

## 4. 귀향 연습

1960년대 이후 한국문학에서 '고향과 도시'가 주요한 테제로 등장한 것은 주의 깊게 보아야 할 현상이다. 어떤 장소가 제대로 보이기 시작하는 순간은 그곳에 살고 있을 때보다 그곳을 떠난 후 그곳을 바라봤을 때다. 그래서 고향으로부터 분리된 경험은 단지 슬픔이나 상실의 감정을 주는 것이 아니라 고향을 새롭게 발견하는 계기가 된다. 기억 속의 고향과 현재의 고향, 예전에 살던 고향과 다시 찾은 고향 사이에서 생겨난 그 감성의 '차이'가 우리가 읽어야 할 중요한 부분일 것이다.

김승옥은 고향 이야기를 쓰기 시작하면서, "나는 왜 서울에서 실패하면 꼭 고향을 찾는가"를 설명하기 위해 「무진기행」(1964)을 썼다고 한다. 그의 말에서 서울과 고향이라는 공간은 금기와 욕망, 억압과 저항, 현실과 유토피아의 대립으로 바꾸어 읽어도 무방하다. 도시에서 실패한 자들이 고향을 찾는 여정에는 개인의 욕망을 금기하고 억압하는 사회 현실에 대한 저항과, 지금 여기가 아닌 유토피아를 향한 갈망이 동시에 자리해 있다. 그러면 그들은 '고향'으로 돌아갈 수 있었을까.

> 고향도 어두우리라. 사람이 미워졌고 더구나 사람을 미워하는 방법을 배워 버린 내가 어두운 고향에서 또 어떠한 광태(狂態) 속에 휩쓸려 버릴는지, 나는 벌써부터 울고 싶었다. 그러나 울고 싶은 만큼의 반작용이 없는 것도 아니라고 장담할 수도 있긴 했다. 해내는 거다.[235)]

> 별들을 보고 있으면 나는 나와 어느 별과 그리고 그 별과 다른 별들 사이의 안타까운 거리가, 과학책에서 배운 바로써가 아니라, 마치 나의 눈이 점점 정확해져 가고 있는 듯이 나의 시력에 뚜렷이 보여 오는 것이었다. 나는 그 도달할 길 없는 거리를 보는 데 홀려서 멍하니 서 있다가 그 순간 속에서 그대로 가슴이 터져 버리는 것 같았었다. 왜 그렇게 못 견디어 했을까. 별이 무수히 반짝이는 밤하늘을 보고 있던 옛날 나는 왜 그렇게 분해서 못 견디어 했을까.[236)]

도시에서 사람을 미워하는 법을 배워 버린 그들은 돌아갈 고향

---

235) 김승옥, 「환상수첩」, 『환상수첩』, 앞의 책, 36면.
236) 김승옥, 「무진기행」, 『무진기행』, 앞의 책, 140면.

도 도시와 마찬가지로 어두운 곳이라는 것을 알고 있었다. 고향 무진에서, 윤희중이 '나'와 별, 그 별과 다른 별들 사이의 '도달할 길 없는 거리'를 바라보면서 '왜 그렇게 분해서 못 견디어 했을까.' 라고 스스로 묻고 있는 것은 바로 그 때문이다. 서울에서 실패한 후 찾아간 고향이 마음 속의 분함을 달래 줄 수 있는 그런 유토피아적 공간과 거리가 먼 곳이었기 때문이다.

서울도 고향도 선택할 수 없는 이 답답한 세계를 누군가에게 증명할 수 있는 방법은 김승옥에게는 '극기', '환멸', '위악' 아니면 '자살' 뿐이었다. 그 어느 곳도 선택할 수 없는 자들의 절망감을 김승옥은 이렇게 표현한다. "이 시대가 답답하여 견딜 수 없는 모든 사람을 대신하여 나는 죽으려 한다"(「60년대식」(1968)).

대체 이들은 도시에서 어떤 일을 겪었던 것일까. 도시에서 어떤 무엇을 지닌 채 돌아오고 있는 것일까. 이전의 고향으로 돌아온다는 것은 정말 가능한 일인가.

> 다행히 누이는 돌아왔다. 그러나 옷에 먼지를 묻혀오듯이 도시가 주었던 상처와 상처의 씨앗을 가지고 돌아왔다. 무수히 조각난 시간과 공간, 무수히 토막난 언어와 몸짓이 누이의 기억을 이루고 있으리라는 건 알 수 있었다.[237)]

> 천재는 간 곳이 없고, 비굴하고 피곤하고, 오만한 낙오자가

237) 김승옥, 「누이를 이해하기 위하여」, 『무진기행』, 앞의 책, 130면.

남는다. (…) 적중하건 안 하건 간에 그는 그가 처음 출발할 때에 도달하게 되리라고 생각했던 곳으로부터 사뭇 멀리 떨어져 있는 곳에 와 있음을 깨닫는다. 아, 되찾을 수 없는 것의 상실임이여![238]

무엇보다 내 모든 질병과 증세들은 그 고향을 떠나가 얻은 것들이었다. 실없는 소리가 될지 모르지만, 정 선생과 훈이 녀석이 고향을 가질 수 없는 곳에 태어나 그들의 도시에서 병을 얻은 사람들이라면, 나는 고향을 가지고 태어나 도시로 가서 그 도시에서 고향을 잃어가며 병을 얻은 사람이었다. 그것은 물론 고향을 가지고 태어나 그 고향에서만 살면서 고향을 잊어버렸기 때문에 그 나름의 병을 얻고 만 기태의 경우와는 또 다른 것이었다. 그리고 나는 실제로 나의 증세들을 그 고향과 관련해 생각한 일이 많은 것도 사실이었다. 고향으로 돌아가면, 그리고 언젠가 잊어버린 고향을 내게서 다시 찾아내고 나면 나는 고향을 잃음으로 하여 얻게 된 내 모든 증세들을 씻어 낼 수 있지 않을까, 공상을 한 일이 많았다.[239]

귀향은 도시가 더 이상 살만한 곳이 아니라는 뚜렷한 확인에서 시작된다. 하지만 돌아온 고향 역시 도시와 마찬가지로 이미 황폐

238) 서정인, 「강」, 『벌판』, 앞의 책, 76면.
239) 이청준, 「귀향 연습」, 『눈길』, 앞의 책, 181면.

화 된 곳이라는 사실을 발견한다. 고향을 떠난 후 도시에서 얻은 병증들인 상처, 상실, 낙오, 절망, 증오, 광기, 복수 등은 고향으로 돌아온 후에도 치유될 수 없다.

고향은 여전히 과거의 역사가 남겨 놓은 고통을 여전히 앓고 있기 때문이다. 돌아온 고향은 예전에 살던 고향과 똑같은 곳이 아니고, 도시에서 실패한 삶을 위로받을 수 있는 곳도 아니다. 그래서 고향에서 쫓겨난 그들에게 고향이란 떠나야만 하고 떠날 수밖에 없는 곳이다. 이들의 귀향은 단지 연습에 그친다. 결국 고향과 도시, 그 어디에도 머물지 못한 상태로 떠도는 유민(流民)들은 낯선 이방인의 형상으로 도시와 고향을 "얼마 전의 타오르는 분노가 아니라 차디찬 분노"와 "차가운 미소"(서정인, 「물결이 높던 날」(1963))로 바라보면서 '귀향 연습'을 지속한다(이청준, 「귀향 연습」(1972)).

고향, 사회, 국가에서 추방당한 자들의 슬픔과 분노는 60년대 이후 한국소설에서 기나긴 '귀환'의 형식을 이룬다. 국가폭력과 개발근대화에 의해 고향을 떠나야만 했던 사람들은 고향과 도시 사이에서 '떠남과 되돌아옴'을 반복한다. 그것은 '현실과 유토피아'의 간극을 질문하는 바탕이 된다. 귀향이 연습이 될 수밖에 없는 것은 고향이 여전히 고통의 기억을 앓고 있는 곳이기 때문이다. 전쟁과 분단, 개발근대화에 의해 고향은 더 이상 아름다운 유토피아의 세계가 아니다. 이들에게 귀향은 그래서 처음부터 실패할 수밖에 없는 것이며 고향은 다시 떠날 수밖에 없는 유랑의 시작점인 것이다.

이들의 귀향은 단지 고향으로 되돌아오는 것이 아니라 저 먼 역사 기억 속으로 더 깊게 들어가는 과정이 된다. 귀환의 여정은 고향도, 사회도, 국가도 우리의 "진정한 천국"이 아니라는 사실을 드러낸다. 아직 용서와 화해를 할 수 없는 이들은 '증오와 복수'로 가득 차 고향으로 돌아온다. 역사 속의 그날들은 증오와 복수, 원한과 저주의 씨앗이 되어 회귀하고 그날의 아픔은 울음도 웃음도 아닌 '노래'가 되어 떠돈다.

하지만, 다르게 보면 이 귀향하지 못하는(하지 않는) 자들은 고향에로의 완전한 회귀를 거부하면서 그 어느 곳에도 소속되지 않으려는 유민들, 즉 그들은 사회체제가 마련해 놓은 유토피아적 기획에 저항하면서 스스로 "국경 사이의 변방에 머무는 림보(limbo)들"[240]에 가까워진다. 도시와 고향 사이를 반복적으로 유랑하는 이들에게, 그 '사이(entre)'는 어디로 향하게 될지 예측할 수 없는 곳, 다시 말해 "정의되지 않은 방향 전환의 거처"(Jacques Derrida)[241]로 보이는 것은 그 때문이다. 이 점에서 1960년대 이후 한국소설에서 반복되는 '귀향'은 일반적인 의미로서의 귀향을 넘어선 것, 즉 역사와 사회 전체를 성찰하는 작업에 견줄 수 있다.

## 5. 고향을 왜 쓰는가

작가들에게 고향은 단지 나고 자란 곳만을 의미하지 않는다. 고향은 문학적 사유와 글쓰기를 전개하는 동력으로 자리한다. 또 저

240) 세일라 벤하비브, 이상훈 옮김, 『타자의 권리』, 철학과 현실사, 2008, 81면.
241) 니콜 라피에르, 이세진 옮김, 『다른 곳을 사유하자–정주하지 않는 지식인의 삶과 사유』, 푸른숲, 2007, 49면.

마다 다른 경험과 기억이 새겨진 고향은 어떤 관점과 태도로 읽고 쓰는가에 따라 그 의미가 달라진다. 고향을 떠난 후 다시 돌아오는 귀향의 여정에서 고향은 본래의 고향과 다른 형상과 느낌을 지닌 곳으로 재현된다. 따라서 작가들이 고향을 왜 쓰는지를 살피기 위해서는 귀향 속의 고향을 아울러 읽어야 한다.

미리 말해 서정인, 한승원, 이청준, 임철우 소설에서 고향은 낭만적인 향수를 일으키는 공간이 아니다. 고향은 저주와 복수의 기억을 환기시키는 자리인 한편 자유, 용서, 사랑의 씨앗을 내장한 양가적 의미의 장소로 등장한다. 고향에 대한 양가적 애착은 간단하게 나눌 수 없을 만큼 매우 중층적으로 얽혀 있다. 고향을 향한 사랑과 증오의 감정은 상호 침투하면서 고향을 끝없는 반성과 성찰의 대상으로 만든다. 애증이 교차하는 고향은 다양한 문제의식을 파생하는 여백이 된다.

이 같은 점을 새기면서 소설 속의 고향 이야기를 읽을 때 귀향이 거느리는 폭넓은 의미망을 드러낼 수 있다. 아울러 이를 통해 작가들은 고향을 왜 쓰는 것인지 그리고 그 고향 쓰기가 어떤 전략과 효과를 동반하는 작업인지에 대해서도 살필 수 있을 것이다.

그러면 작가들이 고향을 다시 읽고 쓰는 작업에서 우리는 무엇을 어떻게 읽을 것인가. 이에 관해 서정인의 고향 소설을 분석한 김현의 논의가 주목된다. 김현은 남도 사람들의 일상을 재현하는 서정인의 시각이, 토속적인 의미와 다른 지방적 성격을 보여주고 있다고 하면서 이를 다음과 같이 해석한 바 있다.

> 그(서정인)의 남도 사람들의 행위는 그러나 토속적이라는

의미와는 다른 의미에서 지방적이다. 그 지방적이라는 어사 속에는 전근대적인 여러 풍습·도덕관념과 근대적인, 소비 사회적인 그것 사이의 갈등이 전자에 역점이 주어져 드러나 있다는 뜻이 담겨 있다.

그의 지방적인 특성을 지닌 소설들이 보편성을 띠고 있는 것은 한국 사회의 기본적인 갈등이 그것들을 움직이는 내재적 원리로 작용하고 있기 때문이다.

이 갈등을 숨어 있는 원리로 작동시키고 있는 것이 그의 문체이다. 그는 소설 속에서 남도 사람들의 의식 속으로 교묘하게 스며들어가 그들이 보고 느끼는 것을 가능하면 그대로 재현시키려고 애를 쓴다. 가능하면 그대로 재현시키려 한다라고 나는 썼는데, 왜냐하면 그것은 절대로 불가능한 일이기 때문이다. 남도 사람들의 의식을 그대로 재현시키려면 그들의 의식과 작가의 의식이 완전히 일치가 되어야 하겠는데, 그것이 거의 가능해진 순간에, 작가의 의식은 그것을 소설화해야 한다는 의심의 침해를 받는다. 그것이 타인의 행위를 그대로 재현할 수 없다는 이유이다. 그러나 그는 그 한계에까지 가까이 가려 한다. 그가 남도 사람들에 대한 자신의 애정이나 증오를 가능한 한 숨기고 있는 것도 그것 때문이다. 그 숨김 때문에 남도 사람들의 애정과 증오가 거의 그대로 표출되는 것이다. 작가가 자신을 숨기니까 타인들은 자신을 숨길 수 없게 된다. 그것이 그의 문체의 비밀이다.[242)]

즉 서정인 소설 속의 지방적 성격은 한국사회의 갈등을 내재적 원리로 하고 있어서, 그것은 곧 보편성을 띠게 된다는 것이다. 또 김현은 서정인의 소설들이 남도 사람들의 삶과 의식을 있는 그대로 보여주고 있다기보다는 그것을 그대로 재현할 수 없다는 인식의 한계 지점에 이르러 쓴 것이며, 남도 사람들의 애정과 증오를 숨김으로써 오히려 그대로 표출되고 있다고 분석한다. 따라서 그의 문체가 지닌 비밀은 소설 언어가 남도사람들의 삶과 의식을 사실 그대로 그려낼 수 없다는 한계에까지 가까이 가려 시도한 데에서 발견할 수 있는 것이다.

서정인 소설에서 "전근대적인 여러 풍습·도덕관념과 근대적인, 소비 사회적인 그것 사이의 갈등"을 보지 않는다면, 또 "남도 사람들의 슬픔과 아픔, 기대와 희망, 사랑과 증오를 읽어 낼 수 없다면" 그 깊이에 닿기 어렵다고 김현은 말한다. 이 대립적 갈등 구조와 양가적 감정을 기저로 한 서정인 소설은 "현대 문명의 세례를 흠뻑 받은 문체가 유교적 이데올로기가 만든 세태를 능청스럽게 표현"하고 "현대적인 문체로 과거의 것을 싸안음으로써 한국인의 삶에 대한 애정까지를 아울러 표시"[243)]하고 있는 점을 주목한 것이다.

앞서 말한 것처럼 서정인 소설 속의 고향 이야기에서 우리가 관심을 기울여야 할 것은 작가가 어떤 시각과 문체로 남도 사람들의 의식과 경험을 그려 내고 있는지, 즉 그의 고향 쓰기의 방법과

---

242) 김현, 「작가 의식의 성장」, 『우리 시대의 문학/두꺼운 삶과 얇은 삶』, 문학과지성사, 2006, 115~116면.
243) 김현, 「지적 문체의 문제점」, 『우리 시대의 문학/두꺼운 삶과 얇은 삶』, 앞의 책, 113~114면.

전략을 헤아리는 일이다. 그리하여 서정인 소설 속의 고향이 구어체와 문어체, 사투리와 표준어, 전근대와 근대의 갈등을 드러내는 매개 공간이며 그런 고향을 읽고 쓰는 작업은 곧 지역 언어를 동일화시키는 표준어의 폭력성과 부조리한 근대화로 인한 무질서하고 타락한 세계를 전면적으로 점검하는 과정이었음을 확인할 수 있게 된다.

그런 한편 이청준은 시골(고향)과 도시, 서로 상반된 삶의 양식을 문학적 문제의식을 제기하는 준거점으로 삼는다. 요컨대 시골과 도시는 이청준의 소설세계를 관통하는 두 가지 심층 원리라 할 수 있다.

> 시골의 삶은 도회의 삶에 비해 보다 자연적이고 감성적, 정의적이며, 개인적, 정적, 자족적, 근원적 생존 질서의 측면이 승해 보이는가 하면, 도회적 삶은 시골의 삶에 비해 보다 인위적, 이성적, 합리적, 공리적이며, 사회적, 동적, 의존적, 현상적 제도의 측면이 앞서 보이는 편이다. 농촌이나 시골살이에선 우리가 어떤 사물을 접할 때 거의 정보가 없이 그저 부딪침이나 마주침에서부터 시작된다. 그리고 그것과의 화해나 친화 혹은 융화나 귀의, 귀일을 지향한다. (…) 그리고 그런 점에서 일종의 끝없는 입사, 통과의례과정에 흡사한 면이 있는 시골살이는 일원적, 근원적 가치관의 세계에 가깝고, 순 인문적 상상력의 세계와 밀접하며, 삶의 자유를 무엇보다 귀한 덕목으로 여기는 자유주의적 경향이 짙다. 그에 비해 도회살이는 모든 사물과의 만남이 그에 대한 기존 정보지식의 전수와 학습을 통해 습득하

고 소유해 가는 과정을 거친다. (…) 그래서 도회살이에는 그 구성원 간에 균형이 잡히지 않은 일방적 정보지식과 과도한 소유욕에 의한 부당한 힘(폭력)이 형성되기 쉬운 탓에 사람들의 관계를 상호 조화롭게 조절해 나갈 현실적 질서가 필수적이다. 또한 그런 점에서 도회해 나갈 현실적 질서가 필수적이다. 또한 그런 점에서 도회살이는 이원적, 현실적 가치의 세계에 가깝고, 사회적 상상력의 세계와 밀접하며, 우리 삶의 공명성을 무엇보다 없지 못할 덕목으로 지켜 나가려는 노력과 평등지향성이 강한 삶의 길이다.[244)]

이청준은 시골과 도시를 각각 "자연적이고 감성적, 정의적이며, 개인적, 정적, 자족적, 근원적 생존 질서의 측면"과 "인위적, 이성적, 합리적, 공리적이며, 사회적, 동적, 의존적, 현상적 제도의 측면"으로 대비시킨다. 시골과 도시의 차이는 그의 소설에서 존재적 언어/관계적 언어, 감성적 고백어/공리적 설명어, 진실/소문, 개인/사회, 자유/평등, 예술/생활 등 언어, 사회, 가치, 세계를 인식하는 기준으로 변주된다.

그러나 이 이항 대립 구도는 이청준의 소설에서 불변하는 양면적 실체가 아니라 부단하게 상호 침투하는 대립쌍으로 작동한다. 이 대립쌍은 어느 한쪽의 질서가 다른 한쪽을 지배하는 폭력적인 서열 구도에 갇히지 않는 대리보충적 관계를 형성한다. 이청준 소

---

244) 이청준, 「나는 왜, 어떻게 소설을 써 왔나」, 『오마니』, 문학과의식, 1999, 192~194면.

설의 변모는 바로 시골과 도시의 이원적 대립 관계를 탐문하면서 그 대립적 틀을 넘어설 수 있는 대안을 모색하는 과정과 함께 이루어진다.

그렇게 볼 때 이청준 소설의 행로는 한과 복수에서 용서와 화해로 변증되는 과정, 달리 말해 스스로 타인이 되어 타인 속으로 흘러들어가는 "용서"의 정신을 찾아가는 과정으로 요약된다.[245] 고향을 용서하고 그것과 화해함으로써 고향으로 돌아가고자 하는 귀향에의 몸부림의 여정, 화해의 테마가 귀향의 모티프에 담겨서 여러 양식으로 제시된 이청준의 소설은 "이 시대와의 화해는 어떤 형식으로 이루어져야 하는가?"를 묻고 있는 것이다.[246]

이처럼 이들의 귀향소설에서 고향은 남도사람들의 삶에 뿌리박힌 상처와 흔적을 점검하고, 현실 세계의 조건과 가치를 진단하는 장소로서 그 의미가 있다. 즉 고향은 그 자체로 존재하는 직접성의 공간이 아니라 다양한 문제들을 제기하는 매개성의 공간이다. 새로운 사유를 촉발하는 여백의 장소가 바로 고향인 것이다.

작가들이 고향을 다시 쓰는 것은 도시와 고향, 이 둘 사이에서 어느 한 곳을 선택하기 위한 일이 아니다. 고향의 기억과 흔적을 읽고 쓰는 작업은 지역의 구체적인 실상을 확인하는 것을 바탕으

---

245) 김병익, 「말의 탐구, 화해에의 변증」, 『이청준 깊이 읽기』, 문학과지성사, 1999, 234~245면; 정과리, 「용서, 그 타인됨의 세계」, 『이청준 깊이 읽기』, 문학과지성사, 1999, 256~285면.

246) 김치수, 「이청준 문학의 화해와 사랑」, 『본질과 현상』 14집, 겨울호, 본질과 현상사, 2008; 정명환, 「이청준과 화해의 윤리: 『그곳을 다시 잊어야 했다』를 중심으로」, 『본질과 현상』 14집, 겨울호, 본질과 현상사, 2008.

로 지나간 역사 흔적과 동시대 현실에 대한 치밀한 진단이었음을 기억해 둘 필요가 있다. 이들의 귀향이 설령 실패했다 하더라도, 귀향 그 자체가 고향과 도시를 포함한 이 세계를 어떻게 분석하고 해석했는지를 자세히 밝혀 읽는 일이 관건이다.

이 글에서는 이들의 고향 쓰기가 특히 고향에 대한 양가적 애착, 즉 애증의 감정에 내포된 대립과 모순의 원리를 밑바탕으로 하여 전개된 지속적인 '운동'이었다는 점에 주목하고자 한다. 이 운동의 궤적을 깊이 읽을 때 고향에 대한 작가들의 감성적 차이를 변별력 있게 가늠할 수 있고 이들이 왜 고향을 쓰는가에 대한 나름의 응답에 이를 수 있을 것이다.

## 6. 네 개의 고향

### 1) 무질서와 타락: 돈

서정인 소설에서 고향은 도시와 별반 다를 바 없이 타락하고 무질서한 곳으로 묘사된다.[247] 이는 서정인 소설의 고향이 개인적 경험과 기억이 담긴 특정한 장소가 아니라 한국사회 전체의 문제

247) 김현, 「세계 인식의 변모와 그 의미」, 『강』, 문학과지성사, 1976/1996, 305~308면; 우찬제, 「대화적 상상력과 광기의 풍속화」, 『세계의 문학』 겨울호, 민음사, 1988; 정호웅, 「타락한 세계에 대한 비평적 진단-서정인의 『달궁』 『봄꽃 가을열매』론」, 『작가세계』 6권 2호, 세계사, 1994, 78~91면.

를 조망하는 위치로 확장되고 있음을 뜻한다. 우리는 다음에 인용한 「귀향」(1979)의 한 대목에서 서정인이 고향이라는 공간을 통해 어떤 물음들을 던지고 있는지를 구체적으로 읽을 수 있다.

> "그렇지만, 그렇지만, 하지 마세요. 가랑이가 찢어져도 좋으니, 한번 따라가는 시늉이라도 해 봤으면 좋겠어요. 가난한 척하는 것에는 이빨 사이에서 신물이 나요. 가난한 우리 아버지는 가난한 척, 숨도 크게 못 쉬고 살아가 죽어 갔어요. 부자가 부자 행세하는 것도 지겹고 더럽지만, 가난한 사람이 가난한 행세하는 것이 더 지겹고 구역질나요. 돌남이는 형사가 잡아갔죠? 형사가 잡아가면 다 죄가 있어요? 그리고 형사가 안 잡아가면 다 죄가 없어요?"[248]

가난과 부(富)를 결정짓는 돈, 그리고 죄와 벌 등에 관한 사항은 고향이나 도시나 할 것 없이 주요한 문제가 되었다. 그러나 그러한 문제는 돈과 죄의 있고 없음에 따라 간단하게 생각할 수 있는 것이 아니다. 부자가 부자 행세를 하는 것도, 가난한 사람이 가난한 행세를 하는 것도 지겹기는 마찬가지다. 또, 누가 죄인을 결정하는가. 죄를 결정하는 기준은 형사에게 있는가, 법에 있는가. 형사가 잡아가면 죄인이고 그렇지 않으면 죄인이 아니라는 말인가. 대체 무엇이 죄와 죄가 아닌 것을 판별하는가.

---

248) 서정인, 「귀향」, 『해바라기』, 청아출판사, 1992, 229면.

이런 물음 안에는 다음과 같이 진단이 들어 있다. 진짜 가난한 사람들은 오히려 자신들의 가난한 처지를 쉽게 말하지 못한다. 부유한 사람이 돈이 없는 가난한 사람의 행세를 할 때도 많다. 그 반대의 경우도 마찬가지다. 죄를 가르는 기준 또한 실제로 죄가 있음과 없음에 있는 것이 아니라 법과 제도의 질서가 일방적으로 죄인을 선언하기도 한다. 돈, 법, 제도를 움켜쥔 자들이 죄인을 판별하는 권한을 지닌 것이다.

이렇듯 서정인 소설은 고향의 평범한 사람들의 이야기를 쓰고 있는  것 같지만 거기에서 제기하는 물음들은 매우 비판적이다. 그의 소설에서 탐구되고 있는 '돈' 은, 그 돈이 누구에 의해 어디에서 어떻게 쓰이느냐에 따라 돈의 용법과 의미가 달라질 수 있으며 돈의 질서 위에 세워진 자본주의가 평범한 사람들의 삶을 얼마나 노예 상태로 만들 수 있는지를 보여주는 데까지 이른다.

"돈이 다른데 어떻게 뿌리냐? 고깃배 타고 나가서 번 돈하고 여자 가슴에 찔러 주는 돈이 어떻게 같으니? 물치 사람이 물치 돈 여기 가져와서 술판에 뿌려도 안 되지만, 여기 술판에 떨어지는 돈이 물치 갯가에 뿌려져도 안 돼. 물치 돈 여기서 뿌리면 뿌리는 사람 망하고 버는 사람 더러워지지만, 여깃돈 물치에 뿌리면 물치 사람들만 더러워져. 뿌리는 사람이 더 더러운데두. 왜 물치 사람들은 물치 돈만 가지고 살 수가 없니? 못 살아도 물치 돈만 가지고 살아야 되고, 잘 살아도 물치 돈으로 잘 살아야 돼. 다른 돈 섞어 쓰면, 주는 사람 받는 사람이 다 해로워."[249)]

도시와 시골에서 같은 돈이 통용된다고 해도 그 돈은 절대로 똑같은 성질의 것이 아니다. 도시의 술집에서 쓰는 돈은 시골 사람들이 쓰는 돈과 이름만 같지, 그 성질에 있어서는 완전히 다른 것이다. 즉 "같은 돈이 아예 다르다"고 할 수 있다. 시골과 도시의 사람들이 생각하는 돈의 개념과 쓰임새가 같지 않다면 그들이 처해 있는 상황에 대해서도 똑같은 방식으로 접근할 수 없다. 돈이 지배하는 사회구조 자체가 없어지지 않는 한, 시골과 도시의 불균등한 현실을 극복할 여지는 마련될 수 없다.

「벌판」(1973), 「겨울 나그네」(1976), 「여인숙」(1976), 「행려」(1976), 과 「뒷개」(1977) 등에서 사람들이 고향을 떠난 후 떠돌아다닐 수밖에 없는 이유는 바로 그 돈 때문이다. 물치를 떠나 서울로 돈을 벌러 갔다가 고생만 하다 죽은 언니(「물치」(1978))나 고향에 도착하자마자 경찰에게 연행되는 돌남이(「귀향」(1979))처럼 아무것도 가진 것이 없는 사람들에겐 도시나 고향, 그 어느 곳도 머무를 수 없는 곳이다. 그들은 어디서나 상처받을 수 있고, 항상 실패할 수밖에 없는 사람들이다.

돈과 권력이 지배하는 상황에서 개인의 어떤 선택이나 의지는 애초부터 없는 거나 마찬가지다. 『달궁』의 인실이의 삶은 그 대표적인 사례다. 그녀는 6·25 전쟁 이후 미아가 되어 고달픈 시간을 살아간다. 어느 싸전 주인집에 의해 거두어져서 자란 그녀는 고향을 찾아가는 길에, 기도원에 강제 수용되기도 하고 공장 전무에게

249) 서정인, 「물치」, 『벌판』, 앞의 책, 380면.

추행을 당해 공장에서 쫓겨나는 등 험난한 인생살이를 겪는다.

인실이가 끝내 고향으로 돌아가지 못한 채 여기저기를 떠돌다가 죽음을 맞이할 수밖에 없는 것은 그녀의 의지나 결정에 의해서가 아니라 순전히 돈의 힘에 이끌렸기 때문이다. 그러나 내내 빼앗긴 삶을 살아온 인실에게 연민을 느끼는 것은 옳지 않다. 또 그런 인실이의 삶을 부도덕하다고 말할 수도 없다. 그 여자의 삶이 그래 보이는 건 세상이 그만큼 더러워졌다는 말이다. 세상이 그들보다 더 타락했기 때문이다.

이처럼 서정인은 고향과 도시에 편재한 자본주의의 현실을 '돈'의 문제에 집중해서 구체적으로 진단한다. 서정인 소설의 자본론은 이 세계가 무질서와 혼란으로 가득 찬 타락한 세계라는 사실을 드러내며 돈과 권력에 의해 휘둘린 평범한 사람들의 피폐한 삶과 박탈감을 전면화한다.

작가 서정인에게 고향이란 어떤 곳일까. 그는 이렇게 답한다.

> 우리나라 말에 내가 좋아하는 말 중 하나가 '도처유청산(到處有靑山)'이라는 것이 있습니다. 가는 곳마다 청산이 있어요. 고향이 따로 있나 정들면 고향이지, 뭐 그런 말입니다. 내가 그 말 좋아합니다. 정들면 고향이에요. 그런데 그런 말이 있다는 것 자체가 고향이라는 것은 네가 벗어날 수 없는 굴레다. 네 운명이다. 그런 것을 암묵리에 전제 하니까 그런 말이 나오지요. 고향 따질 것이 뭐 있냐, 도처유청산인데. 그 말은 고향을 못 잊는다는 거지요. 무슨 새는 고향을 향해서 죽는다고 그러잖아요?

> (…) 마지막 단편의 제목이 「빗점」입니다. 그게 빨치산 비슷한 그런 이야기인데, 거기에 고향에 대한 이야기가 나옵니다. 두 사람들이 이야기 하면서. '고향이 뭐냐?' 그러니까 하나는 '벗어날 수 있다. 내 운명을 내가 개척하는 거 아니냐?' 고 하고, 또 하나는 '네가 어떻게 벗어나냐?' 고 합니다.[250)]

어디에도 고향이 있다는 말은 어디에도 고향이 없다는 말과 같다. 정들면 고향, 도처가 고향이라는 말은 누구나 고향에서 벗어나기가 그만큼 어렵다는 뜻이다. 고향을 잊어본 적이 없다는 것은 곧 고향을 벗어나고 싶다는 갈망의 다른 표현이다. 이처럼 서정인에게 고향은 결코 벗어날 수 없는 멍에, 이중속박의 상태에 갇힌 운명의 장소다. 서정인의 고향 쓰기는 이 이중속박의 상황, 즉 무질서와 타락의 세계에 대한 비판적 진단과 거기에서 영영 벗어날 수 없으리라는 묵시론적 성찰을 동시에 드러낸다.

### 2) 유민의 뿌리: 불덩이와 바다

한승원의 귀향소설은 고향 사람들이 앓고 있는 아픔의 흔적을 찾아가는 이야기, 즉 유민(流民)의 뿌리 찾기가 핵심 모티프라 할 수 있다. 연작 『신화』(1973~1975), 『한』(1974~1975), 『안개바다』

---

250) 서정인/한순미 대담, 「남도의 흙과 빛으로 빚어낸 말과 글」, 『호남 이야기: 원로 명사에게 듣는』, 앞의 책, 333~334면.

(1976~1979), 중편 「폐촌」(1976)을 비롯하여 연작 『불의 딸』(1983), 장편 『포구』(1984)와 『해일』(1~3, 1991) 등 일련의 작품들에서 고향은 고통스러운 기억을 앓고 있다.

연작 『불의 딸』(1983)은 아버지와 어머니의 흔적을 찾아 삼십년 만에 고향으로 돌아오는 '나'의 여행 기록이다. '나'가 자신의 근원을 찾아 고향으로 돌아오게 된 이유는 어린 시절에 보았던 "불덩이"가 무엇인지를 확인하기 위해서다.

> 어머니는 늘 울긋불긋한 꽃송이들과 타오르는 불길 속에서 살았었다. 불을 향해 달려들곤 하는 불나비처럼 살다가 간 어머니의 시간이 궁금했다. (…) 그 어머니의 시간과 만나고 싶었다. 어머니가 나고 자란 땅의 산과 내와 하늘과 만나고 그 땅의 이슬과 바람과 안개에 젖어 보고 싶었다.[251]

그 불덩이의 실체를 찾아 확인하는 일은 곧 '나'는 누구인가를 해명하고, 아버지와 어머니가 겪었던 오랜 역사의 흔적을 드러내는 과정과 동일하게 전개된다. 의붓아버지 대장장이 돌쇠가 들려준 이야기에 의하면 아버지와 어머니의 비참한 죽음은 일제강점기의 상황으로 거슬러 올라간다. 당시에 무당이면서 독립운동을 하던 아버지가, 서낭당과 무당집을 부수고 그 자리에 신사를 짓고 다닌 일본인들에 저항하면서 죽었다는 사실을 알게 된다. 이 대목은

---

251) 한승원, 「불의 딸」, 『불의 딸』, 문학과지성사, 1983/1996, 148면.

아버지의 무당일이 실상 독립운동과 무관하지 않았다는 점을 흥미롭게 암시한다. 그 오랜 '불'의 실체를 알게 되면서 '나'는 무당의 길, 즉 '불의 문(門)'으로 들어간다.

> 숲의 정령들이 습기처럼 내 피부 속으로 스며들었다. 나는 또 배가 기울어짐을 느꼈고, 그리하여 무당이 되어야겠다는 생각을 했다. 몽환의 불 아닌 뜨겁게 태우는 불이 되고, 정말로 미친놈이 되고, 빛이 싫은 악귀가 되어야겠다고 생각했다. (…) 나는 몽환의 불이 아니다. 태우고 사르는 불이다.[252)]

몸속으로 들어온 그 불이 몽환의 불이 아니라 "태우고 사르는 불"이라고 다짐하고 있는 대목은 귀향과 관련하여 주요하게 읽을 '불의 표상'이다. "'불'의 표상을 한국인의 전통적인 정서의 틀과 연관지어 신화적인 수준에 이르기까지 끌어올리는 데 솜씨를 보여준"[253)] 작품으로 평가받은 바 있듯이, 한승원 소설의 귀향은 '나'의 정체성의 근원에 자리한 그 불을 찾아서 지속된다. 그 불의 문으로 들어간다는 것은 이미 죽었으나 아직 이곳과 완전히 결별하지 못한 넋들의 세계를 만난다는 것이다.

고향에는 뿌리 깊은 원한과 복수, 증오의 씨앗들이 여전히 그대로 살고 있다. 고향은 살의와 복수로 충만한 곳이며 아직 포용과

252) 한승원, 「불의 문」, 『불의 딸』, 앞의 책, 348면.
253) 김주연, 「샤머니즘은 한국인의 정신인가—한승원의 『불의 딸』」(작품 해설), 『불의 딸』, 앞의 책, 349~357면.

화해가 이루어지지 않은 곳이다. 소설 속의 한 인물은 이렇게 말한다. "돌아오긴 분명히 돌아와야 할 것 같은데, 돌아와야 할 까닭 같은 것, 자기가 자기의 고향땅에서 차지하고 해내야 할 어떤 몫 같은 것을 찾아내지 못하고 있었다."[254] 여기에서 한승원의 소설에서 '불'은 점차 '물'과 만난다.

한승원의 고향 이야기는 뿌리 뽑힌 유민의 근원 찾기, 즉 '불'을 확인하는 것에서 고향의 '바다'와 화해를 해 보려는 시도로 나아간다. 허무와 절망에 이르는 기나긴 바다와의 싸움을 전개한다.[255] 그런데 한승원은 불과 물, 넋과 바다, 두 가지 상반되는 이미지를 하나로 엮어 정적이면서도 동적인 고향의 모습을 발견한다.

> 이때껏 해 오던 생각이란 생명력의 오묘한 신비에 관한 것이었다. 그는 이날 옹관을 통해서 그걸 어렴풋이 파악할 수 있었다. 잉태와 죽음, 그것은 밀접한 한 자연현상인 생성과 소멸인 것이었다. 죽음에서 생성은 시작되는 것이고, 생성은 소멸 속에서 일어나는 것이었다.
>
> 그날 그의 또 하나의 발견은 그 옹관이 불가마 속에서 구워낸 토기라는 점이었다. 흙으로 빚은 주검의 그릇은, 수없이 많은 삶의 도구를 생산해 내는 불의 자궁(가마) 속에서 구워진 것이었다.

---

254) 한승원, 『포구』, 앞의 책, 340면.
255) 한승원, 「작가의 말」, 『해일: 3부 해당화 붉은 꽃잎』, 앞의 책, 303면.

> 땅은 먼저 불에 의해 만들어졌고, 물에 의해 식혀졌다고 땅 스스로가 말해 주고 있었다. 땅의 생성이 그러할진대, 그 땅 위에 얹혀 살고 있는 모든 것들이 어찌 그러하지 않으랴. 수분이 구십 퍼센트 이상인 우리의 몸도 물과 불의 작용에 의해 생성되어진 것이다.[256)]

한승원은 불과 물의 대립 관계를 서로 상생하는 역동적 장으로 바꾸어 읽는다. 고향은 물과 불의 작용에 의해 생성된다. 그 힘이 바로 우리들의 몸이 태어난 강인한 생명력의 자리이며 떠도는 유민들의 뿌리인 것이다. 이제 한승원 소설의 주요한 공간인 고향의 바다는 "역사와 일상, 부활과 소멸, 아름다움과 추함, 사랑과 증오가 동시적으로 발현되는 코스모스이며 카오스"[257)]의 세계로 태어난다. 이분법적 대립항들이 끝없는 순환곡선을 그려 내면서 모순과 대립이 하나의 역동적인 힘으로 생성되는 장소가 바로 바다, 아니 고향의 참모습이다.

한승원 소설에서 고향은 불과 물의 대립적 양면이 공존한다. 그는 이것을 유민들의 뿌리인 고향의 원형으로 상정한다. 고향은 '불덩이'와 '바다', 이 양극이 서로 대립하면서 공존하는 방식으로 얽혀 있는 역동적인 곳이다. 한승원의 고향 쓰기는 이 대립의 양극을 생성의 자리로 융합하기 위한 지속적인 시도였다고 할 수 있다.

---

256) 한승원, 『해일: 3부 해당화 붉은 꽃잎』, 앞의 책, 104면.
257) 양진오, 「바다, 어머니의 자궁 그리고 신화—한승원 초기 중·단편을 중심으로」, 『작가세계』 겨울호, 작가세계사, 1996, 72~87면.

### 3) 매혹과 분리: 햇덩이와 섬

이청준의 소설에서 고향은 고통과 행복의 기억이 교차하는 장소다. 그 기억은 희미하게 지워진 음화(陰畵)와 비교적 뚜렷하게 드러나는 양화(陽畵)로 이중인화 된다. 이 이중인화 된 고향의 얼굴은 「귀향 연습」(1972)에서 「살아있는 늪」(1979), 연작 『남도사람』(1976~1981), 「여름의 추상-잃어버린 일기장을 완성하기 위하여」(1982. 4) 등에서 조금씩 다른 모습으로 나타난다.

고향의 얼굴 찾기가 본격적으로 주제화되고 있는 작품이 연작 『남도사람』(1976~1981)이다. 이 연작의 전반부에 실린 세 편의 소설 「서편제」(1976), 「소리의 빛」(1977), 「선학동 나그네」(1979)의 중심 서사는 소리꾼 사내가 '소리'를 찾아서 고향으로 돌아오는 과정의 이야기다. 사내가 고향으로 온 것은 유년 시절에 본 '햇덩이'에 대한 기억 때문이다.

> 소리는 얼굴이 없었으되, 소년의 기억 속엔 그 머리 위에 이글거리던 햇덩이보다도 분명한 소리의 얼굴이 있을 수 없었다. 그리고 언제나 뜨겁게 불타고 있던 그 햇덩이야말로, 그날의 소년이 숙명처럼 아직 그것을 찾아 헤매 다니고 있는 그 자신의 운명의 얼굴이었다.[258)]

---

258) 이청준, 「서편제-남도사람·1」, 『서편제』, 앞의 책, 20면.

사내의 햇덩이는 낯선 소리꾼의 노랫소리가 소년의 어미를 사로잡는 순간에 태어난다. 낯선 사내의 소리는 소년에게 증오와 원한의 대상으로 자리한다. 소년에게 낯선 소리꾼 사내의 그 소리는 어미를 앗아간 의붓아비에 대한 증오심으로 자리하게 된다. 그런데 소년은 어미를 빼앗아간 소리꾼 사내의 소리를 증오하면서도 그 소리에 매혹되어 있다. 소년에게 그 소리는 매혹과 증오의 양가적 대상이다.

사내의 기억 속에 오랫동안 자리한 그 햇덩이는 거부할 수 없는 '운명의 얼굴'이자 '소리의 얼굴', '고향의 얼굴'로 바꾸이 읽을 수 있다. 햇덩이에 대한 사랑과 증오라는 모순된 감정은 이청준 소설에서 '탈향욕망'과 '귀향욕망'의 복합적인 감정으로 표현된다.[259] 또 고향에 대한 매혹과 증오의 감정은 쉽게 화해와 용서로 귀결되지 못하게 한다. 사내가 훗날 누이의 소리를 만나게 된 순간에도 그 의붓아버지에 대한 기억과 화해하지 못한 채 길을 떠날 수밖에 없는 것은 바로 그 때문이다.

그 '햇덩이'는 이청준 소설에서 찾고자 하는 소리, 고향, 어머니, 운명의 양가적인 얼굴이다. 이 햇덩이는 '섬'의 이중적 상징성과 연결된다. 「이어도」(1974), 『당신들의 천국』(1976), 『신화를 삼킨 섬』(2003)의 배경인 이어도, 소록도, 제주도는 섬사람들의 고통스러운 역사와 현실, 그리고 구원에의 희망이 겹쳐 있는 곳이다.

「이어도」(1974)에서 제주 사람들이 믿고 있는 '이어도'는 죽음

---

259) 김치수, 「고향 체험의 의미」, 『박경리와 이청준 소설의 세계』, 민음사, 1982, 153면.

의 섬이자 절망적인 현실을 견디어낼 수 있는 구원의 섬이다. 이어도는 섬사람들의 절망이 투영된 이상향으로서 양가적인 의미를 지니고 있다.[260] 전설의 섬 '이어도'는 현실의 반대항으로서의 '허구'의 세계가 아니라 제주도 사람들의 삶 속에서 만들어진 허구, 즉 그것 스스로 하나의 자족적인 질서를 이루고 있는 전설(傳說)의 세계다. 천남석이 이어도를 찾아가려 한 것도 그 허구의 섬 이어도가 "이승에 살고 있는 사람들의 현세의 생활까지 염치없게 간섭"해 왔다고 여겼기 때문이다.

이청준에게 고향으로 돌아간다는 것은 어떤 의미를 지니고 있는 것인가. 연작 『남도사람』의 네 번째 소설 「새와 나무」(1980)에 대한 「작가 노트」(1987. 2)에서 보듯이, 이청준은 나무 아래에 깃들기를 원하는 빗새의 형상을 통해 고향을 상실한 현대인의 고향 찾기의 소망을 담아낸다.

> 나는 새들을 찾아 들판을 헤매 다니는 나무를 생각할 수는 없다. 그 대신 나는 높고 울창한 나뭇가지 속에 갖가지 새들이 날아들어 그 낭자한 노랫소리로 하여 나무와 새가 하나의 삶으로 어우러져 합창을 하는 그런 사랑의 나무를 꿈꾼다. 그것이 내가 나의 소설로 꿈꿀 수 있는 가장 아름답고 힘찬 생명과 삶

---

260) "제주도의 바다 미륵에는 평생 동안 물마루를 지켜보면서 일상을 시작하고 마감하는 섬사람들의 수평적 세계관이 층층이 잠복해 있다. (…) 늘 일상적 기아에 시달리는 섬 백성의 입장에서는 오곡이 풍성한 어딘가의 낙토는 신화처럼 각인되었을 것이고, 미륵의 미래불적 모습이 이에 투영되었음직하다"(주강현, 「섬, 반란을 꿈꾸다」, 『유토피아의 탄생: 섬-이상향/이어도의 심성사』, 돌베개, 2012, 181면).

의 나무, 혹은 자유와 사랑의 빛의 나무인 것이다. 새가 깃들이지 않는 나무를 생각할 수 없듯이 깃들일 나무가 없는 새 또한 생각할 수 없다. 그것은 나무가 곧 그 새의 자유와 사랑과 새로운 비상의 터전이기 때문이다.[261]

연작 『남도사람』은 '나무 쪽 삶' 을 바탕에 두고 쓴 귀향소설이다. 더불어 이청준의 고향 쓰기의 목적은 "존재적 언어와 관계적 언어질서를 조화롭게 통합하는 총체적 언어(삶) 질서의 꿈"을 그려보기 위해서다. 그렇다면 그는 과연 총체적 언어 질서의 꿈을 이룰 수 있었던 것일까. 삶의 질서를 온전하게 회복해 낼 수 있는 문학의 꿈, "아름답고 힘찬 생명과 삶의 나무, 혹은 자유와 사랑의 빛의 나무"를 찾을 수 있었을까. 물론 그 꿈은 현실화될 수 없는, 현실화되어서도 안 되는 문학의 꿈일 것이다.

이청준의 고향 쓰기는 고향에 자리한 아픔을 확인한 후 그곳을 다시 떠나는 과정을 통해 전개된다. 그의 소설은 고향에 대한 애증을 이중인화 하는 작업에 바쳐진다. 귀향이 지체되는 동안 점차 본래의 고향을 잃어버렸다는 완전한 상실감은 고향에 대한 애증의 감정에 이르고, 이것은 고향으로부터 분리와 고향을 향한 매혹, 이 두 가지 방향으로 나뉜다. 이것은 각각 '역사' 와 '신화' 를 바라보는 두 갈래의 시선으로 수용된다. 여기에서 그의 고향 쓰기는 고향

261) 이청준, 「나무와 새에 관한 꿈」([새와 나무]의 작가 노트, 1987. 12), 『서편제』, 앞의 책, 145~146면.

의 역사 기억과 시대 현실을 동시에 성찰할 수 있는 지점으로서 신화의 세계에 다가간다.

『신화를 삼킨 섬』에서는 제주도를 들고나는 추만우, 정요선, 고종민의 귀향을 통해서 저 먼 역사 기억과 만난다. 이 소설의 서사는 '풀다'와 '알다'라는 술어의 확장으로 읽을 수 있다.[262] 정요선과 고종민이 제주섬으로 들어와 추만우 등 섬사람들을 만난 후, 다시 그곳을 떠나는 과정은 역사적 기억(아버지의 기억)의 매듭이 풀고 아버지들의 역사를 새롭게 알아가는 과정이다.[263]

이들이 아버지의 기억의 매듭을 풀고 알게 되는 과정은 자기자신의 근원을 알게 되는 과정과 겹친다. 후체험 세대인 정요선, 추만우, 고종민이 아버지의 기억을 알게 된 지점은 다시 살아가야 할 삶의 시작점이 된다. 그러나 이 소설은 다음과 같은 물음을 남기면서 아직 치유될 수 없는 역사적 고통을 다시 환기시킨다.

> 이 한 번의 위령제 행사로 섬의 깊은 상처가 다 치유될 수 있을까. 그리하여 기나긴 역사의 비극을 씻고 화합과 평화를 이룩해 갈 수가 있을까. 이 섬의 갈등과 대립의 골이, 그로 인

---

262) 이윤옥, 「넋의 문학 : 우리 마음속에 아기장수 기르기」, 『비상학, 부활하는 새, 다시 태어나는 말』, 문이당, 2005, 265~292면.

263) 추만우는 아버지 추심방이 그동안 이름 없는 넋을 외롭게 씻겨 온 이유를 알게 되고, 정요선은 제주섬에 들어와 한센병 환자인 아버지가 겪은 아픔을 알게 된 후 그들의 넋을 씻기기 위해 소록도로 향한다. 고종민은 아버지가 일본인으로 귀화하여 살게 된 내력과 비극적인 섬의 역사를 점차 알게 된다. 특히 정요선과 고종민이 제주섬으로 들어가서 다시 소록도와 일본으로 돌아가는 여정은 곧 제주4·3을 비롯한 역사적 기억을 성찰함으로써 아버지의 기억과 자신의 근원을 동시에 알게 되는 과정이다.

한 무고한 상처의 골이 그렇듯 가벼운 것이었던가.[264)]

이 지점에 이르러서, 우리는 이청준의 고향 쓰기에 대해 다음과 같이 말해볼 수 있다. 이청준의 고향 쓰기는 상실된 고향을 진정 되찾을 수 있고 궁극적으로 이 시대와 화해할 수 있는가에 대한 구체적인 응답을 제시했다기보다 그런 질문을 고향 쓰기를 통해 제기해 왔다는 점에서 의미 있는 작업이었다.

### 4) 추방과 구원: 별

임철우의 소설 『아버지의 땅』(1984), 『그리운 남쪽』(1985), 『그 섬에 가고 싶다』(1991), 『등대』(2002) 등에서 귀향하는 사람들은 한국전쟁에서 오월광주에 이르는 역사적 상흔을 아직 잊지 못한 채 괴로워한다. 고향으로 돌아오는 사람들은 "전장으로부터 돌아온 귀환병들처럼" "추방당한 이교도처럼 고향의 변두리를 숨어 헤매"(「同行」)면서, 고향의 기억을 되찾아야 한다는 강렬한 요구에 사로잡혀 있다.

임철우의 고향 쓰기는 아버지들의 피 묻은 역사가 아직 지워지지 않은 고향, 이 저주스러운 땅에서 '추방'된 기억을 되짚어내는 작업이다. 그의 소설에서는 "우리는 모두 어디에서 온 것일까"라는 질문을 던진다.

---

264) 이청준, 『신화를 삼킨 섬』 2권, 열림원, 2003, 150면.

"(…) 사람은 말이다. 본시는 너나없이 모두가 한때는 별이었단다. 저 한량없이 넓고 높은 하늘에서 높고도 귀하게 떠서 반짝이다가, 어느 날 제각기 하나씩 하나씩 땅으로 내려 앉아서 사람의 모습을 하고 태어나는 법이란다. (…) 그러니까 따지고 보면, 이 세상에 많고 많은 사람들 중에 별 아닌 사람이라곤 아무도 없단다. 못생긴 얼굴이건 이쁘고 잘난 얼굴이건, 가난뱅이든 천석군 부자이건 간에, 사람은 알고보면 죄다 똑같이 귀하고 소중한 별이란 말이여 (…) 그저 서로 아등바등 뜯고 싸우기만 하면서, 평생 동안 악착같이 허덕이고 살기만 하다가 끝내는 가련하게 죽어가곤 하는 것이제……."[265]

나는 내 고향으로 돌아가야만 했다. 내가 살던 고향의 기억들을 되찾아 내야만 했다. 그곳이 어디에 있는지, 그곳의 이름이 무엇인지를 알아내야만 했다. 끝내 그걸 알아내지 못한다면, 나는 영영 그곳으로 다시 되돌아 갈 수 없을 것이라고 생각했고, 그 때문에 나는 밤낮을 가리지 않고 울어 대기만 했던 것이다. 때로는 가슴이 미어지도록 서럽게, 때로는 감당키 어려운 절망감과 분노로, 그러다가는 또 안타까움과 하소연으로 울고 또 울었다.[266]

---

265) 임철우, 『그 섬에 가고 싶다』, 살림, 1991, 123면.
266) 임철우, 『그 섬에 가고 싶다』, 앞의 책, 112~113면.

우리의 본래 고향은 저 먼 미지의 행성이다. 모두가 하늘의 별처럼 제각각의 모양을 지닌 사람들이었다. “우리는 모두 언제인가 저 아득히 먼 밤바다에서 내려온, 똑같은 고향을 지닌 똑같은 별들”(『그 섬에 가고 싶다』, 18면)이다. 그런데 별에서 추방된 이후 평생 동안 악착같이 살다가 죽어 간다. 저 먼 별들의 세계에서 추방된 사람들은 떠나온 그 별로 돌아갈 수 없다. 우리는 별들의 세계, 즉 낙원과 같은 고향에서 추방되어 다시는 그곳으로 돌아갈 수 없는 사람들이다.

이 낙원 추방의 모티프는 임철우 소설의 고향 이야기의 핵심을 이룬다. 그 미지의 행성은 본래 모든 사람들이 평등했던 한 시절을 상기시키지만 떠돌이별로 살아갈 수밖에 없는 우리는 더 이상 그 먼 행성에 위치한 고향의 이름과 위치를 기억할 수조차 없다. 고향의 기억마저 완전히 잃어버린 것이다. 도시와 고향 사이에서 유랑한 이들은 “돌아가고 싶지 않아서가 아니라, 돌아갈 곳이 없어서” 고향으로 갈 수 없는 사람들이다.

임철우는 “인간의 꿈과 인간을 향한 사랑”에 대한 추구로서 이름도 얼굴도 희미한 유년의 섬 사람들에 대한 기억을 다시 쓴다. 그 이유는 “이젠 더러 이름도 얼굴도 희미하게 흐려져 버리고 말았지만, 그들을 나는 잊지 못”하기 때문이다. 고향으로 돌아갈 수 없다는 절망감과 고향으로 돌아가야 한다는 절박함은 낙원으로부터의 추방과 그곳으로 돌아가려는 구원, 이 두 갈래로 나누어 전개된다.

임철우의 고향 쓰기는 그 낙원에서 추방된 사람들을 구원하기 위한 시도에 해당한다. 그것은 타락한 이 세계에 대한 비판적 진단을 함축한 것이다. 미지의 행성에서 서로 미워하지 않는 별들의 사랑에 대한 기억은 "우리가 살아가는 이 세상이란 기쁨과 즐거움, 사랑스러움뿐만이 아닌, 어쩌면 그보다도 훨씬 더 많은 고통과 슬픔, 한숨, 추하고 비틀거리고 뒤틀린 것들로 가득 채워져 있는 것이라는 서글픈 사실을"[267] 뚜렷하게 확인시켜 준다.

소설집 『아버지의 땅』에서 장편 『백년여관』에 이르기까지 고향에서 살다간 익명의 존재들의 고통을 하나씩 기억하면서 쓰는 것은 역사적 기록에 남아 있지 않는 주변부의 희생과 고통을 망각하지 않기 위한 저항적 시도에 견줄 수 있다. 구원은 역사 속에서 희생된 사람들의 기억을 되살려 그들을 고통의 그늘에서 벗어나게 해 주고 살아남은 자들의 삶의 질서를 회복하는 제의의 형식으로 마련된다.

작가들에게 고향 쓰기는 자기정체성의 근원을 재확인하는 작업이자 역사와 현실을 진단하고 반성하는 자리다. 고향 쓰기는 이전과 다른 삶을 전개하는 변곡점이자 새로운 대안을 기획하는 망명의 시작점이라 할 수 있다. 이들의 귀향이 낭만적인 도피가 아니라 현실비판적인 성격을 지니고 있다고 할 수 있는 것은 바로 그 때문이다.

그 귀향의 여정과 고향 쓰기는 작가들마다 다른 방식으로 전개된다. 이들의 귀향은 변하지 않는 본래의 고향으로 돌아가는 것을

---

267) 임철우, 『그 섬에 가고 싶다』, 앞의 책, 265~266면.

의미하지 않는다. 이들이 고향을 읽고 쓰는 이유는 근대화로 인해 지역의 고유한 문화가 상실되어 가는 현실에 대한 비애감을 넘어선 것, 그것은 근대화로 인해 훼손된 지역의 실상을 보여줌으로써 근대적 개념과 가치에 대한 비판을 의도한 것이다. 귀향은 고향의 이면으로 더 깊숙하게 들어가 그곳에 자리한 혼란과 아픔을 새로운 의미로 바꾸어 읽는 과정이다.

이 기나긴 귀환은 지금 여기와 다른 어떤 곳, 즉 '현실과 유토피아' 의 간극을 질문하는 과정이자 당대의 역사와 현실에 대한 끊임없는 문세를 제기하는 바탕이 된다. 귀향은 한국적 모더니티를 반성적으로 성찰하고 그것을 넘어설 수 있는 대안을 탐색하는 지속적인 과제였다. 이 점에서 이들의 귀환은 일반적인 의미의 귀향을 넘어선 것, 즉 역사와 현실을 총체적으로 반성하는 작업이었다고 말할 수 있다. 그것은 단순한 귀향이 아니라 도시와 고향, 즉 "비본래성과 본래성, 자본주의적 등가성의 원칙과 주변부의 고유성 사이에 길항한다는 것을 의미"[268]한다.

고향에 대한 애증은 고향을 어떤 의미로 환원하지 않으려는 팽팽한 긴장감을 구축한다. 고향을 잃었다는 상실감은 고향을 앗아간 모든 것들에 대한 증오와 분노를 낳는다. 고향에 대한 사랑은

---

268) 류보선, 「귀향의 변증법: 이청준론을 위한 몇 개의 메모」, 『또 다른 목소리들』, 소명출판, 2006, 487면. 류보선은 이청준의 소설이 '귀향' 을 통해서 한국문학의 어떤 가능성을 보여주고 있다고 평하면서, "그 치열한 여정을 통해 이청준은 한국적 모더니티의 특성을 정확하게 읽어 내는 것은 물론 모더니티 전반을 반성적으로 성찰"하고 "더 나아가서 모더니티를 넘어설 수 있는 어떤 보편적인 체계, 혹은 정신적 가치를 찾아낸다."고 적극적인 의미를 부여한다.

고향을 잃은 상실감과 고향을 빼앗겼다는 사실에 대한 증오와 분노 사이에서 출현한다.

여기에서 반복되는 귀향은 주변부의 상황에 대한 통증을 호소하는 것에 그치는 것이 아니라 그것에 대한 구체적인 자각과 분석에서 출발하여 비극적인 역사와 현실에 대해 끊임없는 물음을 던지는 과정이라는 점에서 근대 비판적 함의를 갖는다. 이들의 소설에서 귀향은 고향의 트라우마와 설화 다시 쓰기, 소리와 한의 정서에 대한 재해석 작업을 동반함으로써 자유, 용서, 사랑 등 여러 가치들을 지역전통의 바탕 위에서 탐문하는 과정이다.

4부

# 전통의 변용과 근대에 대한 탐문: 구원과 치유의 (불)가능성

## 1. 트라우마 쓰기, 설화 쓰기

전통설화를 다시 읽고 쓰는 것은 단순하게 전통의 원형을 재발견하는 것에 머물지 않고 새로운 의미를 추출해 내려는 적극적인 작업이다. 그것은 곧 역사적 경험과 기억을 어떻게 해석할 것인가라는 문제와 관련이 있다. 작가들은 지역의 전통설화를 다시 읽고 쓰기 함으로써 역사적 경험과 기억의 지층을 재구성하려 시도한다.

설화 다시 쓰기는 공식적인 역사 기록에서 삭제 혹은 배제된 역사의 이면을 드러내는 일과 다르지 않다. 이들의 소설은 설화 다시 쓰기를 통해 일제강점기, 해방, 제주4·3, 여순사건, 한국전쟁, 5·18광주항쟁, 해외 강제이주 등 비극적인 역사 기억을 지금 여기로 불러낸다. 한승원, 이청준, 임철우 소설에서는 새로운 맥락으로 변용된 도깨비, 이어도, 아기장수, 꽃씨, 못난이 별 등 다양한 설화들이 등장하는데 그것은 역사적 트라우마와 그 치유의 가능성을 묻고 있다는 점에서 공통점이 있다.

설화, 굿, 무가, 판소리 등 전통문화를 변용하는 가운데 이들의 소설은 다음과 같은 물음을 던진다. 역사적 고통과 흔적은 지금 어디에 어떤 형상으로 거주하고 있는가. 떠도는 넋들의 아픔을 어떻게 치유하고 구원할 수 있을 것인가. 우리는 작가들이 전통문화를 다시 쓰기 함으로써 역사적 트라우마의 치유 가능성을 어떻게 찾고 있으며 아울러 소설쓰기란 궁극적으로 무엇인가에 대한 작가 나름의 응답을 듣게 될 것이다.

이와 더불어 소리와 한의 정서를 다양하게 해석하면서 한의 오랜 매듭을 풀기 위한 가능성을 탐색한다. 무엇보다 우리는 이들의 소설에서 설화와 한의 정서 등 전근대적 요소들을 근대 비판의 한 기제로 수용하고 있음을 주목하지 않으면 안 된다. 이 장에서는 전통의 변용을 근대를 넘어설 수 있는 가능성을 어떻게 마련하려 했는지를 읽어 볼 것이다.

### 1) 떠도는 넋: 도깨비, 이어도

한승원의 소설 「해신의 늪」(1977), 『불의 딸』(1983), 「내 고향 남쪽바다」(1990) 등은 도깨비 설화와 신앙을 역사적 상흔과 밀접하게 엮고 있는 대표적인 작품들이다. 뿐만 아니라 그의 소설 속의 도깨비는 한승원의 역사의식과 소설관을 상징하는 이미지라 할 수 있다.

이를 읽기 전에 도깨비에 관한 선행 연구를 간략하게 정리해 본다. 도깨비의 원형은 진지왕(眞智王)의 망령(亡靈)과 평범한 여인 도화녀(桃花女) 사이에서 태어난 비형(鼻荊)으로 알려져 있다.[269] 죽은 왕의 혼령이 살아 있는 여인의 몸으로 들어와 잉태된 비형은 귀신을 통솔하는 능력을 지녀서 귀신의 무리와 함께 귀교(鬼橋)를 완성한다. 도깨비 비형은 "저승의 공간에 넘어가 있는 귀신과 구별되고 현실세계의 무당이 지니는 기능을 나누어"[270] 가진 중간자적 존재 즉 인간과 귀신, 이승과 저승의 경계에 있는 '사이'의 존재이다.

도깨비는 실체를 확인할 수 없는 환상적인 존재로서 초인적인 능력을 지녀 민간신앙의 대상으로 추앙되었다. 한편, 도깨비라는 말이 그 음이 비슷한 두두리(豆豆里)에서 비롯되었고, 농기구와 무구를 제작하는 야장신(冶匠神)의 면모를 지니고 있다는 점에서 철기문화와 야무왕 모티프를 간직한 탈해 신화와도 관련이 있다고 보는 견해도 있다.[271] 도깨비 전승은 지역적으로 차이를 보이는데, 제주도 도깨비 설화는 신의 내력담인 신화(본풀이)로 존재한다는 점에서 본토의 것과 다른 것이 특징이다.[272]

앞서 살핀 도깨비의 특질들은 한승원 소설 속의 도깨비가 지닌

---

269) 일연, 허경진·이가원 옮김, 「紀異 上, 桃花女 鼻荊郎」, 『삼국유사』, 한길사, 2006, 109~111면.

270) 강은해, 「도깨비의 공간론-현실과 초월의 다리」, 『한국문학이론과 비평』 20집, 한국문학이론과비평학회, 2003, 178~179면.

271) 이두현, 「단골巫와 冶匠 : 東北亞細亞 샤머니즘과 韓國巫俗과의 比較研究」, 『정신문화연구』 50집, 한국학중앙연구원, 1993, 191~230면; 강은해, 「도깨비의 정체(正體)」, 『한국학논집』 30집, 계명대학교 한국학연구소, 2003, 1~30면.

272) 문무병, 「제주도 도깨비 신앙」, 『한국학논집』 30집, 계명대학교 한국학연구소, 2003, 165~166면; 장주근, 「제주도 무속의 도깨비 신앙에 대하여」, 『국어교육』 18~20집, 한국어교육학회, 1972. 457~472면을 참조.

상징을 이해하는 데에 하나의 단서가 된다. 소설 「해신의 늪」은 원래 제목이 '물 아래 긴 서방'으로 되어 있다. '물 아래 긴 서방'은 어촌 마을 사람들이 도깨비를 부르는 별칭이다. 그런데 이 소설은 도깨비에게 갯제(해신제)를 지내는 바닷가 마을을 배경으로 하고 있지만 그 초점은 갯제의 현장에 있지 않다. 대보름 갯제를 지내는 날, 주인공 성만이 바윗굴에서 치성을 드리는 아내의 몸과 교접하려는 "낯선 존재"를 느끼는 장면은 면밀한 독해를 요하는 대목이다.

> "작년 여름에 배 위에서도, 당신이 옆에 있는디 그냥 지 맘대로 안 해버립디여?"
>
> 아내가 하는 말에, 성만은 갯제 지낼 때, 노루목 다리 끝에 숨은 사람이 꾸며서 내는 물 아래 긴 서방의 귀기 어린 가성을 생각해 냈다. (…)
>
> 동시에 훤칠하게 큰 키에 얼굴이 달빛 같고 동글납작한 달식이가 떠올랐다. 여수 순천 반란사건 때 반란군이 되어 돌아와서 득량바다를 향해 총을 쏘아대던 달식이었다. 인민군이 밀고 내려오자 붉은 완장을 두르고 보안서장이 되어 내덕도 관내의 반동자들을 발 엮듯 줄줄이 묶어가곤 하던 그였었다. 수복 후, 눈이 벌겋게 되어 있던 유가족들한테 총살을 당하면서 달식이는 이렇게 말했다던 것이었다.
>
> "음력 대보름날 밤에 내 뼛가루를 노릇골 바윗굴 앞에서 바닷물에다가 뿌려 주시오."[273]

성만은 아내의 몸을 견딜 수 없게 하는 낯선 존재를 도깨비와 겹쳐 연상한다. 그 "검은 자락의 재빠른 스침"에서 성만은 갯제를 지낼 때 도깨비 소리를 내던 가성을 듣고, 여순사건의 혼란한 상황에서 반란군이 되어 마을 사람들을 죽이던 끝에 총살을 당한 달식의 얼굴을 떠올린다. 아내의 기이한 몸짓은 여순사건 당시 죽은 달식의 혼령과 만나는 순간으로 묘사되고 있는 것이다.

이렇듯 도깨비의 환영을 좌우 이데올로기의 혼란스러운 상황과 겹쳐 놓고 있는 장면은, 도깨비에게 지내는 해신제가 이미 죽었지만 아직 죽지 않은 원령(怨靈)들을 기억하는 의례와 연관되어 있으며, 도깨비 신앙이 마을공동체가 공유한 고통스러운 역사 기억과 그 해원의 노력과 무관하지 않음을 보여주고 있는 것이다. 이 대목에서 일제강점기에서 해방과 전쟁을 겪는 동안 도깨비 신앙과 갯제는 바닷가 마을 사람들에게 숱한 죽음들을 위무하는 제의가 되었으리라고 추측을 해 볼 수 있다.

연작 『불의 딸』은 도깨비가 지닌 '불'의 속성을 소설 전체의 분위기와 주제의식을 드러내는 장치로 활용한다. 도깨비의 야장신과 무당의 면모를 대장장이 똘쇠의 성격을 묘사하는 바탕으로 삼는 한편, 도깨비 '불'의 이미지를 주인공 '나'의 근원 찾기의 여정에 배치한다.

> 그게 내 몸속에 화끈한 불을 밝혔다. 어머니의 넋이 이 숲속 어딘가에 엉기어 있을 것만 같았다. 이 무성한 늘푸른나무들의

---

273) 한승원, 「해신의 늪」, 『아리랑 별곡』, 문이당, 1999, 76면.

살비늘 같은 잎사귀들 속에서 수액처럼 싱싱하게 살아 있을 것 같았다. (…) 그 불덩이는 이 음침한 숲속 어디인가에서 숨어 있다가 밤이면 바다 위로 기어나왔던 것인지도 모른다 싶었다. 그것은 적어도 멸치 떼를 홀리는 불이 아니고, 어머니 같은 여자를 홀리는 몽환의 불이었는지도 모른다 싶었다.[274)]

'불덩이' 의 실체를 확인하는 것은 아버지와 어머니가 살다간 시간의 흔적을 만나는 일과 같다. 도깨비불은 부모가 겪은 역사의 기억과 흔적이며 그것은 '나' 를 구성하고 있는 모체에 다름 아닌 것이다. '나' 의 근원 찾기의 여정은 어린 시절에 보았던 "바구니만한 불덩이"가 무엇인지를 탐색하는 과정과 함께 전개된다. 『불의 딸』은 앞서 읽은 「해신의 늪」과 마찬가지로 도깨비 '불' 의 이미지를 이미 죽었으나 아직 지금 이곳과 완전히 결별하지 못한 죽은 넋들의 세계를 가리키는 매개물로 활용한다. 그래서 '나' 는 아버지와 어머니의 혼령이 사라진 것이 아니라 어딘가에서 헤매고 있을 것만 같고, 그것이 내 가슴속에 뛰어들어서 날개처럼 푸드덕거리고 있다고 느낀다. 이 '불의 넋' 은 「내 고향 남쪽 바다」에서 마을 사람들의 삶을 지배하는 근원적인 힘으로 다시 등장한다.

그 도깨비는 자기가 하려고만 하면은 청산바다나 칠산바다나 제주바다에 있는 고기들을 득량바다로 몰아올 수 있고, 불

---

274) 한승원, 「불곰」, 『불의 딸』, 앞의 책, 99면.

어오는 바람을 미리 막고 다른 쪽으로 돌릴 수도 있고, 득량만의 연안바다에 김풍년이 들게 할 수도 있고, 잡태만 돋게 할 수도 있다는 것이었다. 또한 물가에 일하는 아낙네나 배 위에서 일하는 남정네들을 홀려서 물에 빠지게도 할 수가 있고, 자기가 밉게 본 어떤 특정한 사람의 금물에 든 고기를 모두 빠져 달아나게 해 버릴 수도 있고, 예쁘게 본 어떤 사람의 김발에 먹장 같은 김이 소 자빠지듯이 무겁게 자라도록 부추길 수도 있다는 것이었다.[275]

마을 사람들은, 김달호 씨가 부자가 된 이유가 바로 그가 도깨비와 씨름을 해서 이긴 덕분에 도깨비의 혼백을 자기 마음대로 부려 오기 때문이라고 생각하는 등 모든 일이 도깨비의 조화에 의한 것이라고 믿는다. 마을 사람들은 도깨비를 원통하게 죽은 사람들의 넋과 같은 것이며 사람들의 삶과 죽음의 운명을 결정하는 강력한 힘이라고 여긴다. 도깨비에 대한 이 믿음은 모든 것들이 불확실한 세계에서 그저 삶을 연명해야만 하는 비극적인 사람들의 삶과 운명을 대신 말해 준다.

한승원의 소설에서 도깨비 설화와 신앙은 역사의 밑층에 자리한 고통의 기억이 우리의 삶을 지배하고 있다는 인식과 접점을 이룬다. 이 지점에서, 한승원의 역사의식을 만날 수 있다.

---

275) 한승원, 「내 고향 남쪽바다」, 『내 고향 남쪽바다』, 문이당, 1999, 66~67면.

이마동은 "백성들 속에 도깨비들이 있습니다. 그것은 상상할 수 없는 엄청난 힘을 가지고 있습니다. 동학이 보다 큰 힘을 가지려면 그 도깨비의 위력을 감지해야 합니다. 그것을 동학 안에 수용하지 않으면 안 됩니다. 도깨비는 한사코 사람들의 뜻과 반대되는 일을 하려고 하지 않습니까? 그런데 그 반대되는 일이란 것이 사실은 수많은 백성들이 원하는 것들입니다. 도깨비는 우리들 삶의 역설(逆說)입니다. 도깨비라는 것들은 우리들이 균형감각을 잃었을 때 그것을 찾아줍니다."

이마동은 도깨비하고 함께 살아가고 있었습니다. 그는 언제 어디서든지 그 도깨비의 세계를 강변하곤 했습니다.

"도깨비는 우리들의 막힌 숨구멍을 터 주는 것입니다. 무지렁이들의 저항이고 해학입니다. (…) 이후로 그 농부는 언제든지 논일을 하거나 농삿일을 할 때 일손이 많이 필요하게 되면 도깨비들의 알 수 없는 그 심술을 이용해서 일을 줄이곤 했더랍니다. 도깨비들은 아주 순진합니다. 회령진에서 성을 쌓을 때에도 축성을 맡은 부장 한 사람은 도깨비들의 그 알 수 없는 심술을 이용해서 어렵지 않게 성을 쌓았더랍니다."

"안 됩니다."

이방언은 단호했습니다. 그는 어찌할 수 없는 유학자였습니다.[276)]

---

276) 한승원 『아버지를 위하여』, 앞의 책, 291면.

위에서 인용한 부분은 『동학제』 제3권에서 이마동이 동학 접주 이방언을 만나 '도깨비의 위력'을 말하는 대목에 관한 작가의 설명이다. 여기에서 보듯이 한승원은 도깨비를 민중들의 삶의 역설적 상징으로 해석한다. 도깨비는 민중의 저항이자 해학의 정서를 대변한다는 것이다. 동학에서 분출된 민중들의 생명력은 바로 도깨비가 지닌 양면적 정서가 충돌한 결과라고 설명한다.

이와 같은 맥락에서, 한승원의 작품에서 도깨비는 익살스런 민중의 형상으로, 혹은 작가의 글쓰기를 추동하는 보이지 않는 힘을 지닌 존재로 등장한다. 한승원은 그의 소설쓰기를, 도깨비에게 "시쓰기와 소설쓰기에 아주 확실하게 미쳐 버린다는 조건"[277]을 내거는 행위라고 말한다. 즉 도깨비는 곧 이 세계를 지배하는 보이지 않는 힘이자 글쓰기를 추동하는 동력이다.

한승원의 도깨비와 비슷한 자리에 이청준의 '이어도'를 놓을 수 있다. 제주도 전설에서 이어도는 사람이 죽은 후에 가는 저승세계다. 한편 제주도 민요에서 이어도는 제주 여인들의 원한의 표상이요 애통의 상징으로서 제주도 사람들은 이어도 민요를 부르면서 그 슬픈 마음을 달래기도 했다.[278]

이렇게 제주도의 민요와 전설에서 고통, 죽음, 원한의 섬이자 구원, 치유의 섬인 이어도의 성격을 이청준 소설 「이어도」(1974)에서는 다 같이 수용한다. 소설에서는 이어도를 "전설의 섬", "피안

277) 한승원, 「작가의 말」, 『보리 닷 되』, 266~267면.
278) 김영화, 「문학과 이여도」, 『변방인의 세계-제주문학론』, 제주대학교 출판부, 1998/2000, 111~131면.

의 섬", "수수께끼의 섬", "구원의 섬"으로 표현한다. 이 소설의 핵심은 이어도가 실제로 존재하는지의 여부가 아니다.

"배를 타지 않으면 안 될 운명이 분명하면 분명해질수록 이어도는 그 사람들의 구원이 아니었겠느냔 말입니다."(선우현 중위)

"배를 타지 않으면 안 될 운명이라뇨? 처음부터 세상을 그렇게 타고난 운명이 어디 있단 말요. 운명은 타고나진 게 아니라 바로 그 섬이 만들고 있었던 겁니다."(천남석 기자)[279)]

위에서 보듯이 선우현 중위와 천남석 기자가 이어도를 바라보는 시각은 서로 다르다. 선우 중위는 이어도가 뱃사람들의 운명을 구원하는 공간으로 자리해 왔다고 생각하는 반면 천남석 기자는 이어도라는 허구의 섬이 섬사람들의 운명을 간섭해 왔다고 여긴다. 이렇게 이어도를 바라보는 다양한 관점과 해석을 교차시키면서 이어도라는 섬이 제주 사람들의 삶과 어떤 관련을 맺어 왔는지를 추적하는 과정에 이 소설의 초점이 있다.

앞서 읽은 두 사람의 서로 생각은 이어도의 양면적 성격을 함축하고 있다. 다시 말해 이어도는 사람들의 '믿음'을 통해서 존재하는 부재의 공간이면서 현실의 삶에 강력하게 관여하는 '삶'의 공간이

---

279) 이청준, 「이어도」, 『이어도』, 열림원, 1998, 71면.

다. 이렇듯 「이어도」는 제주도 사람들의 삶에서 '이어도'가 존재한다는 믿음을 통해서 고통의 현실을 견디어 낼 수 있는 구원의 섬으로 자리해 왔다는 것, 즉 이어도가 이어도를 노래하고 이야기하는 제주도 사람들의 삶과 함께 사는 치유의 공간이라는 점을 주목한다. 어머니가 부르는 노랫소리는 그러한 이어도의 성격과 유사하다.

> 소년은 소리만 들으면 짜증이 났다. 그리고 늘 그 어머니의 소리를 떠나 버리고 싶었다. 어머니의 소리를 참을 수가 없었다. 어머니의 소리를 떠나려면 그는 아버지를 찾아낼 수 있어야 했다. 소년의 아버지는 한 달이면 보름도 더 넘은 날들을 항상 바다로 나가 지내고 있었다. 한번 수평선을 넘어가면 이틀이고 사흘이고 좀처럼 다시 그 수평선을 넘어오지 않았다. 아버지가 수평선을 넘어오기만 하면 소년은 아버지 곁에서 어머니의 그 지긋지긋한 소리를 듣지 않아도 좋을 때가 하루 이틀쯤 마련되었다. (…)
>
> 아버지가 곁에 있는 동안엔 어쨌든 어머니의 입에서 그 이어도 노래를 자주 들을 수 없었다. 아버지는 처음부터 이어도 노래를 좋아하는 편이 아니었다. (…)
>
> 하지만 소년의 아버지의 그 그물 손질은 기껏해야 하루나 이틀뿐 그물이 다시 깔끔히 손질되고 나면 아버지는 이내 다시 수평선을 훌쩍 넘어가 버리곤 했다.
>
> 천가여 천가여……
>
> 마음이 격해지면 어머니는 소년의 아버지를 천가여 천가여 하고 아이 이름이라도 부르듯 해댔는데, 어머니의 그런 안타까

운 부름도 소년의 아버지는 들은 체 만 체였다. (…) 그리고 또 아버지가 수평선을 넘어가기만 하면 소년의 어머니는 언제까지나 그 언덕배기로 나가 돌자갈을 추리며 이어도 노래를 불렀다.

그러던 어느 해 가을, 마침내 소년의 아버지에겐 이상한 일이 일어났다. 수평선을 넘어간 아버지의 배가 한번은 전에 없이 여러 날 동안 다시 그 수평선 위로 모습을 나타내지 않았다. (…) 암울스런 이어도의 노랫소리가 끝도 없이 극성스러워져 가고 있었다.

(…) 천가여 천가여……. 천가여를 외워대는 어머니의 음성은 어느 때보다도 안타깝고 간절했지만 소년의 아버지는 소용이 없었다. 그리고 그는 그것을 마지막으로 다시는 영영 수평선을 넘어오지 못했다. (…) 소년의 어머니는 아버지가 다시 수평선을 넘어간 그날부터 이미 언덕빼기 돌밭에서 다시 자갈을 추리기 시작했고, 웅웅웅 바닷바람소리 같은 그 단조롭고도 구슬픈 이어도의 곡조를 읊조리기 시작하고 있었다. (…)

아버지는 찾아오지 않았고, 어머니는 잠깐 눈을 떠서 소년의 손목을 꼭 쥐어 주었을 뿐, 그리고 그 힘없는 음성으로 천가여 천가여를 두어 번 중얼댔을 뿐, 그대로 영영 정신을 잃어버리고 말았다. 언덕빼기 자갈밭에 아직도 못다 추린 돌멩이를 남겨둔 채, 소년의 어머니는 그날로 그만 그 이어도의 노래를 끝내고 만 것이었다.[280]

---

280) 이청준, 「이어도」, 『이어도』, 앞의 책, 89~96면.

어머니의 노래는 아버지가 집으로 돌아올 때까지 그치지 않는다. 아버지가 없는 한, 어머니의 노래는 계속된다. 어느 날 돌아온 아버지는 이어도를 보았다고 했다. 다시 바다로 나간 아버지는 돌아오지 않았다. 어머니는 또다시 노래를 읊조리기 시작한다. 더 이상 아버지가 돌아오지 않자 어머니의 노래는 그친다. 이어도는 고통스러운 현실을 견디어 내는 노래처럼 환상과 구원의 상징으로 자리한다.

비록 허구일지라도 현실의 질서에 개입하는 이어도의 환상을, 이청준은 '문학'과 같은 자리에 놓는다.

> 그것은 이어도가 실재 아닌 허구에 불과한 것이라 하더라도 우리는 때로 가시적인 사실에서 보다는 그 허구 쪽에서 오히려 더 깊은 진실을 만나게 될 때가 있으며, 자유로운 정신의 모험을 꿈꾸는 한 개인의 내면사와 그가 실존하고 있는 현실과의 갈등 속에 우리는 가장 절실히 우리의 삶의 참 모습을 발견할 수 있기 때문이다.[281)]

즉 소설은 허구의 질서를 통해서 새로운 삶의 방향을 여는 구원의 표상이다. 현세의 삶을 견딜 수 있게 하는 구원의 표상인 이어도는 이청준이 추구하는 문학의 상(像)이라고 할 수 있다. 그러나 그것은 결코 완결될 수 없는 열린 유토피아의 공간이다.

---

281) 이청준, 「「이어도」의 실재와 허구의 의미」, 『말없음표의 속말들』, 나남, 1986.

이청준의 이어도가 갖는 의미는 김현의 '문학과 유토피아'에 관한 논의에 의해 이해된다. 김현은 이렇게 말한다. "토피아에서 유토피아로 넘어가는 과정에 기여하는 것이 예술가의 대사회적 임무인 셈인데, 예술가에게 비극적인 것은 모든 저마다의 토피아는 유토피아에 비추어 거부되어야 한다는 것이다."[282] 즉 문학은 유토피아를 거울로 삼아 현실의 억압된 상황을 반성을 주는 양식으로서 예술가는 유토피아에 비추어 거부될 수밖에 없는 자리를 꿈꾼다.

더불어 이청준은 원한과 구원의 공간 이어도에서 역사적 트라우마를 스스로 치유하고 극복하려는 제주 사람들의 삶의 한 양식을 읽는다. 양가적 공간인 이어도는 이후 『신화를 삼킨 섬』에서 제주4·3의 트라우마와 그 해원의 방식으로 검토하는 공간으로 옮겨간다.

한승원 소설의 도깨비와 이청준 소설의 이어도는 죽은 넋들의 세계와 현세의 사람들이 교통하는 공간이다. 이들의 소설에서 도깨비와 이어도는 초월적, 종교적 차원에 속한 것이 아니라 철저하게 현세적인 삶의 지층에 기반해 있는 것이다. 삶과 죽음의 경계에 있는 이 사이영역은 현재의 삶과 결코 분리될 수 없는 역사적 상흔이 거주하는 곳이다.

---

282) 김현, 「이청준에 대한 세 편의 글」, 『문학과 유토피아』, 문학과지성사, 1992/1993, 253면; 224~256면.

## 2) 희생의 표지: 아기장수

한승원과 이청준 소설에서 아기장수 전설의 수용 양상은 호남의 역사적 경험과 비극적인 미의식의 전승 맥락에서 주목할 만하다.[283] 한승원과 이청준의 소설에서 수용된 아기장수 설화는 제주도 아기장수형 전설을 모티프를 취하고 있다는 점이 공통적이다. 물론 한승원과 이청준의 소설에서 아기장수 설화가 변형되는 맥락은 서로 차이를 보인다.[284]

한반도에 광범하게 퍼져 있는 아기상수 이야기는 다음과 같다. 아기장수는 겨드랑이에 '날개'를 달고 태어난 신이한 흔적으로 인해 훗날 역적이 될 것이라는 소문의 진원지가 된다. 아기장수는 관군을 피해 동굴에 숨어 지내다가 끝내 관군에게 발각되어 죽음을 맞이한다. 아기장수 설화는 국가폭력에 대항한 민중의 항거가 패배해온 역사적 경험을 잘 보여준다.[285] 한편 제주도에 전하는 아

283) 신동흔, 「아기장수 설화와 진인출현설의 관계」, 『고전문학연구』 5집, 한국고전문학연구회, 1990, 103~127면; 권도경, 「호남 지역 '아기장수 전설'의 유형적 특징과 지역적 특수성에 관한 연구」, 『코기토』 63집, 부산대학교 인문학연구소, 2008, 81~108면.

284) 작가들은 다음과 같이 아기장수 전설을 다양한 방식으로 읽어 낸다. ① 관군에게 저항하지 못한 어머니는 자식을 밀고한다(송기숙). ② 어머니는 아들의 날개를 미리 자른다(한승원). ③ 언젠가 찾아올 관군을 피해 아기장수는 결국 스스로 죽음의 길을 결심한다. 부모는 이를 허락한다(이청준). ④ 아기장수는 비극적인 삶을 살다가 이 세계를 떠나 승천한다(최인훈). ⑤ 사람들은 기다림 없이는 살 수 없어서 이야기로 반복해서 기억한다(이청준). 이를 1960년대 이후 모더니즘 문학에 나타난 비극적인 징후로 해석한 바 있다(한순미, 「처용과 아기장수의 문학적 변용에 담긴 비극성 : 60년대 이후 모더니즘 문학을 중심으로」, 『한국언어문학』 70집, 한국언어문학회, 2009, 403~423면).

기장수 전설은 아기장수가 날개가 잘린 채로 계속 살아간다는 점에서 다른 지역과 변별된다. 제주도 아기장수 이야기는 장수가 죽거나 날개는 제거되더라도 계속 살아간다는 점에서 그 비극성이 극복되어 있는 것이 특징이다.[286)]

한승원 소설의 등장인물들의 유형은 다양한데, 역사적 상흔을 안고 살아가는 비극적인 인물들이라는 점에서 아기장수의 변이형으로 읽을 수 있다. 중편 「폐촌」(1976)의 밴강쉬와 미륵례는 그 대표적인 인물이다. 밴강쉬와 미륵례는 변강쇠와 미륵(彌勒)을 연상시키지만 이들은 변강쇠의 건강한 이미지와 미륵의 유토피아적 성격보다 오히려 아기장수의 비극적인 운명을 환기시키는 측면이 더 강하다.

밴강쉬는 "분명히 싸움 잘하는 황소같이 몸집이 크면서도 단단하게 앙당그러진 기형동물"처럼 "한마디로 말해서 우악스런 괴물"의 형상을 한 것으로 그려져 있다. 그런 밴강쉬와 짝을 이룰 수 있는 여자는 가족을 모두 잃고 이십 년 만에 개 한 마리를 데리고 폐촌이 다 된 하릇머릿골로 들어온 미륵례 뿐이다. 그들은 하릇머릿골 사람들에게 추방의 대상으로 낙인찍히는 수난을 겪는다. 마을 사람들은 다음과 같은 근거를 들어서 밴강쉬와 미륵례를 마을에서 추방하기로 결정한다.

---

285) 조동일, 『민중영웅 이야기』, 문예출판사, 1992, 5면. 아기장수 전설은 한반도 전역에 광범위하게 분포된 설화로서 지역에 따라 다른 이야기로 변주되었다(김환희, 「설화와 전래 동화의 장르적 경계선-아기장수 이야기를 중심으로」, 『옛이야기의 발견』, 우리교육, 2007. 45~81면 참조).

286) 현길언, 『제주도의 장수 설화』, 홍성사, 1981, 131~139면.

> 첫째, 미륵례는 짐승과 어울려 사는 여자이므로, 그런 짐승 같은 여자를 마을에 들여놓을 수 없다는 것이었다. 또, 그 여자에게는 횡액이 붙어다니기 때문에 그 시가 마을에서도 쫓겨온 여자라는 것이었다. 둘째, 밴강쉬 또한 어디서 어떤 경우에 어떤 아낙이나 남의 집 처녀를 겁탈할지 모르는 짐승 같은 사람이라는 것이었다. (…) 셋째, 밴강쉬라는 괴물 같은 사람이 혼자 살고 있을 때도 마을 안이 온통 시끌시끌했었는데, 거기에 횡액이 붙어다니는 괴물 같은 여자가 함께 살게 되었으니, 이제부터는 어떤 일이 너 크세 벌어질지 모르시 않느냐는 것이었다. 넷째, 하룻머릿골이 폐촌으로 되고 만 원인은, 따지고 보면 밴강쉬와 미륵례의 집안 때문이었고, 또 그 집안이 그렇게 된 것은 곧 그 두 거인들이 안고 있는 횡액 때문임에 틀림없다는 것이었다. 그러므로 그들이 만일 큰몰로 들어오면, 이 큰몰 또한 하룻머릿골처럼 될 게 뻔하다는 것이었다.[287)]

"짐승 같은 사람"인 밴강쉬와 "괴물 같은 여자"인 미륵례가 겪는 희생 위기는 피와 복수로 얼룩진 하룻머릿골의 역사적 비극에 그 뿌리를 두고 있다. 해방과 여순사건의 좌우 대립 속에서 밴강쉬와 미륵례의 집안은 서로 복수와 원한의 관계가 된 것이다. 이후 하룻머릿골 전체는 폐촌이 되고 만다. 그로부터 이십여 년이 지난 후에도 마을 사람들은 그 일을 잊지 못한다. 그들에게 밴강쉬와 미

---

287) 한승원, 「폐촌」, 『목선』, 문이당, 1999, 375~376면.

륵례는 그 소용돌이를 몰고 올 수 있는 '횡액' 으로 비쳐질 뿐이다.

결국 밴강쉬와 미륵례는 국가권력에 의해 희생된 아기장수의 운명과 동일하게 희생 위기에 처한다. 이들의 몸에 각인된 분단의 흔적으로 인해 밴강쉬와 미륵례는 화해롭게 결합하지 못한다. 따라서 이 소설의 결말부를 "6·25전쟁과 한 마을에서 일어났던 동족상잔의 비극을 에로티시즘과 설화의 힘으로 극복"한 것으로 읽고, 이 작품이 "설화와 역사가 결합하여 새로운 생명으로 나아가는 소설"이라고 하기엔 망설여진다.[288] 하룻머릿골은 해방, 분단, 여순사건, 전쟁, 개발독재를 내리 겪으면서 예전의 생명력을 회복할 수 없는 폐촌이 되어 버렸고, 마을 사람들은 이미 희생된 표지를 지닌 이들을 결국 마을공동체에서 추방시켰기 때문이다.

한승원의 『우리들의 돌탑』(1989)은 좌우의 대립과 갈등, 전쟁의 깊은 상흔을 잊기도 전에 개발독재, 5·18의 수난을 연달아 겪은 한 가족의 역사를 그려 낸 작품이다. 이 소설에서 아기장수 이야기는 종식이라는 인물이 겪는 비극적인 운명을 보여주는 에피소드로 삽입되어 있다. 주인공 종식은 날개가 제거된 제주도 아기장수를 연상시키는 인물이다.

종식의 어머니 진순은 종식이 태어날 때부터 지니고 있었던 '날개병' 으로 인해 더 큰 재앙을 가져올 것을 염려한 나머지 아들의 날개를 제거한다. 자식의 날개를 절단하는 어머니의 잔인한 행동은 비극적인 역사의 경험과 함께 떠올렸을 때에만 온전히 이해

288) 하응백, 「신화와 한의 소설 미학」(작품 해설), 『목선』, 412면.

될 수 있다.

> 이 자식을 앞으로 어떻게 할까. 이놈의 겨드랑이를 본 지가 까마득했다. 언제 보고 다시 보지를 않았을까. 그 날개는 얼마만큼 자라 있을까. 뜻밖에 그것은 참외나 수박의 배꼽에서 말라 떨어지는 꽃잎들처럼 없어져 버린 것이나 아닐까. 그랬기 때문에 종식이는 이때껏 무난하게 살아온 것이 아닐까. 군대엘 갔다가 오고, 주먹 치켜들고 몰려 다니다가는 붙잡혀 들어가서 몇 날씩 갇히어 살다가 나오고……아니, 이 자식이 저렇게 윗몸을 엇구수하게 숙이고 있는 것을 보면 아직도 그게 그 자리에 붙어 자라고 있는 모양이다. 남 몰래 자르고 또 자르고 해도 그것은 자꾸만 자라는가보다. 자꾸 자라는 그것 때문에 이 자식이 이렇듯 술을 끊지 못하고 늘 취해 비틀거리며 허둥대고 헤매는가보다. 그걸 늘 끊어내기 때문에 기력을 잃게 되는 것이고, 그 맥빠진 몸에 활력을 넣으려고 술을 계속 들이붓는가 보다. 아니다. 그게 아니다. 이놈한테는 뭔 고민이 있든지 있다. 무슨 죄를 짓고 숨으러 들어온 것이 분명하다. 이제 생각해 보니 해안경찰 순시선이 선창으로 들어온 날이면 종식이가 더욱 안절부절도 못한 채 술을 목구멍에 들이붓고 반편시늉을 하곤 한 것 같았다.[289)]

289) 한승원, 『우리들의 돌탑』, 문학과지성사, 1989, 94~95면.

종식의 어머니는 아들의 그 "날개병"이 화근이 되어 죽지 않을까 늘 걱정을 하며 지낸다. 항상 기운 없이 사는 아들의 모습을 보면서 어쩌면 "그 날개를 그놈은 문을 안으로 걸어 잠근 채 예리한 칼이나 가위로 늘 자르고 또 자르곤 했을 것이다."라고 추측한다. '날개'는 희생위기에 처한 희생양의 징표이다.

위에서 인용한 부분은 다음과 같은 물음을 통해 읽어야 그 숨은 의미에 근접할 수 있다. 부모는 왜 자식의 '날개'를 잘라야만 했는가, 또 자식은 왜 부모의 곁을 떠나려 했고 떠날 수밖에 없었는가. 자식의 날개를 자르는 부모의 행동은 더 큰 폭력 앞에 노출된 자식의 죽음을 막아 주려는 사랑의 한 표현이다.

여기에서 우리는 역사적 폭력에 의해 희생위기에 처한 어머니의 굴절된 사랑을 극명하게 볼 수 있다. 어머니는 자식들의 억울한 죽음을 미리 막기 위해 희생의 표식인 겨드랑이의 날개를 미리 절단한 것이다. 부모와 자식의 관계를 균열시키는 것은 한국전쟁에서 분단, 근대화, 광주의 오월로 이어지는 역사적 폭력이다. 어머니의 일그러진 사랑은 역사적 폭력과 자본주의적 개발독재 하에서 이루어졌던 희생의 그늘을 비춘다. 따라서 어머니가 자식의 날개를 제거한 것은 국가의 폭력성을 미리 거절하는 저항적 의미를 획득한다고 바꾸어 읽을 수 있다.

아기장수 설화 속의 비극은 분단과 전쟁의 상황에서 그대로 재현된다. 『포구』의 2부 '포구의 달'에 나오는 장수 이야기는 앞서 읽은 『우리들의 돌탑』에서 희생의 징표로 등장한 아기장수와 다른 의미를 지니고 있으나 희생적 성격에 있어서는 동일하다. 『포구』에서는 해매도의 장사가 태어난 배경과 그들이 겪은 수난을 다음과 같이 묘사한다.

"얼마나 오래전이었는지 모르지만, 해매도 안에 장사가 두 사람 났어."

그 장사 두 사람은 한 어머니 밑에서 쌍둥이로 태어났다. 원래 한 사람만 나왔어야 하는 것인데, 하늘의 뜻과 땅의 기운이 잘 맞아떨어지지를 않아서 그렇게 된 것이었다. 때문에 장사로서 갖추어야 할 날개를 두 장사가 모두 가지지를 못했다. 이런 장사들은 대부분 역모(逆謀)를 하다가 성공하지 못하고 삼족이 멸해지는 화를 집안에 불러들일 뿐이라고 사람들이 숙덕거렸다. 장사 쌍둥이의 아버지와 어머니는 꾀를 내었다.

"간밤에 꿈을 꾸었는데, 산신령님이 나타나서 이러시더라. 너희들 둘 가운데 누구든지 먼저 상대를 때려눕히고 간을 꺼내 먹는 쪽 사람의 겨드랑이에 날개가 돋아나게 될 것이라고…… 그리고 그 간을 꺼낸 뒤에는 꼭 심장에 구멍을 뚫어야 한다더라. 혹시 너희 형이 눈치 안 채도록 조심해라."

아버지는 동생을 불러 놓고 이렇게 말을 했고, 어머니는 형을 불러 놓고 마찬가지로

"……혹시 너희 동생 눈치 못 채게 조심해라."

하였다.

이 부분에서 말을 하는 사람들에 따라 이야기의 내용이 이렇게 달라지기도 했다. (…)

다시 사흘 밤낮을 싸우고, 또 사흘 밤낮을 더 싸운 다음 날의 황혼이 피어날 무렵에, 머릿속의 영혼이 박살 난 형 장사가

버드러져 숨을 거두고 말았다. 동생 장사는 형 장사의 가슴을 칼로 도려내고 간을 꺼냈다. 동시에 심장에 구멍을 뚫었다.

순간 심장 구멍에서 새빨간 피가 분출하기 시작했다. 그것은 수억만 개의 미세한 붉은 물방울이 되어 해매도를 감싸고 돌았다. 지척을 분간할 수가 없도록 짙고 붉은 안개였다. 형 장사의 간을 꺼낸 든 동생 장사는 그 안개를 두려워하지 않았다. 간을 먹기만 하면 자기의 겨드랑이에 날개가 돋게 된다고 생각했다. 날개만 돋으면 이제 천하가 자기 것이 되는 것이었다. 그는 으스대면서 간을 먹었다. 어머니의 말대로 곧 겨드랑이가 근질거리기 시작하더니 날개가 돋아났다. (…) 안개가 걷히면 옹암 연안 뒷산 꼭대기의 늙은 소나무 속에서 자기의 영혼을 빼내 담아야 하는 것이었다. (…) 그러나 끝내 찾지를 못했다. 영혼을 맡겨 놓은 지 만 삼 년하고 하루째가 되는 날 새벽녘에, 그는 안개 속을 날아다니다가 바닷물로 떨어지고 말았다. 그 자리가 바로 옹암 연안 동북편의 길게 뻗어나온 산줄기 끝인데, 거기에는 바닷물 속에 뿌리를 담그고 비스듬히 서 있는 큰 바위가 생겼다. 그 바위를 작은장사바위라 했다. 거기서 마주 건너다보는 옹암 연안 남동편의 긴 산줄기 끝의 모로 누운 바위를 큰장사바위라고 했다.[290)]

성진은 옹암 연안을 만들고 있는 두 개의 긴 산줄기 끝에 있

---

290) 한승원, 「2부 포구의 달」, 『포구』, 앞의 책, 182~185면.

는 장사바위들을 내려다보았다. 연안의 동북편 산줄기 끝에 비스듬히 서 있는 장사바위 끝은 뭉툭했고, 풀이 돋아 있었다. 얼핏 보면 대포를 장치해 놓은 것 같았고, 다시 얼핏 보면 발기한 남근 같았다.

수절을 해 오던 한 과부가 갯바구니를 들고 바지락을 캐러 나왔다가 그 바위를 보고는 상사병이 나서 죽었다는 이야기가 있고, 밭에 김을 매러 나온 처녀가 그 바위를 보고 자기네 머슴과 함께 밖봇짐을 쌌다는 이야기도 있었다.

오래전부터 마을 사람들이 풍기를 문란하게 하는 그 바위를 없애자고 주장을 해 왔지만, 항해하는 뱃사람들의 푯대가 되곤 하는 그 바위를 그럴 수 없다고 우기는 사람들이 많아서 그냥 두어온다는 바위였다. (…)

성진은 늙은 소나무 속에 영혼을 숨겨 놓은 동생 장사와 자기의 머릿속에 영혼을 그대로 간직한 형 장사가 석 달 열흘 동안 벅였다는 피나는 싸움을 생각했다. 자기의 영혼을 잔경철의 뼈다귀 속에 묻어 놓고 싸운 이재필은 살아남고, 그 영혼을 제 속에 지니고 싸운 박창길은 죽어 갔을까. 나는 그런 싸움에 뛰어들면 내 영혼을 어디에다든지 감추어 놓을 수 있을까. 있다. 천불사 공양주보살의 가슴에 묻어 놓을 수 있다.[291]

임성진은 떠난 지 두 해 만에 해매포구로 돌아와서 그의 아버지

---

291) 한승원, 「3부 달의 회유」, 『포구』, 앞의 책, 299~301면.

가 왜 장경철의 아버지 장우근을 여기서 죽였을까 하고 생각한다. 성진은 해숙에게 장경철, 이재필, 박창길 등과 얽힌 관계를 이야기하는 대신 두 '장사'에 대한 이야기를 들려준다. 그 이야기는 다음과 같다.

해매도 안에 장사가 두 사람이 태어난다. 쌍둥이로 태어난 것이 문제가 되었다. 두 장사 모두 장사로서 갖추어야 할 날개를 갖지 못했다. 날개를 지니지 못한 장사들은 집안에 화를 불러들인다고 생각한다. 그래서 장사 쌍둥이의 부모는 장사 형제에게 서로 싸워서 상대를 무찔러 간을 꺼내 먹는 쪽 사람에게 겨드랑이의 날개가 돋아나게 될 것이라고 말한다. 부모들은 이 사실을 형과 동생에게 서로 비밀로 하라고 당부한다. 경쟁, 증오, 질투가 장사의 운명에 이미 내포되어 있다.

그런 한편 말을 하는 사람들에 따라 이야기의 내용이 달라지기도 한다. 장사 했다. 장사 쌍둥이의 운세에 치어서 아버지는 먼저 앓다가 죽고, 어머니가 혼자 그들을 키운다. 이때 장사의 힘을 두려워해서 어머니를 홀릴 수 있는 미남자 한 사람을 은밀히 내려보냈다. 미남자 밀사에게 눈이 멀어 버린 어머니는 그 미남자가 시키는 대로 두 장사에게 서로를 죽이라고 귀띔을 한다. 옹암 연안의 모래밭에서 만나 싸우다가 동생 장사가 형 장사를 죽이고 심장에 구멍을 뚫었다. 두 번째 이야기에는 어머니를 유혹한 관군의 계략이 개입되어 있다.

심장 구멍에서 분출한 새빨간 피가 수억만 개의 미세한 붉은 물방울이 되어 해매도의 짙고 붉은 안개가 된다. 동생 장사의 겨드랑이에 날개가 돋게 된다. 형 장사의 간을 꺼낸 든 동생 장사는 그 안개를 두려워하지 않았다. 안개가 걷히면 옹암 연안 뒷산 꼭대기의 늙은 소나무 속에서 자기의 영혼을 빼내 담아야 하는데 그는 안개 속을 날아다니다가 바닷물로 떨어지고 말았다. 그 자리가 바로 옹암 연안 동북편의 길게 뻗어나온 산줄기 끝인데, 그 바위를 작은장사바위라 했다. 거기서 마주 건너다보는 옹암 연안 남동편의 긴 산줄기 끝의 모로 누운 바위를 큰장사바위라고 했다.

한승원의 소설에 자주 등장하는 아기장수 설화는 분단, 전쟁, 그리고 5·18 등 역사적 폭력에 의해 어떤 가능성마저 차단된 비극적인 운명을 보여준다. 아기장수는 지워지지 않는 역사적 상흔이 지속되고 있는 현실에서 구원의 가능성이 불가능하다는 것을 보여준다. 역사적 폭력에 의해 모든 가능성을 박탈당한 채로 삶을 연명하는 아기장수들의 모습에서 우리는 국가폭력에 의한 희생의 흔적을 볼 수 있다.

이청준은 제주도의 아기장수와 용마 전설을 『춤추는 사제』(1978), 「비화밀교」(1985), 그리고 『신화를 삼킨 섬』(2003) 등에서 다시 쓴다. 그런 가운데 백제 유민(流民), 제주4·3, 오월 광주의 역사가 무엇을 남기고 있는지를 성찰한다.

장편 『춤추는 사제』(1978)는 주인공 윤지섭이 백제사의 왜곡을 안타까워하던 중, '가짜' 의자왕릉을 발견하고, 문화제 전야제 행사에서 낙화암에 떨어져 죽게 되는 내용의 이야기이다. 이 소설의 숨은 의미는 기록된 역사와 설화와 같은 음지의 역사가 대립하는 장면에서 찾아진다.

기록과 유적들로 보존된 역사가 양지의 역사라면 전설과 민

> 담의 그것은 음지의 역사일 수 있었다. 양지의 역사가 스스로의 진실을 위한 왜곡을 감행할 때 음지의 역사 또한 스스로의 진실을 위한 비상한 왜곡을 감행했을 수 있었다.
>
> 대왕릉의 내력이 가짜에 분명하다면 그것은 그 백제의 유민들이 숨어 지은 음지의 역사가 아닐 수 없었다. 백제 유민들은 저들의 숨은 진실을 지켜 전하기 위하여 대왕의 능실을 몰래 지어 숨김으로써 자신들의 역사에 과감한 왜곡을 감행할 수 있었다. (…)
>
> 그것은 참으로 눈물겨운 음지의 역사요, 그 역사의 가슴 아픈 왜곡이 아닐 수 없었다.
>
> 그것이 만약 사실일 수 있다면 대왕의 능실은 이제 대왕 당신만의 역사가 될 수 없었다. 그것은 오히려 어느 땐가 그 능실을 숨어 지은 사람들과의 공동의 역사요, 그 역사의 역설적 징표가 아닐 수 없었다.[292)]

윤지섭은 "사서(史書)에 자신의 고증 작업을 의지할 수밖에 없으면서도 그것을 오히려 멀리 뛰어넘어 그것 너머에 있는 진실의 실상을 찾아 만나야 하는 이중의 노력이 필요해진 것이었다."(115면) 지섭의 고뇌는 '가짜'에서 '진실'을 만나야 한다는 것이다.

이 소설에서는 윤지섭과 아기장수를 동일하게 엮는다. 윤지섭이 느끼는 통증은 "마음의 아픔이 아니라 육신의 통증으로 그의

---

292) 이청준, 『춤추는 사제』, 열림원, 2002, 127면.

겨드랑이 밑에 둥지를 틀고 들어앉아 버린" 것처럼 지속된다. 이 통증은 아기장수의 것과 겹친다. 그 지속되는 통증은 패망한 백제 유민들의 역사가 끝난 것이 아니라 현재진행형의 역사라는 사실을 보여준다. 지속되는 통증은 감지할 수 있는 자에게만 전해지는 것이며, 그 아픔을 앓는 자가 그것을 치유할 수 있는 자이다. 그래서 윤지섭은 아픔을 무병처럼 지닌 채 많은 사람들의 기대를 배반하지 않으면서 백제 유민의 아픔과 진실을 대신하는 사제의 역할을 맡는다. 그는 모든 사람들의 소망을 대신한 아기장수의 비극적 운명을 실현하고자 한다.

여기에서 윤지섭으로 대변되는 아기장수는 만인의 소망을 담은 구원의 표상이다. 미래의 역사는 오직 한 사람의 구원자에 의한 것이 아니라 공동체의 간절한 소망에 의해서 실현될 수 있다는 것, 그것은 아기장수의 비극적인 이야기를 다시 쓰는 과정, 즉 "다시 만인의 삶으로 함께 완성시켜 나가는 이야기의 과정"[293]에 의해 가능한 것이다. 이청준은 이렇게 말한다. "야사는 한 시대사의 완결이 아니라 새로운 생성(生成)이요, 그 생성은 사단이 빚어진 당대가 아니라 그 기록 다음의 후세 사람들의 삶을 위한 애틋하고 간절한 꿈이"[294]라고 할 수 있다. 그것은 패배한 역사의 진정한 확인을 통해서 새롭게 열어 가야 할 미래의 과제이다.

『신화를 삼킨 섬』의 프롤로그와 에필로그에 「아기장수의 꿈」에

293) 이청준, 「비화밀교」, 『벌레 이야기』, 열림원, 1998, 133면.
294) 이청준, 「음양의 역사」(작가 노트), 『춤추는 사제』, 267면.

서 쓴 아기장수 이야기를 부분적으로 고쳐 쓴 것은 그런 맥락에서 이해된다.

> 늦도록 아기가 없는 미천한 신분의 내외에게, 산신께 기도한 효험으로, 아기가 태어난다. 부모는 기쁘면서도 아기가 산의 정기를 받고 태어난 전설 속의 장수가 아닐까 두려워한다. 아기의 범상치 않은 행동에 놀란 부모는 어느 날 밤 아기의 겨드랑이 밑에서 날개를 발견하고 이를 가위로 자른다. 날개가 잘린 아이는 자신의 힘과 용기를 빼앗은 부모 곁을 떠날 것을 결심한다. 그는 부모에게 좁쌀 한 말과 붉은 쌀 한 말과 검은콩 한 말을 내어 달라고 하며 떠날 채비를 서둔다. (…) 장수가 태어났다는 소문을 들은 관군들이 아기장수를 찾으러 마을에 온다. 관군의 군장은 부모를 협박해도 효력이 없자 계책을 써서 어머니를 속여 아기장수의 비밀을 마침내 알아낸다.[295]

> 프롤로그 : (…) 그러나 하늘은 이미 그것을 알고 있었다. (…) 그 아이를 얻어 기를 처지가 못 되는 모양이구나. 그래, 제 자식을 끝내 죽여야 할 양이면 그 아일 점지해 준 바위에다 다시 곱게 묻어 주어라.
>
> 뿐만이 아니었다. 그날 밤 그런저런 사정을 미리 알아차린 아이는 이튿날 아침 그의 부모에게 말했다. 아버지 어머니, 사

295) 이청준, 「아기장수의 꿈」, 『광대의 가출』, 청맥, 1993, 251~271면.

정이 그러하시면 저를 그 바위 속에 다시 묻어주시되, 콩 한 말 팥 한 말 참깨 한 말을 저와 함께 묻어 주십시오.[296)]

에필로그 : (…) 그리고 그때 아이의 아비는 원통하게도 자신의 자식이 하루쯤을 더 못 기다려 눈앞에서 두 번째로 거푸 죽어 가는 것을 보았다.

(…) 그리고 그때 어디선지 다시 슬픈 말울음 소리가 세 번 울리더니 갈라진 용마 바위 뒤쪽에서 눈부신 날개를 단 용마 한 마리가 불쑥 솟구쳐 올라 뒷산 니머 하늘로 멀리 사라져갔다. 새로 태어날 장수를 태우러 왔다가 주인을 만나지 못한 용마였다.

그리하여 사람들은 이후부터 아기장수도 용마도 더 이상 기다리려고 하지 않았다. 더 이상 그 영웅 장수나 용마의 희망에 속고 싶지 않아서였다.

하지만 사람들은 끝내 그 구세의 영웅 이야기를 잊지 못했고, 언제부턴지 그 아기장수와 용마가 다시 태어나기를 기다리기 시작했다. 그 이야기 속의 꿈과 기다림이 없이는 아무래도 세상을 살아갈 수가 없었기 때문이다.[297)]

이청준은 부모가 아기장수의 날개를 자르는 것이 아니라 아기

296) 이청준, 『신화를 삼킨 섬』 1권, 열림원, 2003, 14~15면.
297) 이청준, 『신화를 삼킨 섬』 2권, 앞의 책, 204~205면.

장수가 하늘의 뜻과 부모의 숨은 요구를 스스로 받아들여 묻어 주라고 요구하는 것으로 바꾸어 쓴다. 이것은 제주 지역의 아기장수가 날개를 잘린 후에 수동적으로 살아가는 것이 아니라 적극적으로 자신의 운명을 만들어 간다는 것으로 해석한 결과다.

여기에서 이청준은 비극적인 영웅 아기장수가 아직 우리에게 끊임없이 이야기되고 있는 이유가 무엇인지를 되묻는다. 이청준은 아기장수가 세상과 민중을 구원하는 '구원자' 였기 때문이 아니라 아기장수의 비극적인 죽음이 바로 새로운 구원자를 다시 꿈꾸는 '이야기' 를 낳았다고 해석한다. "그 이야기 속의 꿈과 기다림이 없이는 아무래도 세상을 살아갈 수가 없었기 때문이다."[298] 이렇듯 비극적인 아기장수 이야기를 새로운 세상을 갈망하는 사람들의 소망과 기다림이 담긴 이야기로 읽어 낸다.

제주의 용마 전설은 소설 『신화의 시대』(2008)의 2부 '역마살 가계' 에서 다시 등장한다. 구한말 고종 연간, 이진사 가문의 아들 삼형제 이야기를 간략하게 정리하면 다음과 같다. 아버지의 재산과 집을 가질 것을 염려한 두 형은 막내 동생을 노골적으로 따돌린다. 결국 고향땅과 집을 등져 떠나고 만 이인영(李仁榮)은 삼례에서 관군에게 쫓겨 밀려오는 동학군을 만나 의술을 익힐 기회를 가지게 되고 이제마라는 의인에 관한 소문도 접하게 된다. 그러던 중, 인영은 주막집 과년한 딸과 하룻밤을 지낸 후 아들 제마(濟馬)를 얻는다. 제마의 출생 유래담은 제주의 용마 전설과 겹친다.

298) 이청준, 『신화를 삼킨 섬』 2권, 앞의 책, 205면.

그런 일이 있은 지 열 달이 지난 어느 날 새벽녘, 이진사 아버지 충원공(忠源公)의 꿈에, 한 사람이 탐스런 망아지 한 필을 끌고 와서 '이 망아지는 제주도에서 끌고 온 용마인데, 아무도 알아주는 사람이 없어 이 댁으로 끌고 왔으니 맡아서 잘 기르시오' 하는 당부와 함께 망아지를 기둥에 매어 놓고 사라졌다. 충원공은 망아지가 매우 탐스럽고 사랑스러워 등과 갈기를 어루만지며 기뻐하다 꿈에서 깨었다. (…) 하인은 이내 문 밖에서 웬 아이를 강보에 안은 여인을 데리고 들어왔다. (…)

그리자 충원공은 잠시 전에 자신이 꾸었던 꿈이 떠올라 이를 집안의 길조로 여기고 아기 모자를 거두어들이도록 하였다. 그리고 꿈에 얻은 제주도 말의 일을 빌어 아기 이름을 제마(濟馬)라 하였다…….

그러니 인영은 그 이름의 내력 속에 담긴 선생의 서자 출생 신분까지도 그의 남다른 의론과 함께 자신과 모종 우연찮은 인연이 닿아 있는 듯 각별한 친연감이 느껴졌다. 그가 마음속에 꿈꾸어 온 세상살이를 앞서 살고 간 선지자의 모습이라 할까.[299)]

이제마의 태몽이 제주 용마 전설과 연결된 것은 특별하게 해석될 장면이다. 그것은 앞서 읽었듯이 천관산의 정기를 받아 자두리가 잉태한 그 생명이 민중들의 오랜 기다림의 결과였다는 점과 이

---

299) 이청준, 『신화의 시대』, 물레, 2008, 99~100면.

어져 있기 때문이다. 아기장수, 이제마, 태산은 민중들의 오랜 소망 속에서 신화적 인물들로 다시 태어난다.

이청준은 아기장수의 죽음으로 인해 그를 태우기 위해 달려온 용마가 발길을 돌려야 하는 비극적인 상황을 한탄하는 것에 머무르지 않는다. 오히려 사람들은 가짜 아기장수가 주었던 희망에 더 이상 속지 않기 위해서 그들만의 소망을 꿈꾸고 이야기 한다. 그래서 아기장수도 용마도 더 이상 출현할 수 없는 비극적인 시대임에도, 비극 영웅 아기장수 이야기는 민중들의 "이야기 속의 꿈과 기다림"을 통해서 지속될 수 있는 것이다.

### 3) 씻김: 바리데기

한승원과 이청준 소설에 등장하는 어머니는 '수난과 박해'의 흔적을 지니고 있다. 한스런 어머니의 이야기는 현실의 표층으로 가시화되지 않았던(아니 가시화될 수 없었던) 희생의 원(原)기억과 닿아 있다. 그 점에서 소설 속의 어머니 이야기는 역사적 수난의 흔적을 증언하는 '박해의 텍스트(textes de persécution)'[300]라고 할 수 있다.

소설 속의 어머니는 대부분 남편을 잃고 자식을 키우며 살아가는 홀어머니들이다. 어머니는 늘 부끄러움과 죄의식을 안고 산다.

---

300) 르네 지라르, 김진식·박무호 옮김, 『폭력과 성스러움』, 민음사, 2000; 르네 지라르, 김진식 옮김, 『희생양』, 민음사, 1998/2007. 참조.

어머니의 부끄러움과 죄의식은 역사적 기억에서 연유한 것이다. 따라서 그 부끄러움과 죄의식은 정치적, 역사적 차원에서 접근할 문제다.

이청준의 「눈길」(1977)은 어머니의 '부끄러움'을 아들의 심정과 대비시킨다. 아들은 어머니에게 빚을 진 적이 없다고 생각한다. "서로간의 빚"이 없다고 단언하는 아들의 숨은 기억은 아내의 추궁으로 서서히 밝혀진다. 아들은, 어머니가 이미 남의 집이 된 사실을 감추기 위해 옛집의 방에 일부러 '옷궤'를 남겨 두었다는 것을, 또 눈 덮인 산길을 걸어 아들을 배웅한 후 차마 부끄러워서 마을로 곧장 들어서지 못했다는 것을, 마음속에 묻어두고 싶었다. 하지만 어머니는 "새벽의 서글픈 동행"을 떠올리지 않으려는 아들에게 "한사코 기억의 피안으로 사라져가 주기를 바라오던 그 새벽의 눈길의 기억을" "묵은 빚 문서를 들추듯 허무한 목소리로" 들려준다.

> "신작로를 지나고 산길을 들어서도 굽이굽이 돌아온 그 몹쓸 발자국들에 아직도 도란도란 저 아그 목소리나 따뜻한 온기가 남아 있는 듯만 싶었제. 산비둘기만 푸르르 날아올라도 저 아그 넋이 새가 되어 다시 되돌아오는 듯 놀라지고, 나무들이 눈을 쓰고 서 있는 것만 보아도 뒤에서 금세 저 아그 모습이 뛰어나올 것만 싶었지야." (…)
>
> 나는 아직도 눈을 뜰 수가 없었다. 불빛 아래 눈을 뜨고 일어날 수가 없었다. 사지가 마비된 듯 가라앉아 있는 때문만이 아니었다. 졸음기가 아직 아쉬워서도 아니었다. 눈꺼풀 밑으로 뜨겁게 차오르는 것을 아내와 노인 앞에 보일 수가 없었다. 그

것이 너무도 부끄러웠기 때문이다. (…)

"그런디 이것만은 네가 좀 잘못 안 것 같구나. 그때 내가 뒷산 잿등에서 동네를 바로 들어가지 못하고 있었던 일 말이다. 그건 내가 갈 데가 없어 그랬던 건 아니란다. 산 사람 목숨인데 설마 그때라고 누구네 문간방 한 칸이라도 산 몸뚱이 깃들일 데 마련이 안 됐겄냐. 갈 데가 없어서가 아니라 아침 햇살이 활짝 퍼져 들어 있는디, 눈에 덮인 그 우리 집 지붕까지도 햇살 때문에 볼 수가 없더구나. 더구나 동네에선 아침 짓는 연기가 한참인디 그렇게 시린 눈을 해갖고는 그 햇살이 부끄러워 차마 어떻게 동네 골목을 들어설 수가 있더냐. 그놈의 말간 햇살이 부끄러워져서 그럴 엄두가 안 생겨나더구나. 시린 눈이라도 좀 가라앉히자고 그래 그러고 앉아 있었더니라……."[301]

어머니가 마을 뒷산 잿등에서 곧바로 집으로 들어가지 못했던 진짜 이유는 집이 없어서가 아니라, "말간 햇살" 아래 "시린 눈"으로 들어가는 것이 "차마 부끄러워서"였다. 어머니의 부끄러움은 가난의 얼굴이 밝혀지는 것이 그저 부끄럽기만 했던 아들의 것과 다르다. 아들의 부끄러움이 가난의 기억들이 밝혀지는 데에서 비롯된 것이라면 어머니의 부끄러움은 아들을 제대로 건사하지 못한 자책에서 나온 것이다. 나아가 어머니의 자책과 부끄러움은 근대화의 물결이 농촌 현실에 남긴 가난의 실상을 보여준다.

---

301) 이청준, 「눈길」, 『눈길』, 열림원, 2000, 37~39면.

한승원의 연작 『한』에 나오는 어머니는 자신의 실수로 자식이 죽게 되었다는 죄의식에 갇혀 지낸다. 어머니의 죄의식은 일찍 여읜 남편(아버지)의 죽음과 관련이 있다. 아버지를 앗아간 역사적 폭력이 아들의 복수심을 불러왔고 결국 아들의 죽음을 가져온 것이다. 이것은 평생 잊지 못할 '한(恨)'으로 남아 있다.

> 이 어미가 울면서 "니가 나 죽는 거 볼라고 그러냐? 나는 느그들 푸덕푸덕 성한 거 보고 사는 것이 낙인디, 니가 가막소에 가면 나는 어뜋게 살 것이냐?"하고 하소연하는 데는 그놈노 더 어쩌지 못하고, 노비 몇 닢만 구해다 달라고 하였다. 이 어미가 이날 새벽 이리 뛰고 저리 뛰면서, 쌀 다섯 되 값을 간신히 구해다 잡혀 주자, 이젠 다시 고향에 돌아오지 않겠다면서 집을 떴던 것이었다.[302]

「어머니-한 1」(1974)에서 어머니는 큰아들, 작은아들, '바라대기'라고 이름 지은 딸, 이렇게 세 명의 자식을 홀로 억척스럽게 키운다. 어머니는 아들에게 억울하게 '죽은 아버지'에 대한 이야기를 들려준다. 이것이 아들의 가슴에 불을 질러 놓는다. 「홀엄씨-한 2」(1975)에서 쌀례네의 남편은 6·25 때 보안서로 끌려갔다가 얻어맞고 용케 살아났는데, 이듬해 봄, 붉은 완장 두르고 칼 차고 설치던 때에 죽음을 당하고 말았다. 자식들에게 "여문 체하면서

---

302) 한승원, 「어머니-한 1」, 『한』, 226면.

남 앞에 나서곤 하다가 감옥살이로 늙어 버린 그의 외삼촌 이야기를 들려주어 가며 누누이 타일렀"(「우산도-한 3」(1975), 273면)는데도 아들은 그 일에 저항하다가 죽고 만다.

「눈길」과 『한』의 어머니가 느낀 부끄러움과 죄의식의 근원에는 근대화로 인한 가난과 역사적 폭력으로 인한 희생이 자리해 있다. 어머니의 부끄러움과 죄의식은 가난과 역사가 어떻게 한 가족을 '희생' 시켰는지를 극명하게 보여준다. 그나마 살아 있는 자식조차도 홀어머니의 곁을 하나둘씩 떠나간다. 어머니의 품에서 살지 못하고 고향땅을 떠나는 자식의 이야기는 또 다른 비극의 서사를 연다.

> "안 올지도 몰라요."
>
> 길모퉁이에서 뒤도 돌아보지 않은 채 영훈이가 말했다. (…) 그녀의 눈에는 바람이 보였다. 그 바람은 어허허허 하고 웃는 영훈이의 얼굴을 하고 있었다. 수천수만의 그 얼굴들이 바다를 건너고 들판을 달리고 하늘을 날았다. 멀리멀리 흘러 떠돌더라도 제발 오래만 살아라. 대나무숲에 바람 달리는 소리가 들려왔다. 그녀의 눈은 아득하게 바라다보이는 보랏빛 극락산의 머리 위로 달려가 있었다.[303]

다시 한 해, 그 답답하고 암울스런 날들이 지나가고 이듬해

---

303) 한승원, 「물너울 한너울」, 『해변의 길손』, 문이당, 1999, 136~138면.

봄이 돌아오자 이번에는 마침내 소년이 마지막으로 그 형과 누이를 뒤따라 금산댁과 바닷가의 마을을 떠나갔다.

(…) 형은 돌아오지 않을 사람이었다…….

하지만 소년은 그의 형처럼 기약 없이 마을을 떠나가진 않았다.

(…) -어머니, 저는 노래를 짓는 사람이 되어 보렵니다…….

아들에게선 마침내 그런 사연이 적혀 왔다. (…) 어렵고 외로운 사람들이 함께 그의 노래를 불러주는 동안엔 그는 언제나 엄니와 함께 있으며 그 바다와 섬들과 돛배와 돌밭의 바람으로 함께 있을 거라 하였다.[304)]

어머니는 돌아온다는 기약도 없이 떠나는 자식을 그저 기다릴 수밖에 없다. 홀로 남은 어머니가 그 땅을 떠날 수 없는 이유는 머물 곳이 없는 외로운 혼백만이 아니라 어딘가를 떠돌고 있을 자식이 돌아와 머물 수 있는 자리를 지키기 위해서이다. 그러나 아들은 꼭 되돌아온다는 기약이 없는 유랑의 길을 떠난다. 어머니의 품, 가족, 고향은 자식이 더 이상 거주할 수 있는 안식처가 아니다. 유랑을 선언할 수밖에 없었던 근본적인 이유는 이미 그곳이 회복할 수 없을 정도로 훼손된 곳이기 때문이다.

소설 속의 홀어머니는 역사적 폭력에 의해 버림받은 '바리데기' 들이다. 여기서 바리데기들의 희생이 결코 숭고한 것이 아니라

304) 이청준, 「해변 아리랑」, 『눈길』, 열림원, 2000, 97~100면.

어떤 선택도 불가능한 처지에서 비롯된 것임을 읽어야 한다. 이들에게 '희생한다는 것'은 어떤 선택이 아니라 "이미 언제나" 주어진 것이다.

「극락산·2」(1982)에서 "아기를 낳고낳고 또 낳으리라 하고 이를 악물었다. 스물이고 서른이고 마흔이고 낳으리라. 그녀가 낳은 아기들로 이 세상을 가득 채우리라."(65면)고 순덕의 억척스런 다짐은 분노와 복수심으로 가득 차 있다. 이 어머니가 구원의 존재로 변모하는 장면은 『해일』과 『키조개』에 이르러 읽을 수 있다.

> 희수는 오구대왕풀이가 왜 우리 무속에서 본(本)풀이가 될 수 있는가를 짐작할 수 있을 것 같았다. 바리데기는 하늘과 땅이 열리기 이전의 어둠(혼돈) 속에서 생명의 물줄기를 찾아가지고 죽은 자의 영혼을 되살아나게 한 것이었다. 가는 도중의 몇 십만 개의 난관 앞에서도 바리데기는 굴할 줄을 모르고 나아갔고, 방해자와 장애물들을 설득하고 이겨 내고 넘어섰다. 무장승을 만나서는 아들 일곱을 낳기까지 하였다. 바리데기는 얼마나 끈질긴 생명력을 가진 여자인가.
>
> 우리 무조신(巫祖神)이 여성이라는 것은 매우 뜻깊은 일이라고 그는 생각했다. 그 무조신이 서역국에 가서 생명수를 구해 옴으로써 자기의 죽은 아버지와 어머니를 살려냈다고 하는 것도 그렇다 싶었다. 여자는 물이고, 물은 풍요로움과 생명력의 시원이다. 태초에 하늘과 땅을 갈라 놓은 것은 물이었을 것이다. 무당들은 사람들의 모든 것을 물로써 푼다. 물같이 어울리도록 풀어준다. 오늘 밤에도 그들은 생명력이 가장 왕성하던

> 때에 죽어간 두 원귀들의 한을 물로써 풀고, 물같이 어울리도록 풀어 주고 있다. 그 총각 처녀 두 집안 사이의 무쇠 같은 벽을 또한 그렇게 어울리도록 풀어 주고 있다.[305)]

> 이 바다는 마녀이다. 이 무엄한 마녀는 같은 여성의 몸도 희롱한다. 갯벌 물속에 몸을 담그는 일은 바다의 마녀 성을 배우는 일이다. 나 스스로 한 마리의 키조개가 되어야 한다. 천관보살의 자궁이 되는 것이다. 심청의 자궁은 인당수에 빠진 다음 관세음보살 자궁(우주를 새로 창조하는 자궁)으로 거듭나서 장님인 아버지와 맹인 잔치에 온 모든 장님들과 미혹에 빠진 세상 사람들의 눈을 뜨게 했다. 말하자면 새 세상을 연 것이다. 가슴에 무지개 같은 환희 덩어리가 담겼다.[306)]

한승원 소설에서 바리데기는 끈질긴 생명력을 가진 어머니로 다시 태어난다. 어머니의 버림받은 몸은 바리데기의 약수가 그랬던 것처럼 새로운 세계의 원천이 된다. 광주에서 온 무당이 바리데기 무가를 부르는 장면은 그에 대한 하나의 응답이다. 바리데기가 한을 물로써 풀어 주는 역할을 한 것처럼 한승원에게 바다는 희생과 치유의 양가적인 의미를 지닌다. 마녀 같은 어머니의 몸은 모든 것을 포용하면서 생명력이 넘치는 화엄(華嚴)의 우주바다로 변모

---

305) 한승원, 『해일: 3부 해당화 붉은 꽃잎』, 앞의 책, 261~262면.
306) 한승원, 『키조개』, 문이당, 2007, 261면.

한다.

그러면, 이들은 이 기나긴 귀향의 여정 속에서 고향에 대한 상실감과 아픔, 저주와 복수의 기억들을 씻기고 치유할 수 있었을까. 남루한 고향의 기억들을 모두 잊을 수 있었을까. 다시 찾은 고향에서 진정 용서와 화해의 자리를 마련할 수 있었는가.

> 그가 그래서 나무가 되었구나. 그래서 그가 나무로 보였구나. 한마디로 말해 그는 한 마리 빗속의 새였고 주인 사내는 숲속의 나무였다. 그리하여 새는 나무를 보았고 나무는 다시 새를 본 것이었다. 낯모른 집을 따라 들어와서도 그토록 마음이 편해진 것 역시 거기에 곡절이 있었던 것 같았다.
>
> 따지고 보면 모든 사단은 사내의 그 형이라는 위인에게서 비롯되고 있었다. 사내의 말처럼 그 빗새라는 것도 그의 이야기를 빗대어 지어낸 가공의 새였고, 그를 불러들인 그 과원의 수림도 애초에는 그 형이란 사람이 심기 시작한 나무들이었다.
>
> 사내가 때때로 그 수림가에서 가련스런 빗새의 행색을 보게 되는 것 역시 그에게 아직 떠나간 형에 대한 사무친 기다림이 살아 있기 때문이었다.
>
> 사내의 그런 마음 씀씀이는 이미 그의 형에게만 머물러 있는 것이 아니었다. 그가 기다리고 있는 것이 착각이 아닌 실제의 자기 형이었다 하더라도, 집을 떠나간 형은 이제 그 빗새가 되어 숲을 찾아오고 있었다. 사내도 이젠 그의 노친네가 옛날 당신의 아들을 대신 한 그 한 마리 빗새만을 위해 동백나무를 심지 않았듯이, 그의 숲을 지나가는 모든 피곤한 길손들을 그

의 빗새로 맞아들이고 있는 것이다.[307)]

이청준의 「새와 나무–남도사람·4」(1980)에서 여기저기를 떠도는 외로운 "빗새"는 어머니의 품을 떠날 수밖에 없었던 자식들, 고향을 떠날 수밖에 없었던 유랑하는 수많은 사람들의 형상을 가리킨다. 어머니의 몸은 오직 당신의 아들 하나만을 위한 것이 아니라 "숲을 지나가는 모든 피곤한 길손들을 그의 빗새로 맞아들이"(「새와 나무」, 117면)는 거대한 나무숲이다. 어머니의 품은 사라진 넋들이 깃들 수 있는 곳이다.

부끄러움과 죄의식 속에서 살아야 했던 어머니의 '맺힌 한'을 풀어내는 씻김굿은 이청준의 『축제』(1996)에서 펼쳐진다. 어머니의 '손사래질'에 담긴 역설을 "우리 부모님들 모두의 공통의 마음가짐이요 일반적 정서의 한 양식으로"(79면) 이해한다. 또 이 소설 속에 삽입된 동화 '할미꽃은 봄을 세는 술래란다'가 보여주듯이, 죽음은 끝이 아니라 새로운 시작이다. 어머니의 장례식은 산 자와 죽은 자의 화해가 이루어지고, 살아 있는 사람들끼리 아픔을 나누고 새 삶을 여는 축제의 마당이 된다.

그러나, 어머니와 자식을 가장 버림받은 위치로 옮겨 놓았던 역사적 폭력은 아직까지 지울 수 없는 얼룩으로 남아 있다. 국가권력에 의한 희생의 구조 안에서 희생의 기억을 씻기는 작업을 마련하는 자들 역시 가장 희생당한 처지에 놓인 사람들이다.

---

307) 이청준, 「새와 나무–남도사람·4」, 『서편제』, 앞의 책, 117면.

'그래 이 사람들 곁에 누군가 있어줘야만 해. 살아 있는 동안엔 이 사람들도 누구 못지않게 귀하고 소중한 존재들이었으리라. 누군가의 귀한 아들딸이었을 것이고, 부모였을 것이고, 또 누군가의 소중한 식구, 친구 혹은 사랑스런 연인이기도 했으리라. 그런 사람들이 이토록 추악한 살과 뼈와 내장의 조각조각으로 해체된 채, 지금 여기 쓰레기보다 못한 몰골로 내버려져 있는 것이다. 한줌의 자존심도 없이, 인간으로서 최소한의 존엄성도 없이, 이런 몰골로 동족의 손에 살해당하여 누워 있는 것이다. 아아, 어디로 사라져 버렸을까, 이들의 소중한 영혼은? 이들의 소중한 꿈, 아름다운 추억과 애틋한 소망들은? 아아, 안 돼. 이 불행한 사람들을 결코 지금 이대로의 모습으로 떠나도록 만들어서는 안 돼. 이토록 추하고 부끄러운 모습을 하고서 이 세상에서의 마지막 순간을 마감하도록 만들어서는 안 돼. 누군가가 곁에 있어줘야만 해……'[308]

인간의 얼굴이 아닌 처절한 주검들 앞에서, 한 여인의 소망은 그들을 "이토록 추하고 부끄러운 모습을 하고서" 죽어 가게 놔두지 않는 것이다. 여인은 한때는 그 누구인가의 "소중한 식구, 친구 혹은 사랑스런 연인이기도 했"을 사람들이 "쓰레기보다 못한 몰골로 내버려져 있는" 것을 용납할 수 없다. 그들이 그런 처참한 모습으로 "이 세상에서의 마지막 순간을 마감하도록 만들어서는" 안

308) 임철우, 『봄날』 5권, 문학과지성사, 1998, 300면.

된다는 마음으로 그들의 시신을 지켜준다.

여기에서 우리는 가장 희생당한 자의 손길이 소리 없이 죽어 간 넋들의 희생을 기리고 치유하는 역설을 듣는다. 사라진 넋을 씻기는 이 "무당 어머니"는 이승과 저승, 산 자와 죽은 자의 사이를 잇는 존재로서 "그 무당의 소리는 한을 어루만져 사람들로 하여금 자신의 현실을 받아들이게 이끄는 위안의 주문이 아니라, 용기를 내어 부당한 폭력에 맞서 앞서 일어나 사람들을 이끄는 절규"[309]를 담고 있다. 바리데기가 그랬던 것처럼 가장 "희생당한 자"가 희생된 넋을 씻겨 구원할 수 있다. 어머니를 위한 씻김굿은 아직 그 희생의 기억이 사라지지 않는 한, 지속되어야 할 과제다.

이청준, 한승원, 임철우의 소설에서 설화는 역사적 트라우마와 한 몸을 이루면서 변형, 생성된다. 작가들은 설화의 변형과 생성을 통해서 그 치유될 수 없는 역사적 트라우마를 현재의 시간으로 소환한다. 설화 다시 쓰기는 결코 지울 수 없는 역사적 상흔이 지금 여기에서도 지속되고 있다는 사실을 환기시킨다.

이들의 소설에서 설화와 역사, 다시 쓰기가 갖는 미학적 정치성은 여기에서 찾을 수 있을 것이다. 역사적 트라우마로 인한 슬픔을 이야기하는 것은 과거와 미래의 새로운 관계 맺기, 즉 트라우마의 기억을 넘어 과거 재구성하여 미래를 여는 "치유의 역사학"[310]으로 나아가는 작업이 된다. 이야기하기는 과거와 현재에 대한 성찰

309) 정호웅, 「기록자와 창조자의 거리 임철우의 『봄날』론」, 『작가세계』 10권 2호, 세계사, 1998, 313~314면.

과 요청을 바탕으로 한 미래의 기획이다.

## 2. 소리와 한(恨)의 다층: 매듭 풀기

고향에 대한 애증이 교차되는 가운데 작가들이 고향과 호남 지역의 소리 전통과 한의 정서를 재해석한 것은 주의 깊게 살필 부분이다. 작가들은 호남 지역의 소리문화의 역동성을 재발견하고 이를 바탕으로 한의 정서에 대한 새로운 해석을 시도한다.

짐작컨대 작가들이 한의 정서를 서로 다른 의미로 해석한 것은 다른 소리문화권의 전통을 흡수한 결과로 보인다. 서정인의 경우 그의 소설 무대가 순천에서 섬진강, 지리산, 남원, 전주로 이어진 것처럼 동편제 판소리가 우세한 지역에 기대어 있다면 이청준은 보성, 장흥에서 해남, 강진, 진도 등 서편제 판소리와 무속적 특질을 통해 한의 정서를 해석한다. 한승원은 장흥과 보성 지역의 소리 전통 위에 구례 소리꾼 임방울의 가락에 의지해 있었다.

작가들이 호남 지역의 소리 문화를 수용하는 방식은 고향에서 어떤 소리 전통을 직접적 혹은 간접적으로 경험했느냐에 의해서가 아니라 어느 지역의 소리 전통에 더 정서적인 친화력을 가졌느냐

---

310) 도미니크 라카프라는 트라우마를 객관화와 동일화 하지 않는 '공감' 의 태도를 제안한다. 그것은 "이종요법적 동일시(heteropathic identification)"로서 타자에 대한 동일시가 아니라 말할 수 없는 타인의 고통에 다가서려는 끊임없는 대화를 가리킨다(도미니크 라카프라, 「역사 쓰기, 트라우마 쓰기」(김우민 옮김), 『치유의 역사학으로』(육영수 편역), 푸른역사, 2008, 133~213면).

에 따라 다르게 나타난다. 그것은 한의 정서를 변별력 있게 해석하는 바탕이 되었을 것이다.

### 1) 정관(靜觀)과 생성

서정인은 한을 원망, 분노, 슬픔이 아니라 그것을 뛰어넘는 조용함으로 풀이한다. 그는 오히려 한을, 무질서한 우연들이나 불공평한 불운을 거리를 두고 바라봄으로써 그것들이 사라지는 지점으로 읽는다. 서성인의 에세이 「무본(務本)과 정관(靜觀)」과 내담의 일부를 먼저 읽어 본다.

> 우리나라 사람들의 주된 정서는 한이 아니라 그것을 뛰어넘는 조용함이다. 서산에 지는 해는 지고 싶어지나, 날 버리고 가는 님은 가고 싶어서 가나, 여기에는 원망과 원한이 없다. 사귀의 만남과 헤어짐을 우주적 움직임의 일환으로 파악하는 것에 무슨 비난이 있고 무슨 앙심이 있으랴. 그것은 포기나 체념이 아니다. 그것은 받아들임이고, 기다림이고, 용서고, 수양이고, 바라봄이고, 넉넉함이다. 한 사건에 묻혀서 헤어나지 못하는 것이 아니라 그것에서 떨어져 거리를 두면 거기에 있는 것처럼 보였던 무질서한 우연들이나 불공평한 불운들이 사라진다. 그것은 한마디로 정관이다.[311]

---

311) 서정인, 「무본(務本)과 정관(靜觀)」, 『개나리 울타리』, 양영, 2012, 327면.

육이오 때 아들이 국군에 징발됐어요. 노인은 죽을 때까지 아들이 죽었는지 살았는지 몰랐어요. 그 아들만 생각하고 사는 거예요, 평생을, 돌아오기를 바라면서. 그러나 이 남북, 김일성이 이승만이 죽일 놈, 이런 이야기 한 번도 한 적 없어요. 그냥 오기만 기다리는 거지요. 누구 붙잡고 원한 없어요, 그런 거. 누가 가르쳐서 그랬겠어요? 가르치면 그런 거 못해요. 타고난 태생인 것 같아요. 죽을 때까지 아들 생각했어요. 그런 일이 한 둘이 아니지요.[312)]

전쟁에서 돌아오지 않는 아들을 기다리는 어머니에게는 평생 그 아들이 돌아오기만을 절실하게 기다림만이 있을 뿐이다. 거기에는 어떤 원한이나 증오가 있을 수 없다. 그러나 이 기다림과 넉넉함은 그저 그런 용서와 화해를 의미하지 않는다. 서정인은 도저히 받아들일 수 없는 아픔마저도 원한이 아닌 거대한 우주적 움직임으로 바라본다. 기다림과 넉넉함을 원한과 구별 짓고 있는 부분은 역설로 읽지 않으면 그 깊은 맥락과 의미가 잘 드러나지 않는다. 즉 조용하게 기다리고 넉넉하게 뛰어넘지 않으면 그 슬픔과 원망을 어찌하겠는가 하는 태도는 체념이나 포기가 아니라 고통의 중심을 바라보는 것이다.

이처럼 서정인에게 한의 정서는 슬픔과 분노, 원망과 원한에 갇

---

312) 서정인/한순미 대담, 「남도의 흙과 빛으로 빚어낸 말과 글」, 『호남 이야기: 원로 명사에게 듣는』, 앞의 책, 334면.

히지 않으면서 그 모든 것을 뛰어넘는 힘으로 수용된다. 이러한 한의 해석에 기댈 때 서정인 소설에 자주 등장하는 구술체와 판소리 사설이 의도하는 바를 읽을 수 있다.

> 두렛골에 외삼촌이 인정 많고 머리 좋고, 말 잘허고 다 좋은디 한 가지가 빠졌구나. 도지사가 교장 허는 농림학교 다닐 적의, 군내에서 인물났다 소문 한번 자자터니, 그 머리에 그 학문에 어디 가면 못 나설까, 공산당이 웬수로다 빨갱이가 웬말이냐. 마음 잠깐 잘못 묵고 길이 한 번 삐긋하니, 패가망신 말도 마라 일문 일족 쑥밭일세. 이십 년이 지나도록 부역전과 끈질겨서, 고달픈 몸 둘 데 없고 일가친척 빛 못 보네. 주는 대로 얻어묵고 눈치코치 보아감서, 천더기로 한평생을 살아간들 어떠랴만, 불쌍하다 우리 인생 한 번 가면 다시 오랴.[313]

『달궁 하나』(1987)에서 판소리 사설체가 의도하는 것은 인실이의 불행한 삶에 대한 연민을 자극하기 위한 것이 아니다. 그것은 그 여자의 삶을 그토록 불운하게 만든 무질서한 세상을 객관화시켜서 볼 수 있는 거리를 만들어 낸다. 서정인은 판소리 사설과 연희의 현장성을 인물들의 심리나 정서를 드러내는 미학적 장치로 활용하지만 지역의 소리 전통과 한의 정서에 대한 새로운 해석을 통해 궁극적으로 보여주는 것은 물질문명의 세계에 대한 본질적 비판이다.

---

313) 서정인, 「피아노」, 『달궁 하나』, 민음사, 1987~1990, 198면.

서정인은 남도의 소리와 한의 정서를 동서양의 철학을 통해 재해석함으로써 독특한 형식 실험을 보여주고 있어서 이채롭다. 그는 '자연의 생성' 에서 인간의 삶과 죽음이 순환되는 과정과 구조를 읽는다.

> "너는 삶의 계속을 못 보냐? 끝은 시작이다. 죽음은 끝나는 것이 아니라 변형이다. 새로운 삶의 시작이다. 윤회 말이다."[314)]

> "(…) 사람이 사람중심을 버리면 사람이나 나무나 새나 돌멩이나 다를 것이 없다. 윤회가 뭐냐? (…) 사람의 주기로 보면 삶이 끝나서 슬플지 모르지만, 자연의 순환으로 보면 또 다른 삶의 시작인데, 서러워할 것 있냐? 인생의 끝은 죽음이 아니라 변신이다."[315)]

> (…) 니 몸이 니 몸이 아니고, 내 몸이 내 몸이 아니다. 니 몸 내 몸을 마음대로 왔다 갔다 하는 것들이 있다더라. 단절이 아니라 연속이다. 이 물을 내가 마시면 내가 되고 니가 마시면 니가 된다.[316)]

---

314) 서정인, 「휴양림」, 『모구실』, 198면.
315) 서정인, 「벽소령」, 『모구실』, 232~233면.
316) 서정인, 「되고개」, 『모구실』, 175면.

삶과 죽음을 단절된 관계로 두었을 때 삶과 죽음 사이에 일어나는 변화의 과정은 보이지 않는다. 삶이 죽음이 되어 가는 그 과정에 주목할 때 삶과 죽음이라는 서로 다른 영역은 하나의 연속되는 흐름으로 파악된다. 자연의 생성적 순환의 과정에 비추어 볼 때, 인간 존재의 죽음은 끝이 아니라 '변신' 이고 '변형' 이다. 대립을 이루는 상관쌍이 운동과 생성에 의해 하나가 된다는 것은 헤라클레이토스가 "스스로 변화하면서 멈추고 있다"고 한 것, 노자가 도(道)를 "자기 스스로 불변하면서 끊임없이 영원한 순환 운동을 하다"고 해석한 것과 맥을 같이한다.[317] 또 고정되지 않고 끊임없이 흐르는 '생성' 의 공간인 '자연' 은 『주역』에서 "그 충만한 생기"[낳고 또 낳음을 일러 역이라 한다(生生之謂易)][318]라고 한 것에 가깝다.

이렇게 서정인이 주목하는 자연은 부단한 '변형' 을 통해서 끊임없이 만물을 '생성' 하는 하나의 거대한 생명체이다. 서정인의 소설쓰기는 시시각각으로 변화, 생성, 변형하는 '자연' 을 인간의 '말' 로 포착될 수 있는가라는 문제에 직면한다. 『모구실』의 무한한 대화는 이러한 물음에 대한 소설적 응답이라 할 수 있다.

---

317) 그리스 철학자 헤라클레이토스(Herakleitos)는 살아 있는 자와 죽은 자, 깨어 있는 자와 자고 있는 자, 젊은이와 노인, 그 모든 것이 같은 것이라고 했다. 변화에 의해 이것은 저것이 되고 또한 변화에 의해 저것은 이것이 된다고 보았다(윤병렬, 「퓌시스·존재·도(道)-헤라클레이토스·하이데거·노자의 시원적 사유」, 『존재론 연구』 5집, 한국하이데거학회, 2000, 264~297면). 앞의 논문은 헤라클레이토스·하이데거·노자의 사유의 유사성에 주목하여 "도(道)와 퓌시스며 존재가 놀랍도록 서로 유사한 면은 운동하면서 운동하게 하고 또 그러면서 자신들은 소멸의 소용돌이에 휘말리지 않는 데에도 있다."고 설명한다.

318) 곽신환, 『주역의 이해 : 주역의 자연관과 인간관』, 서광사, 2010, 301면.

> (…) 말을 하면 내가 남이 되었고, 말을 안 하면 내가 없었다. 남이라도 되어 있는 것이 없는 것보다 더 났냐? 하도 내가 나 아니어서 남으로 있는 것보다 아예 없는 것이 더 좋냐? 없으면 어떻게 되냐? 내가 없으면 누가 있냐? 내가 없는디, 누가 있으면 무엇하냐? 내가 나 아닌 남으로 있으면, 그것이 나냐, 남이냐? 나는 어디 있냐? 이래도 없고, 저래도 없냐? 어차피 없냐? 없는디 있는 것은 무엇이냐? 가짜냐? 말로 만든 가짜냐? 나는 내가 아니라는 말이냐? 말은 공중에 뜬 바람 아니냐? 흩어지면 없어지는 바람 아니냐? 왜 없어지냐? 사람들의 가슴속에 들어가서 산다. 나는 남들의 가슴속에 있냐? 여기 있는 나는 내가 아니냐? 나를 바꾸려면 남들의 마음속을 바꿔야 하냐? 남의 것을 내가 내 맘대로 하냐? 못 하냐? 내가 나를 내 맘대로 못 만드냐? 남의 것은 남이 맘대로 하냐? 남이 나를 만드냐? 남도 나를 못 만드냐? 남도 남의 것을 맘대로 못 하냐? 아무도 아무 것을 어쩌지 못 하냐?[319]

'말' 은 '나' 를 있게 하지만, 말을 하자마자 그 말은 '나' 의 것이 아니게 된다. 우리들은 우리가 한 '말' 앞에서 완전히 소외되어 있다. 그러나 말을 떠난 '나' 는 있을 수 없다. '나' 라는 기준이 마련되지 않는 한, 어떤 세계도 있을 수 없다. 도대체 말을 하는 '나' 는 누구인가, 나는 '말로 만든 가짜' 인가라는 물음을 제기된다.

---

319) 서정인, 「진료소」, 『모구실』, 앞의 책, 53~54면.

서정인 소설 속의 말들의 향연은 혼돈의 세계에서 '나' 라고 말할 수 있는가라는 물음을 안고 있다. 소설 속의 대화가 어떤 문제에 대한 '논쟁' 에서 출발하지만 그 해답이 이르지 못한 채 무한하게 반복되는 것도 그와 같은 맥락에서 이해된다. 동서양의 고전을 다양하게 인용하면서 끝없이 이어지는 그 무한한 대화는 '말' 이 사실을 왜곡할 수밖에 없음에도 오히려 그 오류의 가능성을 줄이기 위해서 더욱 필요하다는 역설을 보여준다.

### 2) 생명력과 율동

한승원 소설을 관통하는 핵심적 주제 가운데 하나는 인간의 숙명적 한(恨)과 그 풀이에 관한 것이다. 초기 소설 속의 운명과 한에 대한 해석은 소리와 한에 대한 재해석을 거치면서 차츰 변모해 간다. 『앞산도 첩첩하고』(1977), 『여름에 만난 사람』(1978), 『우리들의 돌탑』(1989), 『동학제』(1~7권, 1989) 등에서 한은 그 극복의 가능성과 함께 탐구된다.

> 이 무렵(1975년경)부터 스스로의 목소리에 자신을 얻고, 고향인 남해안 지방을 중심으로 한 토속적인 세계와 원초적인 생명력이 깔린 신비스러움과 역사의식을 통한 민족적인 비극과 한을 그려 보려고 욕심을 부렸다. 한은 퇴폐나 체념이나 한숨이나 눈물이 아니고, 극복과 의지의 미학이라는 생각을 하기 시작했다.[320)]

> 恨은, 물고기 같은 것이므로 그물을 치거나 낚시질을 하여 잡듯 건져낼 수 없으며, 냉이나 쑥잎 같은 것이므로 쉽사리 뜯어다 무치어 밥상에 올리듯 내놓을 것이 아니다. 그것은 엄살이 아니며, 울분도, 증오도, 피를 토하는 듯한 통곡도, 이를 갈며 대드는 악다구니도 아니다. 어쩌면 짜낼래야 짜낼 눈물이 씨도 없이 말라버린 뒤의 '한숨의 앙금' 이거나 '당함의 피멍' 이거나 할 것이지만, 내 어설픈 따지기로써는 풀이될 수가 없으리라.[321)]

임방울의 소리 「앞산도 첩첩하고」를 차용한 동명의 소설의 말미에서 작가는 한을 "울분도, 증오도, 피를 토하는 듯한 통곡도, 이를 갈며 대드는 악다구니도 아니다"라고 말한다. 이 시기의 소설들은 "퇴폐나 체념이나 한숨이나 눈물이 아니고, 극복과 의지의 미학"을 지반으로 하고 있다. 한의 극복과 의지에는 임방울의 소리 가락이 주요한 매개 역할을 한다. 소설 「출렁거리는 어둠」에서 '나' 는 임방울의 소리 가락을 이렇게 추억한다.

> 바윗덩이를 정으로 꽝꽝 쪼아대자 그 속에 들어 있던 향 맑은 물이 와르르 쏟아지는 것처럼 생명력이 넘치는가 하면, 흙탕물 속에서 퐁퐁 치솟는 생수처럼 촉기가 있었는데, 그 촉기

320) 한승원, 『포구』, 앞의 책, '자술 연보' 참조.
321) 한승원, 『앞산도 첩첩하고』, 창작과비평사, 1977. '작가 후기' 참조.

는 마치 피를 뿜듯이 뻗쳐올리는 대목에서, 그걸 듣는 내 가슴을 써르르하게 울려놓곤 하였다. 나는 어려서, 이른 봄 소쩍새가 울면서 한 방울 한 방울 토해 낸 핏방울이 결국 진달래꽃이 된 것이라는 이야기를 들은 적이 있었다. 울음과 한(恨)이 서렸다고 해야 할지, 피가 맺혔다고 해야 할지 알 수 없는 그분의 쩌릿한 뻗쳐올림 소리를 들으면서, 나는 늘 그 진달래의 애절하고 한스러운 모습을 머리에 그려 보곤 했다.[322)]

임방울의 소리는 아프고 슬프다는 밀로 온전히 붙잡을 수 없는 것이다. 한승원은 임방울의 소리에서 '생명력'을 추출한다. 그 소리는 생명력이 넘치는가 하면 울음과 한이 서려 있고, 치솟는 생수처럼 촉기가 있는가 하면, 한 방울 한 방울 토해 낸 핏방울 같고, 와르르 쏟아지는 듯 써르르하게 울리는 그런 소리다. 이렇듯 임방울의 소리는 애절함과 모진 면을 다 함께 지닌 가락이다.

임방울 소리가 지닌 생명력은 『우리들의 돌탑』에서 조금 더 선명하게 다가온다. 성춘은 임방울이 부른 「약산도 첩첩하고」를 떠올리면서 "약산(藥山) 태생의 여자들은 매우 애절한 듯하면서도 모진 면을 가지고 있다"(109~110면)고 생각한다. 이 소설에서 임방울의 소리가 지닌 한의 생명력은 탑 쌓는 행위와 마찬가지로 "벗어나려고 발버둥침과 벗어날 수 없음의 한없는 아픈 갈등을 해소하고 영원한 화해를 해 보려고 몸부림친 우리 삶의 안간힘 같

---

322) 한승원, 「출렁거리는 어둠」, 『앞산도 첩첩하고』, 책세상, 2007, 182면.

은" 것으로 해석된다. 한승원은, 한은 체념과 순응의 정서가 아니라 도깨비의 얼굴을 갖고 있는 끈질긴 생명력을 지닌 정서라고 말한다.

> 도깨비는 이렇게 우리 민족의 근저에 들어 있는 그 생명력의 정체가 신화적인 얼굴로 드러난 것이라 봐요. 이런 의미에서 '한'은 단순히 체념과 순응의 정서가 아니라, 도깨비의 얼굴을 갖고 있는 '끈질긴 생명력'을 지닌 정서라 할 수 있죠.[323)]

한승원은 임방울 소리의 생명력과 민중들의 굿 풀이, 도깨비의 끈질긴 생명력에서 원한을 넘어설 수 있는 긍정의 힘을 발견한다. 따라서 한승원의 소설이 한(恨)과 운명적인 삶을 이야기 한다 해도, 그것은 "허무와 동일시되는 운명일 수 없"고 "오히려 한 차원 고양된 세계를 지향하게 된다."[324)]고 할 수 있다. 한승원의 소설은 이 소리의 생명력에서 원한의 맺힘에서 풀림으로 나아갈 수 있는 가능성을 발견한다.

이제 한은 역사의 숨은 동력, 즉 민중의 끈질긴 생명력 그 자체라 할 수 있다. 소설 『동학제』에서 동학을 혁명이 아니라 '제' 혹

---

323) 한승원/정경운 대담, 「소설 속 남도 사람들의 삶과 감성」, 『호남 이야기: 원로 명사에게 듣는』, 앞의 책, 268~269면.

324) 우한용, 「한승원 소설의 담론특성」, 『국어교육』 90집, 한국어교육학회, 1995, 158면; 153~177면.

은 '굿'으로 표현한 이유는 그런 맥락에서 이해된다. 거대한 흐름을 바꾼 역사적 사건은 민중들의 입장에서 보면 일종의 한풀이에 해당하는 전복적인 반란이자 꿈의 표출이었다. 그러나 그들의 꿈은 좌절된다. 그래서 더욱 굿 풀이는 거듭될 수 있는 것이다.

이 한의 생명력은 달리 말해 '차 마시기'에서 '뜸 들이기'의 과정에 해당하는 것, 즉 그것은 대립으로 인한 원한과 복수심을 넘어 용서와 포용하는 마음가짐이기도 하다. 또 한은 세계의 질서와 흐름을 이루고 있는 근원적 에너지다.

> 바다와 배는 서로를 학대하기도 하고 학대당하기도 한다. 가학과 피학은 우주의 힘의 율동이다.
>
> 사랑은 우리들의 고달픈 삶을 버팅기게 해 주는 버팀목이고 존재 이유이고, 영원히 풀리지 않는 우리 삶의 비밀 작업이다.[325]

> 뜸 들이기는 우리네 삶에 있어서의 율동이다. 차 마시기는 앙당그러진 가슴을 바다처럼 넉넉하게 하여 상대를 용서하게 하고, 포용하게 하고, 삶을 잘 무르익게 하고, 더 견결해지게 하고, 얽히고설키고 홀맺힌 고를 풀리게 하는 뜸 들이기이다.[326]

---

325) 한승원, 「작가의 말」, 『사랑』, 문이당, 2000.
326) 한승원, 『차한잔의 깨달음』, 김영사, 2006.

아, 시란 무엇인가, 소설은 시를 향해 날아가고, 시는 음악을 향해 날아가고, 음악은 무용을 향해 날아가고, 무용은 우주의 율동을 향해 날아간다.[327)]

뱀도 개구리도 바퀴벌레도 도마뱀도 거머리도 지네도 개미도 민들레꽃도 개망초꽃도 제비꽃도 하나하나의 우주이다.

우주의 율동은 남근적인 가학(공세)과 자궁적인 피학(포용)으로 이루어져 있다.[328)]

우주는 바다와 배의 관계처럼 가학과 피학의 에로티즘적 원리로 이루어져 있다. 포구는 이 에로티즘을 보여주는 대표적인 이미지다. 우주의 생명체가 탄생하는 원리는 가학과 피학의 에로티즘적 운동을 통해서다. 이 율동이 바로 한승원이 제시하는 우주의 본질이자 사랑의 이미지다.

이렇듯 한승원은 하나의 생명체로서 세계(우주)를 에로티즘의 두 가지 원리인 가학과 피학의 질서에 따라 움직이는 율동으로 파악된다. 우리의 삶과 문학은 이 우주의 율동과 리듬을 따르는 일이다. 한승원에게 소설쓰기란 "유형과 무형, 수동적 공간과 능동적 에너지가 각각 얽히고설킨 천의 짜깁기와 같은 교역성을 함의"[329)]한

327) 한승원, 『키조개』, 앞의 책, 237면.
328) 한승원, 「작가의 말」, 『희망사진관』, 문학과지성사, 2009, 374면.
329) 김형효, 『노장 사상의 해체적 독법』, 청계, 1999, 32면; 『원효의 대승철학』, 소나무, 2006, 67~115면.

노자의 곡신(谷神)과 같은 세계의 근본 원리를 드러내는 작업이다.

### 3) 삭임과 풀이

이청준의 소설에서 길은 맺힌 한의 매듭을 풀이하기 위한 소리 찾기의 여정이라 할 수 있다. 이청준은 "소리 자체가 삶의 또 다른 양식"[330]이라고 말한다. "맺혀진 매듭, 옹이를 삶으로써 풀어나가는 한 양식"인 남도의 '소리'를 본격적으로 다룬 작품이 바로 연작 『남도사람』이다.

이 소설에서, 소리꾼 아비가 딸아이에게 청강수를 먹여 딸의 소리가 깊은 한으로 인해 득음(得音)에 이르려 했다는 사실보다 더 중요하게 읽을 부분은 소리꾼 여인이 "아비를 용서했길래 그 여자에겐 비로소 한이 더욱 깊었을 것이"(「서편제-남도사람·1」, 32~33면)라고 한 대목이다. 소리꾼 여인은 의붓아버지를 증오하지 않고 그 원한마저 삭여 소리의 힘으로 풀어냈음으로써 그녀의 소리는 원한을 넘어설 수 있었던 것이다.

이 연작의 마지막 편인 「다시 태어나는 말」(1981)에서는 누이의 소리를 찾아다니는 사내의 삶 속에서, 또 초의(草衣)의 다도(茶道) 정신에서 그 용서의 마음을 읽는다.

---

330) 이청준/김치수 대담, 「복수와 용서의 변증법」, 『박경리와 이청준 소설의 세계』, 민음사, 1982, 211면.

옳은 차마심의 마음을 익히려는 사람들이나 그 누이의 소리를 찾아 남도 천리를 헤매 다니는 사람이나, 알고 보면 모두가 그 한마디 말에 자신의 삶을 바쳐 살고 있음이 아니겠습니까. 그것도 그 필생의 삶으로 말입니다. 그래 그 용서라는 말은 운좋게도 몇 번씩 다시 태어날 수가 있었겠지요. 초의 스님에게선 차 마심의 마음속에, 사내에게선 누이의 소리 속에, 그리고 김 선생님에게선 사람에 대한 믿음 속에서……."[331]

지욱이 찾고자 하는 말의 모습은 누이의 소리를 찾아 남도의 곳곳을 헤매는 사내의 모습과도 겹치면서 구체적인 삶의 모습으로 드러난다. 또 지욱은 일지암을 짓고 일체의 차별을 넘어서는 불이법(不二法)에 기초한 다선일여 사상을 펼친 초의에게서 한마디의 '말' 속에 '삶'을 바친 언어의 참 모습을 본다. 초의의 다도에서 "말과 정신의 절제율"이 담긴, 즉 사람의 삶이 채워지는 "옹근 말들이 태어난 것"을 본다.

진정한 말의 모습은 비가시적인 정신과 가시적인 형식이 조화를 이루어 "삶이 말이 되고, 말이 바로 삶이 되며, 그 삶으로 대신되어진 말, 거기서보다 더 자유로워질 수 있는 말의 마당", 자신의 '삶'을 한마디의 '말' 속에 바쳐 살고 있는 자유인의 모습이다. 이렇듯 이청준은 타락한 언어를 대신할 참된 말의 모습을 남도 소리꾼 사내와 초의선사의 다도와 용서의 정신에서 찾는다.

---

331) 이청준, 「다시 태어나는 말–남도사람·5」, 『서편제』, 187면.

이청준은 삶에 맺힌 한의 매듭을 풀이하는 지혜로운 방편으로서 남도소리를 삭임의 과정으로 해석한다. 아울러 남도의 소리에서 '한풀이' 의 가능성을 읽는다.

> 이곳에선 그 남도소리조차 '풀이' 쪽이 아닌 '맺힘' 쪽으로 심회가 기운다. 하기야 이곳이 바로 그 '소리' 의 고향이요 '소리' 가 굳은 한맺힘의 풀이라면, 이곳의 삶은 그 소리의 마디를 앉히는 오랜 '맺힘' 의 모태이었을 터임에랴.
>
> 여기선 소리와 삶이 따로따로일 수가 없는 것이다. 소리와 삶이 안팎으로 겹을 이루어 하나가 되고 있는 것이다. 삶으로 맺고 소리로 풀고, 소리로 풀 것이 그토록 많음은 삶으로 맺은 것이 그만큼 많음이라. 소리가 바로 맺힘으로 다가오는 소이일 것이다. 그리고 그 소리에 대한 심회가 깊어감은 이 고을의 삶이 아직도 아픈 '맺힘' 의 흐름 속에 있음이기 탓이리라.[332)]

> 그 소리에 들어 있는 어떤 그 누추함, 어떤 정서, 그런 것이, 그런 아픔이 소리가 떠도는 것처럼 제 생각에는 늘 우리 삶 속에 배어 있다는, 어머니의 삶 속에 먼저 간 사람들, 또 그 먼저 간 사람들 때문에 맺힌 어떤 아픔 같은 것이 어머니의 삶 속에 늘 스며들었고, 저도 늘 그 분위기를 느끼고 있었다는 그런 것

332) 이청준, 「삶으로 맺고 소리로 풀고」, 『사라진 밀실을 찾아서』, 월간에세이, 1994, 234~235면.

이 하나 있었구요. (…) 그림에서 고태라든지 이런 것과 같은, 잘 묵은 거, 그 소리의 맛을 시김새라고 하는데, 그 말이 '삭임새'에서 왔다는 생각이 들고 또 그렇게 얘기하는 분들이 있습니다. 결국은 판소리가 멋있고 맛있는 그 맛은 그 판소리 속에 껴안겨진 스며진 삶이 얼마나 맛있게 멋있게 잘 삭았느냐, 그걸로 표현되는 것처럼 우리 그 아픔은 삭여 나가야 삶의 상승을 가져오는 것이 아닌가, 그런 생각을 해 봅니다.[333)]

남도소리가 '맺힘'이 아닌 '풀이' 쪽에 가까운 것은 오히려 이 지역이 그만큼 아픈 '맺힘'의 기억이 깊기 때문이라고 해석한다. 이처럼 소리와 삶은 하나의 겹을 이루고 있다. 나아가, 이청준은 판소리에서 말하는 '시김새', 즉 '삭임'의 과정이 그 아픔을 삭여 나가 삶의 상승을 가져오는 것이라고 말한다. 이렇듯 판소리를 "세상과 우리 삶에 대한 일종의 역설적 사랑의 양식이라 할 그 '흥'과 '신명기'의 열기로 힘차게 융합시킨 것"으로 읽음으로써 남도소리가 바로 삶에 맺힌 한의 매듭을 풀이하는 지혜로운 방편이라고 본 것이다.

판소리의 율조는 모든 인간사의 생생한 실감과 정조를 그대로 자연스럽게 드러내 주고 있으며, 그러므로 그것이 우리의

---

333) 이청준, 「삶의 과정으로서의 한(恨)」, 『코리안이마고』 2권, 한국라깡과현대정신분석학회, 1998, 22면.

> 생활감정과 정서의 가장 핵심적 요소와 맥을 함께하고 있는 것으로 이해하여도 큰 잘못이 없을 것이다. 그리고 그 감정과 정서의 핵심요소란 다름 아닌 우리 고유의 면면한 전래 정조, '흥'과 '신명기' 바로 그것이 아닐 것인가. 그래 판소리는 우리 가락 고유의 율조 속에 세상살이의 모든 아픔과 어두움, 갈등과 모순의 국면들까지 삶의 넓은 마당으로 안아들여, 세상과 우리 삶에 대한 일종의 역설적 사랑의 양식이라 할 그 흥과 신명기의 열기로 힘차게 융합시켜 그 삶을 더욱 넓고 탄력 있게 이해하고 선상하게 실현해 나갈 수가 있었던 것이 아닌지…….[334]

이청준은 남도의 소리가 맺힘의 정서보다 판소리가 그러하듯이 세상살이의 모든 아픔과 어두움, 갈등과 모순의 국면들까지 삶의 넓게 끌어 안은 사랑의 양식에 기반해 있음을 강조한다. 한의 정서를 '맺는 한'과 '푸는 한'으로 구별할 수 있다면, 남도의 소리에 내재된 한은 가슴에 맺힌 원한이 아니라 긍정적이고 화해로운 삶을 여는 자리, 즉 '삶을 위한 풀이'에 가깝다. 그것은 씻김굿에서 무당이 고리(고)를 풀어 가는 것에 견줄 수 있다. 남도 소리의 '풀이'와 '삭임'의 정서는 바로 앞서 읽은 '용서'의 마음과 동일하다.

이러한 소리와 한에 대한 해석은 『인간인』(1985~1991)에서 그

---

334) 이청준, 「아픔 속에 숙성된 우리 정서의 미덕」(작가의 말), 『흰옷』, 열림원, 2003, 257면.

소리가 역사를 움직이는 하나의 동력으로 등장하고 있는 데에서 읽을 수 있다.

> 한 어린 생명의 탄생을 위한 그 간절하고 장엄한 소망의 합창과 행렬! 장손은 이제 난정이 그 혼자만의 여자가 아니라, 그와 같은 소망으로 행렬에 함께하고 있는 모든 사람들의 여자이며, 그녀가 낳게 될 배 속의 아이 또한 자신이나 다른 어떤 한 사람이 아니라 차 위의 모든 사람들의 아이라는 생각이 뜨겁게 솟구쳐 오르고 있었다. 아니, 그 아이는 자신이나 차에 탄 사람들뿐 아니라 그 읍내의 군청 앞 광장과 길가로 몰려나온 모든 사람들, 심지어는 노암이나 경운, 무불까지를 포함한 대원사의 모든 스님들과, 오랫동안 잊혀져 온 가엾은 누이 장덕의 아이일 수도 있다는 생각이 가슴속 하나 가득히 차올랐다. 이제 그 아이는 누가 뭐래도 자신만이 아니라 그 모든 사람들의 공동의 핏줄이어야 한다는 뜨겁고 절박한 소망과 확신이 그를 알 수 없는 흥분으로 떨리게 했다. 그들의 소망과 꿈, 나의 꿈과 소망, 그 모든 사람들의 기나긴 염원과 사랑의 핏줄. ……아마, 그래 저들은 지금 이렇듯 오로지 한마음으로 아이의 무사 출생을 염원하고 있는 것이 아니냐……[335)]

장손은 5월 광주로 향하는 시위대의 구호 소리를 난정의 배 속

335) 이청준, 『인간인』 2권, 앞의 책, 337~338면.

에 든 새로운 생명이 무사하게 태어나길 기원하는 합창 소리로 듣는다. 그 이유는 장차 난정의 배 속에서 태어날 아이가 장손 "자신이나 다른 어떤 한 사람이 아니라 차 위의 모든 사람들의 아이"이기 때문이다. 나아가 그 소리는 장손을 비롯한 절골 사람들이 갈망하는 새로운 세상을 염원하는 사람들의 소망이 하나로 모여 든 실천의 불꽃이다. 『인간인』의 결말에서 1980년 오월에 동참한 사람들의 외침 소리와, 소리꾼 송화의 내력을 지닌 난정의 뱃속에 든 아이의 몸부림 소리를 결합시킨 장면은 그 소리가 바로 새로운 역사를 당기는 불꽃을 점화하는 뜨거운 소망과 삶, 염원과 사랑의 핏줄이었음을 보여준다.

이청준은 남도소리의 삭임과 풀이의 속성을, 판소리의 흥과 신명기의 율조와 열린 개방성, 망자의 한을 씻겨 저승길로 인도하고 현재 삶의 질서를 회복하는 축제의 마당 진도 씻김굿, 죽은 자들의 아픔을 함께 나누는 제주도 영개울림에서 발견한다. 『흰옷』, 『축제』, 『신화를 삼킨 섬』 등은 한의 매듭이 형성된 근원적 자리를 더듬어 넋을 위한 해원의 가능성을 찾아가는 과정에서 나온 작품들이다. 이 자리에서 이청준은 다시 태어나는 언어와 문학의 자리를 발견한다.

## 3. 용서, 자유와 사랑

고향 쓰기 작업과 마찬가지로, 작가들이 남도의 소리와 한의 정서를 재해석한 작업은 비극적인 역사 기억을 치유하고 참된 문학의 길을 모색하기 위한 탐색의 과정이었다고 할 수 있다. 남도 소리와 한의 정서를 '뛰어넘는 조용함', '생명력과 율동', '삭임과 풀이'로 그 의미망을 넓힘으로써 한을 단지 슬픔과 분노, 복수와 원한의 부정적 감정태가 아닌 긍정적이고 역동적인 삶의 힘으로 이끌어 낸다.

한의 정서를 새롭게 읽는 과정을 거쳐 자유, 용서, 사랑의 의미를 다시 묻고, 소설쓰기란 무엇이며 무엇이어야 하는지를 질문한다. 이 같은 질문은 각각 '우연과 필연'(서정인), '속죄'(한승원), '해방'(이청준), '망각'(임철우)으로 초점화해 볼 수 있다.

자유와 사랑은 궁극적으로 지향해야 할 가치에 해당한다. 자유와 사랑은 용서를 매개로 할 때 성취될 수 있는 것이다. 즉 용서는 자유와 사랑을 획득하기 위한 전제 조건이다. 여기에서 자유, 용서, 사랑에 대한 새로운 의미가 추출되는 한편 추가된다. 그것은 곧 왜 소설을 쓰는가라는 물음과 관련된 것이기도 하다.

### 1) 우연과 필연

「원무」(1969)는 선택이 불가능한 자본주의 질서 하에서의 사랑의 감정은 환상에 불과하다는 것을 '원무(圓舞)'의 형태로 보여준다. 「물결이 높던 날」(1963), 「강」(1968), 「가을비」(1970), 「탱자꽃」(1975), 「여인숙」(1976), 「겨울 나그네」(1976), 「행려」(1976) 등에서 희미하게 등장하는 사랑 이야기들도 마찬가지다. 사랑에 관한 이야기가 결코 행복한 귀결에 이르지 않는 이유도 바로 그런 사정에서 연유한다.

거기에는 우리의 현실이라는 것이 누군가를 선택하고 사랑할 수 있는 자유마저도 이미 빼앗긴 상황이며 '돈'과 '권력'의 질서에 따라 움직이는 곳일 뿐이라는 암울한 진단이 들어 있다. 자본주의 질서 하에서의 '운명'이란 초월적인 것이 아니라 "결국, 부모의 재산과 자기 자신의 많은 땀과 그리고 다소의 시간이 합쳐져서 되는 것"이다. "그렇다면 운명이란 알 수 없는 것이긴 해도, 지극히 정확한 것임에 틀림없다."(「가을비」, 172~173면)고 할 수 있다.

운명은 미지의 것이거나 불가해한 것이 아니라 수학적으로 계산가능하고 오히려 정확한 것이라는 판단은 곧 자본주의 물질문명의 기계적이고 합리적인 질서가 사람의 운명까지도 결정지을 수 있다는 역설로 읽어야 한다. 그런데 더 큰 비극은 "비극의 결여라는 비극 속으로 빠져 들어가고 있었는데 그것의 비극성은 바로 그것을 비극으로 느끼지 못하는 데에 있었다."(「원무」, 10면) 즉 우리에게 불행의 결여처럼 보이는 것은 그것이 없어서가 아니라 뒤늦게야 확인되는 것에 불과하다. 따라서 운명에 대한 예감은 현실의 예방책이 되지 못하고 지각된 성찰에 지나지 않는다.

그렇다면 서정인에게 자유와 사랑은 애초에 불가능하거나 기대할 수 없는 것이다. 이러한 인식은 비관적인 것이 아니라 오히려 사태를 정확하게 보게 한다. 소설집 『벗점』의 서문에서, 서정인은 "빗점은 자연 그대로 있는 산하에 아무 근거도 허락도 없이 인위적으로 금들을 긋고 서로 살상을 했던 시절에 어떤 젊은이들 둘이 겪은 아픔들을 그들의 늙은 눈들로 바라본 것이"라고 쓰고 있다.

'간첩은 적지에서는 아군, 아군지역에서는 적군인데, 그 반대가 자연스럽지 않냐? 내가 인민군 지역에서 국군하고, 국군 지역에서 인민군 했으면 내 목이 내 어깨 위에 얌전히 얹혀 있었겠냐? 내가 살아남은 것이 뭐 잘못 됐냐? 너무 간사스러웠냐? 어느 한쪽에 목숨을 걸고 달라붙었어야 했냐? 그 한쪽을 어떻게 정하냐? 결정할 때 내가 우연히 있었던 곳으로 저절로 정해지냐? 그렇다면 그것은 어느 쪽이든 괜찮다는 이야기 아니냐?'

'당신이 어디에 있든, 그것이 어찌 우연이냐? 당신은 아마 당신 고향에서 삼대를 살았다. 당신이 거기 있었던 것은 당신 할아버지 때 결정됐다. 그분은 또 그분의 할아버지가 뿌린 씨앗을 거뒀다. 그렇게 거슬러 올라가면, 삼천 년은 금방이다. 당신이 어느 한쪽을 향해 총을 겨눈 것은 당신의 운명이었다. 그것이 한순간에 같은 장소에서 바람개비처럼 반대로 바뀌냐? 나는 그것이 희한하다.'[336)]

지리산 빗점 계곡에서 만난 두 사람은 당시 인민군과 국군이었다. 그들은 '늙은 눈으로' 아군과 적군으로 나누어 살상을 했던 그 시절을 다시 바라본다. 그리고 묻는다. 우리는 스스로 자신의 운명을 개척하고 바꿀 수 있는 것인가.

지리산의 두 남자, 토벌군과 인민군이 던진 물음은 다음 두 가지 입장에 근거한다. 즉 하나는 자신의 선택과 자유에 의해 운명을 결정할 수 있다는 입장이고 다른 하나는 자신의 운명은 어떻게 해

---

336) 서정인, 「빗점」, 『빗점』, 양영, 2011, 292면.

서든 벗어날 수 없는 굴레라는 입장이 그것이다. 두 가지 입장을 종합하면, 운명이란 필연인지 우연인지 알 수 없는 것, 그렇기에 운명을 선택할 자유가 우리에겐 있을 수 없다. 이 우연과 필연의 대립을 넘어서게 하는 사건이 바로 '사랑'이다.

> '순종도 반항도 아니었네.'
>
> '맹종이었다. 그녀가 같이 달아나자고 했거든. 그녀를 포로로 넘기지 않은 것을 저항이라고 하지 마라. 그녀는 비무장 민간인이었고, 죽어 가고 있었다. 아버지를 살리기 위해 동네 부위원장을 했다더라. 나한테 총이 없냐, 총알이 없냐, 부하가 없냐? 나를 잡으러 온 놈들을 쏴 죽이고, 사랑하는 사람을 등에 업고 먼 바닷가로 가서 죽을 때까지 후회 없이 해로할 수 있었지 않냐?'
>
> 우리들은 산을 내려왔다.[337)]

지리산 토벌군이 된 남자는 빨치산 여자를 구해 주고 극진한 간호를 했다. 국군은 아버지를 살리기 위해 동네 부위원장을 했다는 여자를 고향 집으로 보냈는데, 그 여자는 현역 대위한테 피해를 줄까 염려해서 자살을 해 버린다. 토벌군 남자와 빨치산 여자의 사랑은 이념의 대립과 아무런 관계가 없는 것이다.

역사 속의 참혹한 그날, 그 자리에 있었던 사람들에게 자유, 사

---

337) 서정인, 「빗점」, 『빗점』, 앞의 책, 295~296면.

랑, 그리고 죽음이란 필연인가, 우연인가라고 질문하는 것이 어떤 의미를 지닐 수 있는가. 또 이념을 초월한 그들의 사랑에 대해 우리는 어떤 말로 설명할 수 있는가. 서정인의 질문은 명백한 대답을 요구하지 않다. 다만 우리가 추구하는 자유와 사랑이 결코 쉽게 개념화 할 수 없는 것임을 확인시켜 준다.

### 2) 속죄

한승원의 장편 『아제아제 바라아제』(1985)에서는 진정한 사랑이 무엇이며 그것은 또 어떻게 실천 가능한 것인지를 대학생 우종남의 목소리를 통해 이렇게 답한다.

> “(…) 현대 생활에 있어서 보다 중요한 것은 ‘왜’ 보다 ‘어떻게’ 입니다. 물론 ‘왜’ 를 알아야 보다 확실한 ‘어떻게’ 의 답이 나오긴 나올 테지요. 어쨌든 저는 그러한 따지기와 가리기에는 자신이  없습니다. 저는 이 땅의 모든 납자들이 중생들 속으로 뛰어들어야 한다고 생각합니다. 기껏 자기 혼자만의 수행을 위해서 젊음을 허비하는 것은 낭비입니다. 진성 스님의 그러한 자기 낭비를 보고만 있을 수 없습니다.”[338)]

우종남은 대중들을 ‘어떻게’ 구제할 것인가라는 실천적 물음을

---

338) 한승원, 『아제아제 바라아제』, 삼성출판사, 1985, 120면.

간과한 채, 자기만의 수행을 중시하는 진성의 종교적 태도는 허울 좋은 명분에 지나지 않다고 말한다. 그는 어떤 종교적 계율에 갇힌 행위가 아니라 현실 속으로 직접 뛰어 들어가 중생의 아픔과 함께 하는 것이 바로 진정한 사랑을 실천하는 방식이라고 본 것이다.

우종남의 주장은 곧 순녀의 행동을 비구니로서 지켜야 할 신성한 계율을 어긴 타락한 행위로 볼 것인지 아니면 다른 사람을 구제하려는 대승적 실천의 한 방편으로 볼 것인지에 관한 문제와 연결된다. 우종남의 생각에 의지해 보면, 순녀의 행동을 타락한 비구니로 단죄하는 것은 불교가 지향하는 보살행을 오독하는 일이 될 수 있다는 것이다. 또 순녀의 행동은 파계라고 할 것이 아니라 다른 사람에게 이타행을 수행함으로써 자신의 업을 속죄하는 행위로 볼 수 있다.

이러한 문제를 한승원은 한국 근현대사의 비극으로 확장시킨다. 이를 더 자세히 읽기 위해 소설 속의 은선 스님의 내력을 살필 필요가 있다. 은선 스님의 속명은 희자다. 희자는 고을에서 소문난 친일파 지주 최성호의 막내딸로서 그녀의 아버지는 일제시대에 한민당의 줄을 잡고 행세한 철두철미한 반공주의자였다. 희자는 육이오가 일어나기 한 해 전, 집을 떠난 후부터 부끄러움을 모르던 아버지의 삶과는 무조건 반대편의 삶을 살기로 작정한다. 희자는 무산 계급과 노동자 농민들을 위하여 친일파 타도와 인민 해방을 외치는 글을 쓰기도 하고 백정의 아들과 장래를 약속하면서 함께 빨치산 투쟁을 전개하기도 한다.

희자가 선택한 삶의 여정과 사랑은 투철한 이념적 신념에서 비롯된 것이 아니었다. 희자는 자신의 사랑을 "민족해방전선에 몸을 바치고자 하는 한 사람의 영웅을 위해서 용기를 주고 내조를 하는 것 또한 아버지의 죄과를 감하는 일이라고"(214면) 여긴다. 희자는 자신의 행동이 "아버지 대신 속죄를 하고 있다"고 생각한다. 희자가 행한 사랑은 역사 속의 아버지들이 범한 폭력성에 대한 속죄, 그것은 곧 가해자의 입장에서 피해자를 향해 먼저 용서를 구하는 일라고 할 수 있는 것이다.

이와 같은 속죄, 용서, 사랑에 관한 문제는 『우리들의 돌탑』(1989)에서 다시 다루어진다. 이 소설에서는 진정한 용서가 이루어지기 위해서 먼저 가해자가 스스로 자신의 잘못에 대해 속죄해야 한다고 말한다. 나병에 걸린 진만이 빨치산 유격대에서 저지른 자신의 과거 행적들을 참회하면서 삼문굴사에 돌탑을 쌓는 것은, 역사 속의 갈등을 해소하고 영원한 화해에 이르기 위해 자신의 업을 씻고 속죄를 비는 행위로 해석된다. 즉 "그 탑 쌓는 행위는, 벗어나려고 발버둥침과 벗어날 수 없음의 한없는 아픈 갈등을 해소하고 영원한 화해를 해 보려고 몸부림친 우리 삶의 안간힘 같은 족절일 것이다."[339]

한승원은 죽은 자들과 현재 살아가고 있는 사람들이 만나는 자리에서 화해할 수 있는 사랑의 근거를 찾는다. 『사랑』(2000)은 불교의 윤회설과 업보설을 바탕으로 과거의 역사와 현재의 역사를 하나의 원환으로 연결한다. '나'는 한때 '모스크바'라고 불릴 정도로 빨치산들이 밤을 지배하던 보림사 비자나무 숲에서 자신의 근원을 확인한다. '나'는 '나'의 존재를 만든 것은 어머니의 몸이 아니라 "헛것, 가령 도깨비나 떠돌고 있던 어떤 혼령이었는지도

339) 한승원, 「작가후기」, 『우리들의 돌탑』, 앞의 책, 319면.

모르고, 비자나무숲이 가지고 있는 지기(地氣) 혹은 음기였는지도" 또 "혹시, 저 비자나무숲 속에서 죽어간 한 빨치산의 혼령이 어머니와 교접을 했던 것이 아닐까."[340]라고 생각한다.

이처럼 한승원에게 사랑은 죽은 넋의 아픔을 자신의 것으로 느끼고 그 아픔을 '나'의 근원으로 수용하는 것이다. 그것은 가해자와 피해자의 구별을 넘어서 속죄와 용서를 전제로 할 때 가능한 일이다. 사랑이란 다른 사람의 죄를 대신해 스스로 속죄하는 행위이며 고통 받고 있는 사람들의 아픔을 나의 아픔으로 느끼는 것이다. 수많은 사람들의 희생과 아픔을 자기의 것으로 앓으면서 가해자의 시각에서 용서를 구하는 속죄 행위가 바로 한승원 소설에서 말하고자 하는 사랑의 요체다.

용서와 속죄에 대한 오랜 고뇌의 과정을 거친 후, 역사인물 소설 『초의』(2003), 『흑산도 하늘길』(2005), 『소설 원효』(1~3권, 2006) 등에서 비로소 자유의 삶이 무엇인지를 이야기한다. 한승원의 역사인물 소설은 역사인물의 삶을 조명하는 데에서 끝나지 않고 역사 속의 그들을 지금 여기로 불러내어 우리가 소중하게 껴안아 할 가치가 무엇인지를 생각하도록 촉구한다.

『초의』(2003)에서 초의가 승려의 길을 걷게 된 것은 그가 현실의 고통을 차츰 알아가는 과정을 통해서다. 초의는 운흥사의 벽봉과 함께 지내면서 손수 차를 만드는 법을 배우고 차를 만드는 민중의 고통의 실상을 알게 되면서부터 현실의 문제에 대해서 눈을 뜨

340) 한승원, 『사랑』, 앞의 책, 276면.

게 된다. 차를 마시는 일은 고려 때부터 토호들의 사랑방, 그리고 선비들과 규방에서 애용하여 그들의 고귀한 신분을 드러내 주는 상징이 되어 왔는데, 이러한 잘못된 차 문화의 실상을 제대로 비판하고 새로운 차 문화를 확립하기 위해서 초의는『다신전』과『동다송』을 집필한다.

초의가 지향한 다도의 깨달음이란,『유마경』의 보살정신 즉 중생의 아픔과 고통을 함께 나누는 사랑을 몸으로 실천하는 일이다. 초의는 "슬픈 성정"을 지니고 "초생달과 당나귀와 말들과 박새와 가마꾼들과 차 따는 배고픈 자들과 농부들"과 같이 "함께 아프면서" 살아가는 실천적 지식인이었다.[341] 한승원의 『초의』는 이렇듯 초의의 다도에 배어 있는 실천정신과 현실비판적 인식을 더 주시한다. 초의의 다도에는 자유와 사랑이 따로 분리되어 있지 않다.

정약전의 흑산도 유배 생활을 그린『흑산도 하늘길』(2005)은 정약전과 섬사람들 사이의 갈등, 여인 거무와의 사랑 그리고 가족, 아우 약용과 주고받은 편지를 삽입하여 형제간의 우애와 고뇌를 다채로운 결로 드러낸다. 한승원은 정약전의 마지막 모습에서 자유의 모습을 본다. "하늘을 떠도는 동안 얼마든지 자유자재함을 맛볼 수 있을 것이다. 그 자유자재함은 우주의 율동에 다름 아니다. 한줄기의 바람처럼 한 장의 구름장처럼 강심이나 해저를 흐르는 물줄기처럼 달려가는 파도처럼."[342] 정약전의 마지막 길에서

---

341) 한승원,『초의』, 김영사, 2003, 273면.
342) 한승원,『흑산도 하늘길』, 문이당, 2005, 292~293면.

자유자재함, 즉 우주의 율동을 읽은 것은 앞서 본 용서와 속죄를 거쳐 이른 것이기에 더욱 의미가 있다. 한승원에게 사랑과 자유는 고통받는 존재들의 아픔을 자신의 것으로 껴안고 궁극적으로 평등한 존재로 돌아가는 것이다.

### 3) 해방

이청준은 4·19라는 사건이 자유의 성취가 아니라 자유의 절망감을 안겨 주었던 사건이었다고 말한다. 당시 자유와 사랑은 난시 구호로만 머물러 있었다는 것이다.

> "흔히 4·19세대를 거론하면서 자유의 문제를 많이 지목하지요. 그렇습니다. 저 또한 자유의 문제에 민감했습니다. 식민지 시절, 해방기, 한국 전쟁기, 4·19, 5·16 등 어느 한때도 자유로운 적이 없었기 때문이지요. 언제나 자유는 독재의 구실 내지 빌미가 되는 느낌이었습니다. 심지어 4·19 이후에도 무질서의 느낌이 컸지 자유의 체감도는 적었습니다. 고등학교 때, 대학 시절, 군대 시절 등 늘 그랬지요. 그런 결핍감 때문에 더 자유에 취하고 욕망했었는지 모르겠습니다. 그럴수록 자유에 대한 절망감이 더 컸을지도 모릅니다. 그 당시 평등의 가치는 아직 잠자고 있을 때였습니다. 한편 사랑의 가치도 그렇습니다. 기독교적, 서구적 사랑이 아니라 사회 안에서, 세상 안에서 사랑의 구체적 실현태가 어떤 것인지를 물어보고 싶었어요. 그렇다고 사랑의 가치를 주장하려고 했던 것은 아닙니다. 만약 그랬

다면 조백헌 원장이 사랑으로 잇자고 주장하는 대목에서 박수를 쳤겠지요. 이상욱 같은 감시자의 시선을 붙였겠습니까. 자유도 구호로만 떠돌았고, 사랑도 그랬던 시절이었습니다. 가령 소록도 안에서도 사랑이라는 이름으로 여러 속임수들이 행해지고 있었으니까요. 황희백 노인이 헛것이나 피흘림의 문제를 직관하는 것도 그 때문이고요. 요컨대 자유니 사랑이니 하는 추상적 가치들이, 혹은 동시대의 담론 공간에서 많이 유포되어 있는 가치들이, 실제 삶 속에서 어느 정도 실효성이 있는가, 혹은 어느 정도 살아 움직일 수 있는가, 하는 문제를 탐문해 보고자 했던 것입니다"[343)]

이청준은 묻는다. 우리가 진정한 자유과 사랑의 가치를 가져 본 적이 있는가. 그리고 그 가치들이 우리 삶 속에서 얼마나 실효성을 지니고 있는가. 그의 소설은 자유와 사랑의 개념과 본질이 아니라 바로 그와 같은 가치가 실현되는 방식을 탐문한다. 『당신들의 천국』은 조백헌, 이상욱, 황희백, 이 세 인물의 입장에서 지배, 자유, 사랑에 관한 문제를 제기한다.

이에 관해서는 소설 「지배와 해방」(1977)과 『자유의 문』(1978~1988, 1989년 출간)에서 보다 구체적으로 논의된다. 「지배와 해방」이 소설가 이정훈의 강연 형식을 통해 작가의 소설론을 직접

---

343) 이청준/우찬제 대담, 「'우리들의 천국'을 향한 '당신들의 천국'의 대화」, 『문학과사회』 봄호, 문학과지성사, 2003.

표명하고 있다면 『자유의 문』은 추리소설가 주영섭이 자신이 실제로 쓰고 있는 소설 속의 등장인물과 대화하는 방식으로 이루어져 있다. 두 편의 소설 모두 이청준의 소설론을 소설화 한 것인데, 여기에서 지배, 자유, 사랑에 관한 문제는 '해방' 이라는 개념을 매개로 탐구된다.

> "결국 작가는 자유의 질서로써 독자를 지배해 나간다는 것입니다. 억압이나 구속이나 규제가 아닌 자유의 질서를 찾아 그것을 넓게 확대해 나감으로써 이 세계를 지배해 간다는 것입니다. 지배라는 말이 흔히 우리들에게 인상 지어 주기 쉽듯이, 그는 우리의 삶을 그의 지배력으로 구속하고 규제하고 억압하는 것이 아니라 오히려 그것들로부터 우리의 삶을 해방시키고 그 본래의 자유롭고 화창한 삶의 모습으로 돌아가게 하려는 것일진대, 독자들도 그의 지배를 승인하고 스스로 그의 질서를 따르지 않을 수가 없을 것입니다."[344)]

「지배와 해방」에서 소설가 이정훈이 말하고 있는 것처럼 소설이 현실 비판의 지배적인 이념으로 채택하게 될 때 소설의 언어는 선동적인 어조가 될 염려가 있다. 이를 경계하면서 이청준은 '지배/해방' 이라는 대립쌍을 통해 소설의 비판적 기능을 설명한다.

---

344) 이청준, 「지배와 해방-언어사회학서설 ③」, 『자서전들 쓰십시다』, 열림원, 2000, 132면.

즉 소설 언어의 진정한 모습은 한편의 질서를 설득시키려고 하는 폭력적인 지배 방식이 아니라 궁극적으로 독자들의 삶에 해방을 가져올 수 있는 자유의 질서여야 한다는 것이다.

그것은 달리 말해 소설이란 말과 삶이 서로 배반하지 않는 가운데 '자유의 질서'를 추구하는 방식이라고 요약할 수 있다. 이를 이청준은 이렇게 말한다. "삶의 실체를 바탕으로 하여 그 실체와의 약속을 배반하지 않고 말이 곧 그 삶의 실체의 모습으로서 말과 삶이 하나가 되어질 때 그 말은 우리의 삶의 창조의 질서가 될 것이고, 우리의 삶과 말 자체를 더욱 높고 넓은 질서로 해방시켜 나가는 자유의 질서가 될 수 있을 것이다."[345] 즉,

> "(…) 소설이 그의 기성의 계율을 바꾸거나 버리는 것은, 그것으로써 그 소설 자체가 하나의 변화의 징후, 그 징후의 기호로서 보다 더 직접적인 기능을 수행해 나가는 일이거든요. 그리고 그로써 소설은 그 전향적 창조성 속에 계속 다시 태어나는 것이며, 더 나은 삶과 세계의 질서, 바로 자유의 질서를 향해 나아갈 수 있는 것이지요."[346]

소설이란 말과 삶의 배반하지 않는 관계, 즉 서로를 해방시켜 나감으로써 '자유의 질서'를 추구한다. 그러한 소설은 강건한 신념에

---

345) 이청준, 「존재적 언어와 관계적 언어 사이에서」, 『말없음표의 속말들』, 나남, 1986, 140~141면.

346) 이청준, 『자유의 문』, 열림원, 1998, 263면.

찬 종교의 질서와 다르다. 소설은 계율에 얽매이지 않고 좀 더 나은 계율을 향해 그동안 지탱해 온 계율을 버릴 수 있어야 한다. 소설이 추구하는 '자유의 질서' 란 작가와 독자가 서로를 '해방' 시켜 나가는 삶과 세계의 질서를 향해 나아가는 것이다.

자유와 해방의 가치를 소설이 아니라 역사의 문제로 옮겨 놓으면서 이청준은 그것이 가능하기 위해서 먼저 '용서' 가 전제되어야 한다고 말한다. 「비화밀교」(1985)에서는 그 용서를 "종교로는 비교보다 밀교(密敎)"에 가까운 제왕산의 불놀이를 통해 보여준다. 민속학사 소승호에 따르면, 제왕산을 오르내리는 사람들이 지켜온 그 보이지 않는 음력(陰力)의 세계는 곧바로 현실의 표면 위로 그 힘을 증거하지 않은 채로 우리의 삶 속에 깊숙하게 자리해 온 것이다. 그것은 진정 서로를 '용서하는 것' 이다.

> "누가 누구를 용서한다기보다 서로가 서로를 용서하는 것이었지. 그리고 아마 자기 자신을 용서하는 것이겠구. 그야 나와 선친으로 말한다면 일방적으로 용서만 받은 건지 모르지만. 그러니 어쨌든 서로가 상대방을 용서한다는 것. 누가 누구에게 어떤 허물을 지어온 처지라도 적어도 오늘 밤 우리끼리만은 여기서 이 고을의 이름으로 그것을 서로 용서하고 허물하지 않는 것…… 그것은 우리가 오늘 밤 이곳에서 누구와도 함께 하나가 되고 있는 일이며, 우리가 함께 똑같은 소망으로 하나가 되는 것은 비로소 하나의 힘을 이루는 것이 되겠지."[347]

소설가 '나' 는 조승호가 말하는 용서의 의미에 대해서 쉽게 공감하지 못한다. 보이지 않는 간절한 소망만으로 온전한 용서의 자리가 만들어질 수 없기 때문이다. '나'는 그 힘들이 커다란 다른 힘으로 변모되지 않는 이상 그러한 기다림들은 다만 소극적인 것일 뿐이라고 반문한다. 소설가인 '나'에게 남겨진 문제는 그 보이지 않는 기나긴 소망과 기다림, 그리고 용서의 정신을 어떻게 소설로 증거할 수 있겠는가에 있다. 여기에서 이청준은 드러나 보이는 어느 한 면의 세계를 선택하는 것보다 중요한 것은 겹의 세계를 동시에 수용하고 감싸는 용서의 태도를 제시한다.

이러한 시각의 연장에서 『인간인』(1985~1991)은 비극적인 역사의 시대를 살았던 사람들을 가해자와 피해자로 이분법적으로 구별짓는 논리에 대해 의문을 던진다. 사람들이 살아가면서 짓는 '허물'이라는 것도 사람들이 만들어 놓은 '법'이라는 '덫'에 비추어 봤을 때 죄가 될 뿐 사람은 본래 평등한 존재이며 "우리 인생살이란 그런 처지의 윤회의 수레바퀴"(340면)라는 점에서 그것은 그리 간단한 문제가 아니라는 것이다.

이는 역사 속에서 행해진 잘잘못을 따지는 일이 불필요하다는 말이 아니다. 가해자와 피해자라는 단순대립의 구도에 의해서 그 죄와 허물을 쉽게 재단하지 않아야 한다는 것이다. 이러한 인식이 전제되지 않는 한 역사 속의 진정한 용서와 화해는 이루어질 수 없으며, 자유와 사랑의 실현은 요원한 일이다.

"삶의 왜소화와 비생산성에도 그것들을 끝내 버리지 못해 온"

---

347) 이청준, 「비화밀교」, 『벌레 이야기』, 열림원, 2002, 104면.

가해자와 피해자의 대립을 넘어서 용서의 마음을 실천한 "자유인의 초상"을 이청준은 이렇게 그려 낸다.

> 남의 삶을 빌어 그에 기대지 않음으로 하여 자기 삶에 조금도 거침이 없었던 김 영감, 어두운 지하실에서 차마 더는 낮아질 수가 없어 스스로 그곳을 나와 배신자가 기다리는 자기 죽음의 자리로 꿋꿋이 걸어 나간 집안 어른의 자존심, 죄없이 불구의 몸이 되어 돌아와서도 원망이나 복수심 대신 자신과 이웃과 세상을 용서하고 스스로 마음이 열려 우리들의 즐거운 친구가 되어준 어른 장난꾼(원망이나 복수 대신 자신과 이웃을 용서하여 스스로를 해방해 나간 사람으로는 언젠가 다른 곳에서 소개한 바 있는 나의 외종형 천신만고 위험한 죽음의 도피행에서 살아 돌아와 주위의 두려움과 은근한 기대에도 그 혼자 말없이 염소 한 쌍을 끌고서 산으로 들어가 버린 그 외종형의 경우도 마찬가지일 터이다), 그 비정스런 담임 선생님까지는 아니더라도(그 역시 혈기 방장한 젊은 선생님이었다는 점에선 달리 생각해야 할 대목이 없지 않겠지만) 심지어는 식욕 좋은 여덟 자식들 때문에 주일 예배를 소홀히 한 그 고달픈 장로님까지를 포함하여, 이들의 초상은 내게는 누구보다 참되고 분명한 자유인, 비록 키가 작아서 제 발밑 땅 밖에 넓고 먼 삶의 터는 일궈낼 수 없었다 하더라도 그럴수록 내겐 더 알뜰하고 소중스런 자유인의 초상으로 지녀져 온 것이다. -키 작은 자유인들을 위한 메모[348]

자유인의 초상으로 남아 있는 그들은 삶 속에서 용서를 실천한 평범한 사람들이었다. "원망이나 복수 대신 자신과 이웃을 용서하여 스스로를 해방해 나간 사람"들이었다. 함께하는 것이 중요한 삶의 가치가 되고 있는 현실에서 자유의 삶을 실천적으로 보여주었던 그들의 모습이 결코 바람직하다고 할 수는 없다. 하지만 그 '혼자 견디기'는 누구도 원망하지 않고 스스로와 다른 사람을 해방시키는 참된 자유인의 초상이라 할 수 있다.

그러나, 아직 용서의 문제는 끝나지 않은 숙제다. 「그곳을 다시 잊어야 했다」(2007)는 일제시대 옛 소련 땅 연해주로 건너가 우즈베크 공화국 수도 타쉬켄트 시에 살고 있는 유일승(유 세르게이)의 이야기다. '유일승'은 고향 강진을 떠나 두만강을 건너 간도지역으로 들어간 후 소련령 연해주를 향해 가는 중 용정 부근의 조선족 산간마을 근처에 은신 중이던 독립 무장대에게 일본 첩자 혐의로 붙잡히게 된다. 겨우 목숨을 부지해 연해주 땅을 밟게 된 유일승은 노정삼의 성을 받아 '노일승'이 된다. 이후 1937년 무렵, 연해주와 사할린 등 극독지역 고려인들의 중앙아시아 강제 집단이주가 시작되어 우즈베크 지역의 벌판에 버려진다. 노일승은 '유 세르게이'로 이름을 바꿔 그 땅에 정착해야만 했다.

> 내가 어렸을 적 고국을 떠난 뒤로 그 조국을 두 번이나 잊어야 했다고 한 말 기억하는가. 처음 한 번은 이 땅에서 살아남기 위해. 그리고 두 번째는 그 조국과 조국의 전쟁을 용서하기

---

348) 이청준, 「키 작은 자유인」, 『가위 밑 그림의 음화와 양화』, 열림원, 1999, 166~167면.

위해서였다고. 그런데 이제 나는 다시 세 번째로 조국을 잊어야 했고, 잊어 가고 있는 참일세. 이번엔 여기 이렇게 살아왔고 앞으로도 종생까지 살아가야 하는 내 삶을 용서하기 위해서 말이네.[349]

아우 재승은 형 일승이 고국을 찾아 주기를 소망하지만 일승에게 고국행이 왜 그토록 어려운 일인지를 납득할 수 없다. 그런 것은 재승 씨가 중학교 이학년 시절에 겪은 6·25전란의 혼란과 무서움의 기억으로 거슬러 올라간다. 인민재판에서 가족이 몰살을 당하고, 인근 산속으로 도주한 외종형, 흙구덩이 속에서 죽어 가며 공화국 만세를 불렀다는 수수께끼 같은 사실을 잊을 수 없다.

이 난민의 역사를 통해 이청준은 우리에게 다시 묻는다. 조국으로 돌아오기 위해서는 먼저 조국을 잊어야 할 텐데, 과연 조국을 잊는다는 것이 가능한 일인가. 조국을 잊기 위해서는 조국을 용서해야 하고 무엇보다 지금까지 살아 왔던 내 삶을 용서해야 가능한 일인데 그것은 과연 가능할 수 있는가.

### 4) 망각

임철우의 『아버지의 땅』(1984)과 『그리운 남쪽』(1985), 『붉은

349) 이청준, 「그곳을 다시 잊어야 했다」, 『그곳을 다시 잊어야 했다』, 열림원, 2007, 78~79면.

산, 흰 새』(1990), 『그 섬에 가고 싶다』(1991), 『백년여관』(2004) 등에서 줄곧 제기하는 물음은 우리에게 고통을 안겨 주었던 그날의 기억이 아직까지 지속되고 있는 현실에서 어떻게 그 기억을 망각할 수 있겠는가 하는 것이다.

임철우의 소설은 죽은 사람들이 아직 우리들의 기억 속에서 죽지 않았다고 말한다. 그 고통스러운 기억들은 낙일도의 바다가 그런 것처럼 지금까지도 되풀이되고 있다.

> 남녘의 바다는 해마다 봄을 잉태한다.
>
> 긴 겨울 내내 청동빛으로 푸르딩딩한 몸뚱이를 느리게 뒤척이며 거대한 파충류처럼 둔중한 신음을 토해 내기도 하고, 때로는 여러 날씩 밤낮으로 끙끙 안간힘을 써대기도 해가며 바다는 제 몸 깊숙한 자궁 안에 봄을 받아서 키운다.
>
> 그러다가 이윽고 때가 오면 바다는 몸을 풀어, 뭍을 향해 제 새끼를 떠나보내곤 하는 것이다.
>
> 그것은 해마다 되풀이되는 바다의 출산이다.[350)]

낙일도 사람들은 여전히 과거의 기억 속에 갇혀 있다. 황량한 도시에서 얻은 "피곤함과 쓸쓸함의 기억"을 잊고 싶어서 여기저기 떠돌아다녀도, 그 기억은 잊히지 않았다. "고향도 국적도 이름도 없이, 세상의 모든 바다를 떠다니며 살아온 가랑잎 같은 시간들"

---

350) 임철우, 『그 섬에 가고 싶다』, 살림, 2003, 84면.

속에서도, 여전히 "추억은 악몽이었고 저주의 시(詩)였다." 이 "증오와 슬픔"의 기억을 완전히 망각할 수 없는 한, 예전의 고향으로 돌아갈 수 없다. 고향으로 돌아가기 위해서는 그날의 기억을 완전히 잊어야만 가능하다.

그런데, 그날을 망각할 수 있을까. 『백년여관』은 역사적 고통을 여전히 앓고 있는 사람들을 다시 이야기한다. 4·3으로 인해 온 가족을 잃고 영도로 건너온 여관집 주인 강복수, 6·25전쟁 때 보도연맹 학살사건 당시 어머니의 죽음을 경험한 후 기억상실증에 걸린 재미교포 요안, 베트남전에서 민간인을 학살하고 외팔이로 돌아온 문태, 5·18의 상처를 안고 사는 은희와 순옥, 소설가 진우 등 백년여관에 모여든 사람들은 살아 있지만 이미 오래전 죽은 자들이나 다름없다.

이곳 영도(影島)는 "산 사람이 딱 절반, 원통한 귀신들이 딱 절반"인 "중음(中陰)의 영토"다. "육신은 살아 있으되, 사실은 한이 맺혀 벌써 죽은 지 오랜 사람들이고, 살점이랑 창자는 오래전 썩어 문드러졌으되 원통해서 차마 고향을 떠나지 못하니 아직 살아 있는 사람들"(146면)이 거주하는 섬이다. 여기에서 망각을 위한 제의가 펼쳐진다. 제주4·3을 겪은 강복수와 제주 무당의 딸 조천댁이 주재한 제주굿 '영개울림'은 바다 밑의 심연에 갇힌 죽은 넋들과 아직 그 기억을 잊지 못한 백년여관 사람들을 위한 제의다.

> "그래. 결코 지난날들을 잊어서는 안 돼. 망각하는 자에게 미래는 존재하지 않아. 기억해. 기억해야만 해. 하지만 친구야. 그 기억 때문에 네 영혼을 피 흘리게 하지는 마."

(…)

"오오, 사랑하는 자식들아, 이젠 그만 우리들을 놓아다오. 분노와 증오, 원한과 절망, 눈 부릅뜬 저주와 어둠의 시간들로부터 벗어나서, 아아 우리 이제는 그만 돌아가려 한다. 한과 슬픔과 미련을 모두 지워 내고, 이 추악한 지상의 시간, 서럽고 아픈 과거들을 이제 그만 너희에게 온전히 맡겨 둔 채로, 저 영원한 망각의 세상에서 이제는 깊이 잠들고 싶다……. 가엾은 내 자식들아. 너희의 눈물과 통곡과 슬픔을 이제는 거두어다오. 고통 속에 사로잡힌 너희를 두고서는 우린 차마 떠날 수가 없으니……. 잘 있거라. 사랑하는 내 아들, 가엾은 내 딸들아……."[351]

죽은 자들은 심방의 몸을 빌어 산 자들에게 자신들의 기억을 망각하지 말라고 주문한다. 산 자들은 죽은 자들의 목소리를 듣고 자신들의 아픔을 위로한다. 이렇듯 영개울림은 죽은 자들만을 위한 제의가 아니라 아직 완전히 죽지 못한 유령들, 삶과 죽음의 경계에서 살아가는 사람들, 그 기억에서 벗어나지 못한 모든 사람들을 위한 구원의 자리로 마련된 제의다.

그러나 소설가 진우는 그 제의에서조차도 자신의 기억을 온전히 망각하지 못한다. 진우는 제의가 끝난 후 영도를 떠나면서 이들의 이야기를 소설로 쓰기 시작하겠노라고 다짐한다. 진우는 역사

351) 임철우, 『백년여관』, 앞의 책, 336~337면.

적 기억에서 벗어나지 못한 죽은 자들과 산 자들의 고통스런 기억을, 아직까지 역사적 고통에 갇혀 있는 백년여관 사람들의 상처를 받아쓰기 시작한다.

임철우 소설에서 용서는 죽은 자들과 산 자들이 모두 그들의 기억을 망각하게 되는 순간에 가능한 것이다. 그래야 죽은 자들은 온전히 이곳을 떠날 수 있고 비로소 산 자들의 삶 또한 평온해질 수 있다. 그러나 임철우는 그런 용서의 자리가 아직 마련될 수 없다고 답한다. 여기에서 망각할 수도 없는 기억, 망각되어서도 안 되는 역사적 기억을 진정 망각하기 위한 임철우의 글쓰기는 지속된다.

## 4. 이야기하기의 힘: 신화

서정인, 한승원, 이청준, 임철우 소설은 고향을 매개로 자유, 용서, 사랑 등 근대의 주요한 가치들이 대체 무엇이며 그것은 또 어떤 방식으로 우리의 삶 속에서 실현되어 왔는지를 서로 다른 방식으로 묻고 답한다. 이런 과정을 거쳐 이들은 공통적으로 '신화' 의 세계에 이른다. 앞으로 살피겠지만 이 신화는 역사적 기억을 '이야기' 하게 하는 어떤 힘으로 다가온다.

이를 읽기 위해 '이야기' 와 '기억' 에 관한 몇 가지 논의들을 읽어 본다. 일찍이 벤야민은 사라져 가는 기억을 축적, 전파하여 전통을 유지하고 집단적 기억을 회복하는 매개체로서의 '이야기' 의 역할을 강조했다.[352] 더불어, 다음에 인용한 두 편의 글은 이야기가 역사적 기억과 맺는 특별한 위치를 살피게 한다.

망각의 구멍은 존재하지 않는다. 인간적인 어떤 것도 완전하지 않으며, 망각이 가능하기에는 이 세계에 너무나 많은 사람들이 존재한다. 이야기를 하기 위해 단 한 사람이라도 항상 살아남아 있을 것이다.[353)]

역사는 지층처럼 겹겹이 쌓여 있습니다. 문서 자료가 남는 일도 거의 없을 뿐더러 문서를 남기는 사람은 권력의 중심에 가까운 사람, 남성, 글을 쓸 수 있는 사람뿐입니다. 그러니 문서만이 아니라 전승되는 이야기나 신화, 고고학적 수법 등을 활용해 오래된 지층에서 기억을 불러일으키려 하는 것입니다. 말하자면 현재의 요청에 의해 과거의 지층으로부터 죽은 이들, 망령이 된 증인들이 소환되고 있는 것입니다.[354)]

한나 아렌트는 불멸성과 영원성이라는 환상이 붕괴된 "어두운 시대(Dark Times)"에, 인간 역사의 그물망과 거기에서 나타나는 이야기들에 대해 특별한 관심을 둔다. 아렌트는 이야기들의 망이 오히려 역사의 구조물을 이룬다고 보고, 이야기가 있는 한 '망각의 구멍' 은 존재할 수 없다고 역설한다. 아렌트의 견해는, 전승되는 이야기나 신화, 고고학적 수법 등을 활용해 역사의 지층에서 기

352) 발터 벤야민, 김영옥·윤미애·최성만 옮김, 「발굴과 기억」, 『일방통행로/사유이미지』, 길, 2007, 267~243면.

353) 한나 아렌트, 김선욱 옮김, 『예루살렘의 아이히만』, 한길사, 2009, 324면.

354) 서경식·다카하시 데쓰야 , 김경윤 옮김, 『단절의 세기 증언의 시대』, 삼인, 2002, 43면.

억을 불러일으킴으로써 이미 망령이 된 죽은 자들을 증인으로 소환하는 작업을 강조한 서경식의 것과 그리 멀지 않다. 요컨대 신화란 옛 이야기의 형식이 아니라 역사의 이면에 자리한 침묵과 망각을 발굴하기 위한 방법론이다.

벤야민, 아렌트, 서경식이 말한 '이야기'에 대한 논의에 기대어 볼 때 이 작가들이 공통적으로 제시한 '신화'의 의미가 훨씬 더 분명하게 읽힌다. 미리 말해 그것은 저 먼 과거의 시간대에 갇혀 있는 화석화 된 이야기가 아니라 과거의 지층을 드러내는 매개로서의 역할을 한다. 즉 신화는 지금 여기를 살고 있는 사람들의 요청에 의해 지속되는 '이야기하기의 힘'이다. 이 신화는 역사와 소설을 어떻게 쓸 것인가라는, 매우 정치적이고 윤리적인 물음을 이끌어 낸다.

### 1) 자연

서정인은 유교, 불교, 도가의 언어적 사유와 플라톤, 헤라클레이토스 등 그리스 신화와 철학, 시인 에즈라 파운드(Ezra Pound)의 언어관을 비판적으로 수용하여 소설 언어와 글쓰기의 문제를 심화한다. 서정인 소설은 동서양의 언어철학적 사유를 바탕으로 전통과 현대, 신화와 역사, 그리고 자본주의 물질문명의 문제점을 폭넓게 성찰한다. 이 과정에서 서정인은 인간, 신화, 역사에서 반복되는 원리를 읽는다. 그 원리란 바로 자연의 순환이다.

> "한 새가 죽으면 다음에는 딴 새가 죽죠. 그 새에게는 한 번이죠, 전체적으로는 무수히 되풀이되는 일이지만. 우리들에게

일어나는 일이란, 우리들에게는 처음이자 마지막으로 한 번이지만, 사실은 수없이 되풀이되어 온 일이고, 또, 앞으로 수없이 되풀이될 일일 거예요."[355)]

"역사는 되풀이이고, 문화는 답습이고, 배운다는 건 반복이야. 우린 삼천 년을 그렇게 살아 왔어. 모든 전쟁은 같은 전쟁이야."[356)]

"세상만사 일어나기 전에는 한 치 앞을 내다볼 수 없는 칠흑 같은 어둠이었지만, 일어난 다음에는 천만 번도 더 되풀이된 진부한 다반사였다."[357)]

'옛날 이야기가 길었냐? 옛날에 있었던 일은 지금도 있다. 신화에 대해서 알아야 할 것은 그것뿐이다.'[358)]

여기에서 자연의 반복과 순환을 언급한 것은 인류 문명의 발전과 진보가 결국 우리가 만든 개념적 허상에 불과하다는 것을 말하기 위해서다. 신화란 역사의 반복적 순환이 시작되는 원점에 해당한다. 그렇게 봤을 때 인간의 역사와 문화의 흐름은 전쟁이 되풀이

---

355) 서정인, 「철쭉제」, 『철쭉제』, 동아출판사, 1995, 307면.
356) 서정인, 「한신계곡」, 『철쭉제』, 앞의 책, 349면.
357) 서정인, 「진료소」, 『모구실』, 앞의 책, 41~42면.
358) 서정인, 「벽소령」, 『모구실』, 앞의 책, 243면.

되는 과정과 다르지 않다.

이처럼 서정인 소설에 '자연'은 인간 앞에 있는 객체나 대상이 아니다. 생태주의적 의미의 자연과는 더욱 거리가 멀다. 서정인의 자연은 우리의 역사와 삶이 발전하는 것이 아니라 반복되는 원무의 형상과 다르지 않다는 것을 보여준다. 그 자연의 반복과 순환이 그가 파악한 신화의 본질이다.

그런 신화의 성격에 주목하면서 서정인의 소설은 '어떻게 쓸 것인가', '왜 쓰는가'라는 물음에 가까이 간다. 여기에서 다시 묻는 '소설이란 무잇인가'라는 물음은 우리가 그동안 만났던 질문과 동일하지 않다. 서정인의 소설은 근대 재현적 언어관에 대한 비판을 제기하면서 소설이라는 근대적 양식에 변화를 준다. 근대적 양식으로서의 '소설'의 문법을 파기하고 문학과 신화, 철학, 역사의 경계가 모호한 형식을 시도한다. 『달궁 둘』(1988)의 후기에서 서정인은 이렇게 말한다.

> 이 책에는 새로운 문단을 만들기 위해서 줄을 바꾼 데가 한 군데도 없다. 그것은 세상 사는 이야기에 끝도 없는 것과 일맥 상통한다. 줄이야 아무 데서나 얼마든지 바꿀 수 있지만, 도대체 끊을 데가 없다. 세상 살아가는 데에 중요하지 않은 것이 어디 있으며, 아무리 중요하다고 딴 것보다 더 중요한 것이 어디 있으랴. 이런저런 읽는 불편을 조금이라도 덜기 위해서 필자는 쉼표, 마침표, 줄임표 등에 신경을 많이 썼다. 그것이 그가 할 수 있는 봉사의 전부였다.[359)]

서정인 소설에서 기나긴 문장들이 끝없이 이어지는 것은 우리의 연속되는 삶을 말과 글로 결코 끊어서 담아낼 수 없다는 인식에서다. 무한한 대화는 하나의 해답에 이르는 것이 불가능하며 언제든 수정될 여지가 있는 삶의 형태를 보여주는 것이다. 서정인의 소설쓰기는 끊임없는 형식의 파괴를 통해 생성하는 삶의 흐름, 즉 자연에 가까이 가려는 시도라 할 수 있다.

『철쭉제』에서의 대화가 따옴표로 써서 비교적 잘 구분되었던 것에 비해, 『모구실』에서의 대화는 직접 인용으로 된 말이라 하더라도 간접 인용처럼 읽힌다. 직접 인용 부호로 된 문장 안에 간접 인용된 문장이 들어 있는 등 특이한 형태의 문장이 시도된다.

> "'자비의 성질은 강요되는 것이 아니다. 그것은 부드러운 비처럼 하늘에서 아래로 떨어진다. 그것은 두 번 축복한다. 주는 사람을 축복하고 받는 사람을 축복한다. 그것은 가장 강한 것 중에서 가장 강해서, 왕좌에 앉은 군주에게 그의 왕관보다 더 어울린다. 그의 홀은 왕의 두려움과 무서움이 놓여 있는 위엄과 장엄의 속성인 현세의 권능의 힘을 보여주지만, 자비는 이 홀의 지배 위에 있다. 그것은 왕들의 가슴속에 자리잡고 있고, 신 자신의 속성이다. 지상의 권력은 자비가 정의를 익힐 때 가장 신의 권력과 같아진다.'"[360]

---

359) 서정인, 「달궁 둘 후기」, 『달궁 둘』, 민음사, 1988.
360) 서정인, 「휴양림」, 『모구실』, 앞의 책, 205~206면.

직접 인용한 말 속에 간접 인용한 말이 들어 있는 문장에는 말하는 사람의 생각과 말이 자기 자신의 것인지 남의 것인지를 구별할 수 없게 된 현실에 대한 예리한 진단 또한 내포되어 있다. 즉 한 사람이 하는 직접 하는 '말'은 단지 그 사람의 것만이 아니라 여러 사람들의 말과 생각을 재인용하는 것에 불과하다는 것이다. 대화와 지문의 경계는 점차 모호해진다. 이러한 문장은 독서의 흐름을 중단시키고 방해한다.

인간과 역사에서 반복되는 자연의 순환, 즉 신화를 포착한 것은 서정인 소설의 언어와 형식에 변화를 준다. 따라서 서정인 소설의 형식 파괴와 실험은, 이야기하기를 지속하기 위해 필연적으로 야기된 결과라고도 할 수 있을 것이다.

### 2) 어둠

『우리들의 돌탑』(1989)의 서문에서 작가 한승원이 다음과 같이 소설쓰기에 대해 언급하고 있는 부분을 먼저 읽어보자.

> 제가 이 소설을 통해 이야기하고자 하는 것은 빛 아닌 어둠이고 도덕 아닌 부도덕입니다. 빛 속의 어둠이고, 어둠 속의 빛입니다. 도덕 속의 부도덕이고, 부도덕 속의 도덕입니다. 우리는, 천사는 천사이고 악마는 악마라는 이데올로기의 노예가 되어 있습니다. 우리의 모든 비극은 여기에서 비롯됩니다. 사실은 빛이 어둠을 낳고 어둠이 빛을 낳습니다. 천사가 악마이고 악마가 천사입니다. (…) 합리와 비합리, 합리 속의 비합리, 비

합리 속의 합리까지도 그것은 포괄합니다.[361)]

종교의 몫과 다른 소설의 몫이란 무엇일까. 한승원에게 소설쓰기란 빛과 어둠, 천사와 악마, 합리와 비합리, 상극을 이룬 겹의 세계를 함께 쓰는 것이다. 그것은 '어둠 속 빛', '빛 속의 어둠'과 같이 두 겹의 세계를 드러내는 일이다. 또 소설의 몫이란 무당이 죽은 넋들의 한을 풀어주는 일과 다르지 않는 것이다. 소설가 지망생 기성춘은 소설을 쓰는 이유를 "구천의 명명한 가운데로 걸어가 버린 아버지, 어머니, 할머니, 삼촌과 그들 주변의 많은 죽은 사람들… 언젠가 그들을 이 세상의 빛 가운데로 끌어들이는 일"을 위해서라고 말한 것은 그와 같은 맥락에서 이해된다.

무당이 되면 또 어떤가. 세상에는 어둠을 밝히는 빛도 필요하지만, 그 빛을 수용하는 어둠도 있어야 한다. 너무 잘 바래져서 칼날처럼 아픈 섬광을 은은하고 부드럽게 여과시키고 중화시키는 신화 같은 숲 그늘이나 달 그림자도 있어야 한다.[362)]

그것은 적어도 어둠 속에 앙금져 있던 응어리들을 빛으로 건져올리는 그 어떤 작업일 것이라고 수련은 생각했다. 역사 속에 어둠으로 앙금져내린 아픔들이 어디 한둘뿐이랴.[363)]

---

361) 한승원, 「이야기 속의 독에 대하여」(작가의 말), 『우리들의 돌탑』, 앞의 책, 14~15면.
362) 한승원, 「불의 문」, 『불의 딸』, 앞의 책, 295~296면.
363) 한승원, 『우리들의 돌탑』, 앞의 책, 273면.

즉 소설쓰기는 어둠 속에 묻힌 넋의 세계에 빛을 주어 그것을 어둠의 세계에서 건져내는 일이다. 요컨대 한승원에게 소설쓰기란 도깨비, 그림자와 같은 어둠의 세계를 빛의 세계로 드러내는 일과 같다. 무당으로서의 소설쓰기란 '나'의 근원을 이루고 있는 어둠과 그림자의 세계를 온몸으로 앓으면서 삶과 죽음, 빛과 어둠의 경계에 있는 흔적을 감지하는 일이다.

『키조개』(2007)에서 소설가 허소라는 과거의 시공간과 교통하고, 혼령들의 이야기를 전해 듣는 무당 같은 존재다. 그래서 그녀의 눈에 비친 바다는 표면적이지 않다. 허소라의 눈은 바다의 밑에 있는 키조개 더미를 죽은 넋들의 퇴적층으로 읽는다. 허소라가 쓰고 있는 비유적 언어는 변호사 이계두가 쓰는 관념어의 세계와 다른 것이다.

"(…) 의식을 가두고 절망하게 하는 고품격의 권위적 관념어에 대항하면서 살아온 거지. 대항하는 방법은 그 관념어이 패러다임(하부 구조)이 결을 따라 순리대로 생성되게 해 주는 것이야. (…) 내가 쓰는 소설은 비유 덩어리, 말하자면 나의 그림자야. 태어나면서부터 나에게는 그림자가 있었는데 그놈은 그때마다 나를 흉내 내고 있었지. 그런데 살아 보니 내가 그놈의 흉내를 내고 있어. 석가모니가 제자들에게 연꽃 한 송이를 들어 보였듯이, 내가 사랑하는 나의 모든 가섭(독자)들의 미소를 위하여 들어 올리곤 하는 연꽃송이들은 말(손가락질) 저 너머에 있는 또 다른 말 아닌 말(달)인데, 그것들은 내 심장 위장 머리털 얼굴 배꼽 유방, 거웃 무성한 여근이나 내가 뱉은 침이나 오줌똥을 닮아 있단 말이야."[364)]

허소라에 의하면, 비유의 언어는 관념적 언어의 실체로 접근할 수 있는 통로다. 비유의 언어는 "내 심장 위장 머리털 얼굴 배꼽 유방, 거웃 무성한 여근이나 내가 뱉은 침이나 오줌똥을 닮아 있"는 몸의 언어다. 따라서 비유적 언어로 쓴 소설은 살아 있는 생명체들을 왜곡시키지 않고 관념적인 실체를 뒷받침한다. 이것은 비유적 언어가 실체의 허상에 불과한 것이 아니라 빛과 어둠이, 실체와 그림자가 서로 연결되어 있다는 말이다.

이와 같이 한승원에게 소설쓰기는 곧 '어둠'의 세계를 쓰는 것이다. 그것은 빛과 함께 있는 어둠이다. 달리 말해 소설이란 양면이 한 몸을 이룬 노자의 '자연', 즉 '도(道)'의 원리에 가까운 것이다[도법자연(道法自然)]. 노자가 이 세계 즉 자연을 대립항들의 상호연관성 속에서 설명하고, 자연에 원래 내재되어 있는 '반(反)'이라는 운동력을 매개로[反者, 道之動][365)] 두 세계가 교직되어 있다고 보았던 것과 한승원이 궁극적으로 추구한 어둠의 글쓰기를 같은 층위에 놓아볼 수 있다.

그 어둠의 글쓰기는 『흑산도 하늘길』(2005)의 말미에서, 실사구시의 삶을 살아온 정약전과 다른 방식의 삶을 살아가는 소설가를 설명한 대목에서 잘 드러난다. 어둠이란 곧 신화의 시간이다.

---

364) 한승원, 『키조개』, 앞의 책, 55~56면.
365) 노자, 오강남 역주, 『도덕경』, 현암사, 1995. 40장 참조.

> 신화의 시간은 역사의 시간이 아니고, 신화는 보통의 말로 표현할 수 없는 엄청난 진리를 표현하는 특수 양식이고, 진리 그 자체라기보다는 진리를 담아 키워 내는 자궁이고, 우리가 궁극적으로 추구해야 할 우주 시원의 참모습을 암시하는 것인데, 그들은 그것을 허황된 것이라고 일축한다. 소설이란 것도 실없는 놈들이 지껄이는 허황된 거짓말이라고 폄하할 수도 있을 터이다.[366)]

신화, 즉 소설은 허황된 거짓말이 아니라 진리를 담아 키워 내는 자궁이다. 그것은 우리가 궁극적으로 추구해야 할 우주 시원의 참모습이다. 신화를 폄하하는 사람들에겐 소설이란 거짓말에 지나지 않겠지만 신화의 생명력을 응축한 소설은 우주 시원의 참모습에 근접해가는 특수한 양식이다. 소설가는 바로 이 '신화의 시간'을 쓴다.

이런 시각을 바탕으로, 한승원은 역사는 사실이고 문학은 허구라는 이항 대립적 경계에 의문을 던진다. 이러한 시각은 여러 역사 인물 소설의 형식으로 확장된다. 이 계열의 소설들이 보여주고 있는 것은 문학과 역사, 사실과 허구의 대립이 아니다. 문학은 역사적 진실과 밀접한 관계가 있으며 역사적 기록은 상상적 허구와 서로 교섭한다고 한승원은 말한다. 이런 과정을 거쳐서 한승원은 문

---

366) 한승원, 「손암 정약전 인터뷰 : 흰구름 한 장이 지나가고 있었다」, 『흑산도 하늘길』, 문이당, 2005, 300면.

학도 역사도 아닌, 문학이면서 역사이기도 한 신화의 세계에 이른다. 단편 「나무의 길」(2007)와 장편 『사랑아 피를 토하라』(2014)에서 그 신화가 무엇을 의미하는 것인지를 볼 수 있다.

> '신화는 태초로부터 있어 온 것이 아니고, 우리들의 평범한 일상이 신화가 되네. 가시적인 태양과 소통한 것들은 역사로 기록되고 밤하늘과 달과 별과 안개와 이슬과 구름과 비와 눈과 소통한 것들은 신화가 되네.'[367]

> 목화밭의 무에 단맛이 들듯이, 담근 김치에 새콤하고 고소한 맛이 들듯이, 끓인 국에 그윽한 손맛이 들듯이… 소리에는 맛이 들어야 한다. 그냥 밋밋하게 하는 소리는 맹물처럼 밍근하고 덤덤한 맛이다. 소리의 굽이굽이에 곡진한 맛이 들어야 한다. 겉절이와 고등어 살에 간이 들듯이 소리에도 간이 들어야 한다. 꽃이 향기를 풍기듯이 소리도 향기를 품어야 한다.[368]

한승원에게 신화는 현실 너머에 있는 환상의 세계가 아니다. "신화의 하부구조"는 임진왜란, 동학년, 여순사건을 겪는 동안 "열 새끼 가운데서 단 하나만이라도 살려 달라고" 비손을 한 어머니들의 기원과 염원으로 이루어져 있다. 한편, 촉기와 생명력이

---

367) 한승원, 「나무의 길」, 『희망사진관』, 앞의 책, 295~296면.
368) 한승원, 『사랑아 피를 토하라』, 박하, 2014, 65면.

함께 있는 임방울 소리의 그 곡진한 맛과 향기를 한 편의 신화로 그려 낸다.

신화는 이토록 평범한 것들이다. 그 평범한 사람들의 흔적이 바로 지금 우리의 삶을 뒷받침하고 있는 신화인 것이다. 빛에 가려 드러나지 않았던 어둠을, 우리의 삶을 지탱하고 있는 신화를, 바깥으로 끌어올리는 것이 바로 한승원이 소설을 쓰는 이유다.

### 3) 살아 있는 신화

이청준 소설에 등장하는 전통적 소재들인 설화, 무속, 판소리, 굿 등은 단지 제재가 아니라 그의 문학을 이루는 근원적 원형에 가깝다. 이청준의 소설은 타락 이전의 원초적 순수성에 도달하려는 속죄의 도정과 자기치유의 노력을 보여준다는 점에서 '신화적'이라고 평가되기도 했다.[369)]

이 신화적 상상력은 후기소설에 이르러 역사 속의 희생자들을 위한 구원과 치유 가능성을 탐색하는 것으로 그 의미가 확장된다. 이청준은 굿과 판소리의 치유적 기능에 특별한 관심을 기울인다. 민족의 분단과 좌우대립 이념갈등을 극복, 해소하기 위한 방법으로 무속에서 '정화'와 '위안'의 힘을 읽는다. 김치수는 이러한 이청준 소설의 여정을 "상처에서 치유로, 포한에서 해한으로, 미움

---

369) 서정기, 「노래여, 노래여-이청준 작품 속에 나타난 신화적 상상력, 「이어도」, 「해변 아리랑」, 「선학동 나그네」를 중심으로」, 『작가세계』 가을호, 1992, 108~126면.

에서 사랑으로 가는 길의 도정"[370]이라고 요약한 바 있다.

『흰옷』(1994)은 분단 상황 하의 이념대립의 갈등을 아버지 종선과 아들 동우의 관계를 통해 보여준다. 아버지는 그 시절 자신을 가르친 선생님들의 교육활동을 좌익 세력과 연관시켜 사회주의 운동의 일환으로 보는 아들 동우의 견해에 공감하지 못한다. 아들 동우 또한 아버지가 왜 지나간 기억들을 말하지 않는지 이해하지 못한다. 아버지가 한사코 그 기억들을 떠올리지 않으려고 한 이유는 희미하게 알게 된 동우는 보림사 앞마당에서 좌우의 갈등을 넘어서 당시에 희생된 넋들을 진혼하는 위령제를 연다. 이 굿판은 그 시절을 겪고 죽어 간 무주고혼(無主孤魂)의 상처와 아픔을 위로하고 씻기는 위령굿 마당이다. 이 굿은 "죽은 이를 위한 해한의 의식인 동시에 산 자들 스스로를 위한 상처 치유의 통과 의식"[371]이라 할 수 있다.

『신화를 삼킨 섬』(2003)은 '제주섬'을 무대로 하여 아기장수 전설, 김통정과 김방경 이야기, 뱀신앙, 영개울림, 삼승할망 전설 등 제주의 오랜 문화장치들을 주요한 상징으로 배치한다. 이 문화장치들은 제주사람들이 정치적으로 암울한 상황에 있으면서도 거기에 안주하지 않고 중앙에 대한 저항의식을 보여주었던 흔적이다.[372] 또 이 소설에 배치된 신화적 이미지들은 제주4·3의 역사적

---

370) 김치수, 「상처의 아픔과 치유의 미학: 이청준의 소설」, 『상처와 치유』, 문학과지성사, 2010, 211면.

371) 정호웅, 「씻김굿의 새로운 형식」(작품 해설), 『흰옷』, 열림원, 2003.

372) 현길언, 『제주도의 장수 설화』, 홍성사, 1981, 56~101면.

기억과 만나, 용서와 화해의 길을 모색하는 주요한 매개물이다.[373] 신화적 이미지는 현실적인 문제와 역사적 진실을 탐구해 가는 방편으로서 그것은 "현실과 역사, 신화 등 존재론적 모든 영역에 반성의 거울을 가져다 댄다."[374]

이 소설은 제주도의 문화장치 속에서 제주사람들이 어떠한 방식으로 역사적 기억을 쉽게 매듭지으려는 권력지배층의 의지에 대항하면서 자신들의 아픔을 극복해 왔는지를 살핀다. 특히 죽은 자와 산 자의 원한을 동시에 씻기는 제주사람들의 고난극복의 방식에 주목한다.

> 그것은 정녕 신화의 재현이었고, 그 자체로서 살아 있는 신화였다. 신화라는 말은 원래 그 신화적 사실의 죽음과 사라짐을 전제로 한 것이지만, 이 섬에서는 그 신화가 심방들의 굿을 빌어 생생하게 살아 전해지고 있음이었다. 그리고 그 신화의 살아 있음이 가장 역력한 것은 역질을 물리치기 위해 도깨비를 달래는 '영감놀이' 나 불임녀들의 잉태를 위한 '불도맞이', '꽃탑' 류 제의의 연극적 제의에서 더욱 잘 두드러졌다. 그 중에서도 꽃탑의 삼승할망 재차 연희는 이 섬굿판에 대한 종민의 이해를 특히 새롭게 하였다. 천지창조의 신화 속에서 삼승할망

---

373) 전흥남, 「원망(願望)의 좌절과 해원(解寃)의 방식-이청준의 『신화를 삼킨 섬』을 중심으로」, 『영주어문』 8집, 영주어문학회, 2004, 98면.
374) 우찬제, 「풀이의 황홀경과 다시 태어나는 넋-이청준의 『신화를 삼킨 섬』읽기」(작품해설), 『신화를 삼킨 섬』, 앞의 책, 210면.

> (삼신할머니)신은 원래 아기의 잉태와 출생을 점지하고 다스리는 산신(産神, 생불왕)으로, '서천서역국'의 '서천꽃밭'을 찾아가 그 꽃밭을 관리하는 꽃감관(사람의 삶과 죽음을 관장하는 이공신)에게서 '생명꽃'을 구해 와 아이의 잉태를 원하는 기주(祈主)에게 전하는 연극적 제의로서, 대개의 다른 지역 굿이나 종교상의 진혼의식이 단지 죽음과 망자의 위무 신원이 목적임에 비해 이 섬 굿에선 새 생명의 잉태와 탄생의 순환적 운행을 이루어 보이는 것이었다.[375]

추심방의 굿은 신화적 사실이 사라져서 고착화된 신화가 아니라 그것의 형성 과정이 그대로 살아 있는 신화다. 제주의 굿은 다른 나라 다른 지역 무격처럼 자신의 정신을 잃는 자기 망각의 '들림현상'이 없고, 수직적 종속관계로서가 아니라 수평적 시혜관계 속에 함께 주고받으며 어울려, 내세와 현세, 이승과 저승, 신과 인간들이 서로 함께 어우러져 웃고 울고 춤을 추고 성내며 심지어는 서로 다투기도 한다. 그 안에는 인간적인 신의 모습과 신화적인 리얼리티가 간직되어 있다.

제주의 굿은 죽은 자와 산 자의 만남을 통해 모든 망자들의 원한을 씻고 달래어 그 망자와 생자들의 평화를 함께 이루려는 노력에 바쳐진다. 이청준은 제주굿에서 역사적 기억을 서둘러 매듭짓는 것이 아니라 대극의 불협화음을 끌어안고서 새로운 합일과 상

---

375) 이청준, 『신화를 삼킨 섬』 1권, 앞의 책, 67~68면.

생의 장을 열 수 있는 '살아 있는 신화'를 본다. 이청준에게 '신화'는 지울 수 없는 역사적 고통을 스스로 치유하고 현실을 회복하려는 어떤 힘에 견줄 수 있다. 이 점에서 이청준의 신화 쓰기는 역사와 현실 다시 쓰기와 다르지 않다.

현실과 역사로 대립되는 두 세계를 종합하면서 이청준은 넋의 세계로 나아간다. 그런 방향은 무속굿에 대한 지속적인 관심과 관련이 있다.

> 무당은 굿을 통해 사자의 혼령과 생자가 다시 만나 양자 간의 원망을 풀게 하여, 사자는 저승의 영계를 편안히 떠나보내고, 생자는 현세의 평상적인 삶의 질서를 복원해 돌아가게 하는 역할을 한다. 그런 굿(전라도 씻김굿, 서울 진오기굿 따위) 진행 과정에서 무당의 춤과 노래(서사무가)는 신통력을 싣지 않은 신화적 연극 효과만으로도 생자들에게 심정적 정화와 위안을 줄 수 있다. 굿은 현실적으로 그렇듯 생자를 위한 일이고 그만큼 현세 중심적이다.
>
> (…) 특히 제주도 굿에서 '당신(堂神)'들의 내력을 읊는 '본풀이' 내용을 보면 모든 '당신'들의 삶은 바로 현세의 우리 삶 그대로이다. 그것은 더러 아기 장수 설화를 닮아 있기도 하고, 더러는 삼별초난 시절의 김통정 장군처럼 실제 역사상의 인물이 신화화되어 있기도 하다.
>
> 그래 무속신들은 수직적 상하관계로 인간에 군림하지 않고 지상계의 인간들 곁에서 수평적으로(천상의 최고신 옥황상제를 제외하면 그들은 대개 이 지상계의 산이나 바다 당집 등으

로 표상되는 '피안'의 영계에 자리한다) 교통한다. 그리하여 그 친화력으로 경기도의 도당굿이나 강릉 단오굿, 제주의 당굿들처럼 우리 공동체의 질긴 결속력과 동질성을 유지해 나가게 한다.[376)]

이청준의 소설은 신화와 넋의 세계를 통해서 대립과 갈등을 넘어설 수 있는 '씻김과 치유'의 가능성을 모색한다. 그의 소설은 이제 현실과 역사의 대립 속에서 써 왔던 소설에서 태생적 정서가 담겨 있을 '넋의 차원', 즉 '신화와 신화적 서사'를 주목하기에 이른다. 남도의 '무속과 굿'의 주된 기능이 원혼을 씻김에 있는 것처럼 자신의 소설쓰기를 "결핍과 상처를 채우고 위무하는 씻김과 치유의 한 과정"과 동일한 위치에 놓는다.[377)]

『신화의 시대』(2008)에서 "신화의 문제는 그 자신의 글쓰기에 대한 반성적인 인식과 결핍을 채우기 위한 목적성만 지니고 있는 것은 아니"라 "근대 이후 우리의 리얼리즘이나 모더니즘 차원의 글쓰기가 추구해온 이념 지향이나 파편성에 대한 반성을 거느리고 있다고 할 수 있다."[378)] 다시 말해 이 소설에서 "신화는 비합리적

---

376) 이청준, 「우리 굿 문화」, 『야윈 젖가슴』, 마음산책, 2001, 62면.
377) 이청준, 「나는 왜, 어떻게 소설을 써 왔나」, Bulletin 『한(恨)과 미(美)와 공생(共生)』(Vol. Ⅸ), University of Tokyo Center for Philosophy, 2007. 9, 25~26면; 22~34면; 이청준, 「나는 왜, 어떻게 소설을 써 왔나」(작가의 말), 『신화의 시대』, 앞의 책, 305~319면.
378) 이재복, 「역사적 정신태를 넘어 넋으로: 이청준의 『신화의 시대』에 부쳐」(작품 해설), 『신화의 시대』, 앞의 책, 344면.

이고 허구적인 것이기는 커녕 우리들 삶의 원형적 의미와 구조를 갖는 보편적 가치의 표상으로 인식되었다고 볼 수 있다."[379]

이청준은 진도 씻김굿과 제주의 해원굿 마당에서 현실과 역사의 대립을 넘어서는 씻김과 치유의 자리를 찾는다. 그 자리는 새로운 생명과 세상을 향한 꿈의 자리, 바로 '살아 있는 신화'가 실현되는 곳이다. 이청준 소설에서 신화는 이미 완성된 것이 아니라 지금 이 시대를 살아가는 사람들이 열어가야 할 미래형으로 남겨진다.

### 4) 죽은 자의 시간

임철우의 소설은 역사의 변두리에서 아직도 고통을 겪고 있는 주변부적 존재들의 트라우마를 공동의 기억으로 신화화한다. 이를 통해 주변부 역사 기억은 결코 망각해서는 안 될 공동체 전체의 역사로 구축된다. 이러한 작업에는 똑같은 역사적 경험이 반복되지 않기 위해서는 과거의 기억을 쉽게 망각해서는 안 되는 것이며 역사적 기억을 진정 망각하기 위해서는 그것을 새롭게 기억해야 한다는 역설이 담겨 있다.

> 산 자의 시간과 죽은 자의 시간. 이 세계엔 그 두 개의 서로 다른 시간이 공존한다. '죽은 자의 시간'은 결코, 연대기의 숫

---

379) 오생근, 「이청준의 마지막 소설들과 신화」, 『본질과 현상』 가을호, 본질과 현상사, 2011, 259면.

자를 바꾸는 것만으로, 과거니 역사니 하는 따위 딱지를 붙여 간단히 폐기처분할 수 있는 게 아니다. 그것은 그를 기억하는 자들의 삶을 통해, '산 자의 시간'과 더불어 존재하고 또 한참을 더 지속해간다. 그러므로 그것을 기억하는 자들이 아직 우리와 더불어 살고 있는 한, '죽은 자의 시간'은 과거이면서 동시에 엄연한 현재형의 시간인 것이다.

(…) "아니다. 당신이 말하는 해묵은 역사니 지나간 사건 따위를 나는 얘기하려는 게 아니다. 난 단지 사람을, 사람들을 기억하고 싶을 뿐이다. 죽은 자와 아직 살아 있는 자. 그들의 이름 없는 숱한 시간들을, 사랑과 슬픔과 고통의 순간들을 나는 잊지 못하기 때문이다. 그러므로 이 소설은 '기억하는 사람들'에 대한 이야기이다"라고.[380)]

임철우 소설에서 신화는 곧 '죽은 자의 시간'이다. 죽은 자의 시간을 쓰는 것이 바로 그들을 잊지 않고 기억하는 방식이다. 임철우의 소설은 '죽음의 얼굴'을 반복해서 기억하는 가운데 역사적 기억이 쉽게 망각되려는 시간에 저항한다. 고통의 기억을 애써 지금 여기로 불러내어 그것이 쉽게 망각되지 못하게 한다. 뒤얽힌 고통의 실타래를 풀기 위해서, 산 자와 죽은 자들 간의 관계를 성찰하기 위해 임철우의 소설은 역사적 기억을 끝없이 반복한다.

공통의 경험을 가진 자들이 기억을 공유하는 소통의 방식인 제

---

380) 임철우, 「작가 후기」, 『백년여관』, 앞의 책, 343~344면.

의와 마찬가지로, 그의 문학은 역사적 고통에 대한 기억의 연대를 요청한다.

> 그래요, 아버지. 비록 하나의 작고 초라한 등불일지라도, 외로운 사람들은 그 불빛을 보면서 더러 꿈을 꿀 거예요…… 전 그런 시를 쓰겠어요. 고독하고 슬픈 이 세상 무수한 별들의 이야기를 쓰겠어요. 목적지도 항로도 없이, 다만 쓸쓸히 밤바다를 떠도는 이름 없는 별들의 꿈을, 그 추억의 노래들을 시로 쓰겠어요. 지금 이 순간 문득 결심한 거예요…… 진 이제 비로소 추억을 사랑할 수 있을 것 같아요. 아버지. 내 가슴속에 묻어둔 이 한없는 어둡고 쓸쓸한 추억도, 어쩌면 가끔씩은, 다른 누군가 나처럼 외롭고 쓸쓸한 불빛들에게 아주 작은 위안이나마 될 수도 있을 테니까요.[381)]

임철우의 소설쓰기가 궁극적으로 가 닿고자 하는 신화적 세계는 “떠도는 이름 없는 별들의 꿈”을 쓰는 것이다. 그 별들의 꿈이란 외롭고 평등한 못난이 별들이 지닌 쓸쓸한 추억의 노래다. 임철우의 못난이 별 이야기는 이청준이 말한 ‘밤 산길의 독행자’를 떠올리게 한다. 어두운 밤 산길을 홀로 걷는 사람들에게 먼저 누군가 걸어가더라는 말은 비록 허구일지라도 그 거짓말에 의지해 우리는 이 암흑의 시간 속을 살아갈 수 있는 것이다. 죽은 자의 시간을 쓴

381) 임철우, 『등대』, 문학과지성사, 2007, 316~317면.

다는 것은 궁극적으로 지금 살아가고 있는 수많은 사람들에게 위안의 불빛이 되는 일이다.

임철우의 『이별하는 골짜기』(2010)의 무대 '별어곡(別於谷)' 은 쓸쓸하게 버려진 간이역의 이름이다. 임철우는 이 소설을 "과거의 시간에 포박된 사람들, 혹은 망각을 한사코 거부하는 사람들의 이야기라고 불러도 좋겠다."고 말한다.[382] 이 쓸쓸한 간이역은 역사적 기억과 고통이 망각된 곳이 아니라 망각으로 가기 위한 통과제의적 장소라 할 수 있다. 완전히 망각될 수 없는 그 기억들은 여기에서 다시 시작된다.

> 모든 인간은 이야기와 함께 나고 살다가 죽는다. 한 생애는 저마다 하나의 이야기가 되고, 타인들의 기억 속에서 각기 고유한 판본으로 살아남아 떠돈다. 인간의 수명처럼 저마다의 운명대로 잠시거나 혹은 아주 오랫동안까지. 그렇게 세상은 무궁무진한 이야기로 차고 끓어 넘치는 영원한 이야기의 강, 설화의 바다가 된다. (…)
>
> 언젠가부터 내게는 소설이 갖고 있는 '이야기로서의 힘' 이랄까 설화적 상상력의 무한한 자유로움에 대한 절실한 욕망이 자리하고 있었다. 내 나름으로는 그나마 새로운 시도라고 할 수 있는 이번 소설은 바로 그런 욕망으로부터 태어난 셈이다.[383]

---

382) 임철우, 「작가의 말」, 『이별하는 골짜기』, 문학과지성사, 2010, 314면.
383) 임철우, 「작가의 말」, 『황천기담』, 문학동네, 2014, 360면.

『황천기담』(2014)은 지도에도 나와 있지 않은 황천(黃川)으로 가게 된 소설가가 거기에서 들은 흥미로운 이야기들로 채워져 있다. 황천이라는 곳은 금광으로 매우 유명해 일제강점기에는 노다지꾼들로 호황을 누리다가 지금은 황폐한 모습으로 전락했다. 모두 황천이라는 곳에 전하는 기담들이다.

임철우 소설에서 신화는 결코 묻혀서도 안 되는 기억들을 다시 이야기하게 하는 힘이다. 다시 말해 신화란, 이 세상에 넘쳐나는 인간의 이야기, 설화의 바다이면서 그것을 이야기하고 싶은 욕망으로 바꾸어도 무방할 듯싶다.

작가들에게 고향 쓰기는 실패한 삶을 근원부터 진단하는 반성의 자리이자 자기근원을 재확인하는 작업이다. 고향은 이전과 다른 삶으로 나아가는 변곡점이자 새로운 대안을 기획하는 시작점으로 자리한다. 고향을 다시 읽고 쓰는 작업은 근대화로 인해 지역의 고유한 문화가 상실되어가는 현실에 대한 비애감을 넘어선 것, 즉 고향이 앓고 있는 통증에 대한 구체적인 분석에서 출발하여 비극적인 역사와 현실에 대해 끊임없는 물음을 제기하는 작업인 것이다. 그것은 한국적 모더니티를 반성적으로 성찰하고 대안을 모색하는 방법론이었던 것이다.

고향 쓰기는 소리와 한, 그리고 자유, 용서, 사랑에 대한 지속적인 해석 과정을 거쳐 다음과 같은 물음들을 제출한다. 역사적 폭력이 남긴 상처와 흔적을 치유할 수 있을 것인가. 역사 속에서 뒤얽힌 가해자와 피해자의 자리를 분별하고 진정한 용서와 화해의 마당을 열 수 있을 것인가. 죽은 자와 산 자를 그 깊은 고통의 기억에서 구원할 수 있을 것인가.

요컨대 이들의 문제의식은 역사적 기억과 흔적에서 치유와 구원, 용서와 화해로 나아갈 수 있는 가능성에 대한 고뇌로 요약할 수 있다. 그런 가운데 이들은 공통적으로 '신화'를 그 대안적 형상으로 제출한다. 이 신화는 서정인에게 '자연', 한승원에게 '어둠', 이청준에게 '살아 있는 신화', 임철우에게 '죽은 자의 시간'로 바꿀 수 있다.

이들이 제시한 신화는 전통적인 장르로서의 신화가 아니라 이항 대립의 근대적 인식을 비판적으로 응전하는 사유 양식의 하나로 제시된다. 이 작가들에게 신화는 깊숙한 역사의 흔적과 시대 현실을 응시하는 지점이다. 또 그것은 왜 소설을 쓰는가에 대한 나름의 응답이기도 하다.

이처럼 신화는 역사와 현실, 그리고 글쓰기의 문제를 새롭게 사유하는 시작점이다. 그것은 문학을 통해 다다를 수 있는 또 다른 고향의 이름이라고 할 수 있다. 문학의 고향, 즉 신화는 역사적 상처를 공유한 공동체의 아픔을 되새기면서 용서, 구원, 화해의 가능성을 제기하는 장소다. 이는 지속적인 고향 쓰기와 귀향의 여정을 거쳐 이른 것이기에 값지게 다가온다.

# 결론

이 책에서는 중심과 인식을 우위에 두었던 시각에서 주변과 감성으로 전환함으로써 주변부적 감성을 통해 미적 근대성의 면모를 더 풍부하게 드러내고자 했다. 서정인의 우울과 권태, 이청준의 부끄러움, 한승원의 원한, 복수, 임철우의 죄의식, 저주 등 감성 읽기를 통해 미적 근대성 연구 방법론을 확장하는 계기가 되고자 했다. 이들의 소설에 자리한 공통된 주조음을 '추방과 귀환'이라는 두 가지 징후로 포착하여 읽었다. 이런 시도는 그동안 한국문학의 미적 근대성에 관한 논의가 대개 보편적이고 일반적인 수준에서 이루어졌다는 반성에서 출발한 것이다.

본 연구에서는 개별 작가들의 문학세계가 지닌 변별적 차이와 특수성에 주목하여 미적 근대성의 개별성과 특수성을 섬세하게 읽고자 하였다. 지역적 특수성의 맥락에서 미적 근대성에 접근할 때 작가들이 왜 전근대적 전통에 지대한 관심을 가졌는지를 깊이 있게 해석할 수 있다고 여겼기 때문이다. 우리는 작가들의 지속적인 설화, 고향, 역사 다시 읽기와 쓰기 작업이 근대 비판을 위한 미적 기획이었음을 주목했다.

이 책의 본론에 해당하는 1부에서 4부까지의 논의를 요약하면 다음과 같다.

1부 '공간의 역사: 두꺼운 역사 기억'에서는 작가들이 고향을 비롯한 호남 지역의 공간과 지명을 어떤 방식으로 수용하고 있는지를 살펴 언어의식과 역사의식, 그리고 문학세계의 내적 변모 양상을 읽었다. 산, 바다, 포구, 섬 등 자연 공간에 대한 작가들마다의 독특한 사유와 미적 전략의 차이를 읽을 수 있었다. 여기에서 흥미로운 것은 공간의 역사를 '기억'하고 쓰는 방식이다. 그것은 공동체의 역사 기억을 다시 쓰는 작업이기도 하다.

서정인 소설에서 상실된 지명과 풍경에 대한 묘사는 단지 옛 지명과 풍경을 상실했다는 것에 대한 것보다는 이러한 상실이 일어난 근원적인 이유를 환기시킨다. 이는 지금 눈앞에 놓여 있는 혼란을 비집고 들어가 사실 그 자체와 만나려고 하는 서정인의 문학 태도와도 상관된다. 그의 소설 속의 지명과 공간은 그것이 상실되었다는 것에 초점이 있는 것이 아니라 그 변화를 사실적으로 기억해내는 과정을 통해 역사적 사건의 폭력성과 근대화의 모순을 드러내는 데에 있다고 할 수 있다.

서정인의 소설쓰기는 지리산에 층층으로 누적된 역사의 깊이를 숙고한다. 서정인은 지리산이라는 혼돈의 역사 공간을 통해 해석과 사실의 관계를 묻는다. 그는 혼돈의 역사 속에서 어떻게 역사적 사실에 이를 수 있을 것인가하는 문제를 제기한다. 이는 구술성의 문화인 사투리와 판소리를 적극적으로 끌어들임으로써 삶, 역사, 문화에 묻어 있는 살아 있는 말을 포착하는 것이 얼마나 어려운 문학의 과제인지를 역설적으로 보여준다.

한승원에게 자연은 인간과 분리된 대상이 아니다. 바닷가를 배경으로 한 그의 소설들에서 자연 풍경은 인간의 언어로 번역된 것이어서 마치 사람의 몸처럼 살아 움직이는 느낌을 준다. 한승원 소설은 장흥의 바다와 섬, 포구를 설화적 상상력으로 읽는 과정에서 지역사람들이 겪은 역사적 고통을 고스란히 드러낸다. 그의 소설 속의 지명은 특히 마을공동체가 경험한 국가폭력과 역사적 기억을 드러내는 '기억의 텍스트'로서의 의미를 지니고 있다.

한승원 소설 속의 바다는 그곳에 얽힌 아픈 역사와 만나는 과정을 거치면서 점점 에로티즘과 생명력이 결합하여 어머니의 자궁, 우주 바다가 된다. 포구의 에로티즘은 그 소설적 변화의 중심에 위치해 있다. 한승원의 바다 소설은 고향의 바다가 지닌 원초적 생명력과 사람들의 구체적인 일상에 대한 묘사가 어울리면서 샤머니즘, 신화적 상상력, 노자와 불교적 세계관 등 다양한 사상적, 문화적 전통이 결합되어 있다. 바다는 세계(우주)의 본질, 그리고 소설가란 어떤 존재이며 소설쓰기란 무엇인가에 대한 해답을 모색하는 매우 중요한 공간이다.

이청준 소설 속의 공간은 귀향의 문제와 상관된다. 귀향은 단순하게 고향으로 되돌아옴으로 간단하게 정리할 수 없을 만큼 매우 복잡한 내적 계기들을 함축하고 있다. 이청준 소설에서, 주인공들이 고향을 떠나 되돌아오는 과정은 각별한 해석을 요구한다. 그 과정은 참된 언어와 문학의 자리를 찾아가는 여정과 함께 전개되고 있어서 귀향은 그의 문학관의 주요 원리 또한 내포하고 있다.

이청준 소설에서 떠남에서 되돌아옴을 결정짓는 장소는 천관산과 회진포구의 바다, 그리고 섬이다. 이청준 소설 속의 바다와 섬이 갖는 의미는 고정적인 것이 아니라 시간의 추이에 따라 조금씩 달라진다. 소년이 호기심을 가지고 바라보던 바다는 바다에의 실종 욕망을 거쳐 저 너머의 섬과 만나게 된다. 그 섬을 만났던 사람들은 이곳으로 되돌아온다. 이 점을 주요하게 읽지 않으면 떠남과 되돌아옴의 구조는 매우 단조롭게 여겨질 수 있다. 다시 말해 떠남과 되돌아옴, 이 양극을 매개하는 것이 사라짐이다. 우리는 이 실종의 모티프가 이청준 소설세계의 내적 변화의 흐름을 감지하는 주요한 변곡점이라는 것을 기억해 둘 필요가 있다.

천관산은 떠남과 되돌아옴을 결정하는 운명의 산, 신비스러운 힘과 두려운 괴물의 형상을 동시에 지닌 신성한 두려움의 공간이다. 그것은 또 사람들의 보이지 않는 소망과 기다림의 표상이다. 이청준 소설 속의 바다는 바다가 데리고 간 숱한 죽음과 연관된다. 그 죽음으로 인한 부재의 상태를 노래로 견딘다. 이 노래는 아픔을 견디면서 부르는 기다림의 소리다.

2부 '고통의 언어: 상처와 흔적'에서는 작품세계를 지배하는 정조, 서사, 문제의식 등을 서로 연관시켜 읽었다. 서정인의 우울과 권태를 이청준의 유토피아와 공동체에 관한 문제와 함께 읽고, 한승원의 원한과 복수의 서사를 임철우의 원한과 저주의 낙인 기억과 연결하여 읽었다. 그런 가운데 분단과 전쟁, 그리고 자본주의 개발근대화와 유신독재 하의 비극적 역사 속에서 고향과 도시에서 추방된 사람들의 고통의 흔적들을 펼쳐 볼 수 있었다. 광주오월에서 경험한 두려움과 폭력은 한국전쟁, 제주4·3, 여순사건, 일제강점기로 거슬러 올라간다. 그 기억들은 상실, 박탈, 억울, 증오, 복수, 저주 등 복잡한 감정들과 함께 지속적으로 회귀한다.

서정인 소설에는 우울과 권태, 박탈감 등이 두드러진다. 하지만 서정인 소설의 인물들이 겉으로 패배자나 무기력한 낙오자처럼 보인다 해도, 그들의 태도는 현실의 질서를 그대로 수락하지 않는다. 그들의 패배는 어떠한 선택도 불가능하다는 극도의 환멸과 부조리한 현실의 모순에 대한 사려 깊은 통찰에서 나온 것이다. 따라서 그의 소설 속의 우울은 곧 근대세계 질서에 대한 부정의식과 다르지 않다. 즉 우울은 애초에 유토피아가 존재한 적이 없었다는 근원적인 부정과 박탈감을 주는 자본주의 질서 하에서 어떠한 미래적 전망도 불가능하다는 묵시론적 태도에서 기인한 것이다.

유토피아의 문제를 본격적인 화두로 삼은 이청준은 "진정한 천국"이 어떤 곳인지, 또 어떻게 그것이 가능한지를 구체적으로 질문한다. 이청준은 진정한 낙원이란 어느 한쪽의 힘만으로 절대로 불가능한 일이며 독재자의 강제적인 지배와 폭력만으로도 건설될 수 없다고 말한다. 그가 말하는 진정한 유토피아는 주어지는 것이 아니라 그것을 실현하려는 의지 속에서 함께 추구되어야 하는 것, 다시 말해 끝없는 질문 속에서 찾아나가야 하는 '과정으로서의 유토피아'이기 때문이다. 그것은 나와 타자가 경계를 허물고 함께 하는 운명공동체를 실현하는 것이 그만큼 어렵다는 말과 다르지 않다.

한승원과 임철우 소설에서 원한과 저주의 서사는 울음, 손짓,

몸짓 등 유령과 같은 정체불명의 존재들이 회귀하는 양상으로 펼쳐진다. 아울러 두 작가들의 소설 속에서 소문이라는 집단적 소리 형태가 어떤 역할을 하는지를 살펴보았다. 우리는 이 과정에서 뜻하지 않게 호남 지역에서 여순사건과 한국전쟁을 전후한 시기에 좌우이념의 혼란과 갈등에 의해 문둥이와 빨갱이가 서로 뒤섞이는 장면을 마주할 수 있었다. 한센인들이 빨갱이로 몰려 학살당하거나 빨갱이가 한센인으로 잘못 오인되는 등 여러 역사 이면에 감춰진 이야기가 역사적 사실과도 무관하지 않다는 점에서 소문의 특별한 위상을 함께 드러낼 수 있었다.

기억 속의 고향과 아직 결별하지 못한 이들은 귀향을 거듭한다. 그 기억들은 대개 앞서 귀향 이야기에서 조금씩 엿보인 '증오(원한과 복수)' 의 감정으로 얽혀 있다. '증오' 의 기억들은 때로 혼령이나 귀신과 같은 비가시적인 형상과 결합하고, 때로는 전설 혹은 소문이 되어 떠돌기도 한다. 이들의 귀향과 함께 다시 회귀하는 증오의 기억들은 무엇에 대한 뚜렷한 분노가 아니라 간결하게 정리되지 않는 분노의 기억들을 두껍게 내장하고 있다.

한승원과 임철우 소설에서 증오가 말해 주는 것은 바로 분단의 대립적 상황이 지금까지도 "어김없이 되풀이되고 있는 그 잔인하고도 완벽한 역사의 반복성"이다. 학살이 증오를 낳고 증오가 다시 학살을 낳는 순간이 반복된 것은 분단과 전쟁 이후 곳곳에서 목도한 이념의 대립과 갈등의 실체이기도 하다. 이런 뒤얽힌 역사 속에서 아버지와 아들의 관계는 영원히 화해할 수 없는 투쟁일 수밖에 없다. 다시 말해 한승원 소설이 '아버지 살해' 를 통해서 더 묻고 있는 것은 왜 그런 증오가 되풀이될 수밖에 없었고, 왜 서로 용서와 화해를 할 수 없게 되었는가라는 보다 구체적인 질문이다.

임철우 소설에서 용서와 화해는 미래의 일로 연기된다. 화해는 오직 역사적 진실이 규명되고 희생자들의 기억을 구원하는 과정을 거친 다음에야 가능한 일이다. 이것은 역사적 기억과 섣부른 화해를 거절하는 것이며 용서와 화해만이 지난 세월의 고통을 극복할 수 있다는 종교적인 메시지와도 분명히 차이가 있다. 진정 용서를 먼저 구해야 할 사람들은 학살을 담당했던 가해자들과 묵묵하게 방관했던 바로 우리들이다.

3부 '추방당한 자들의 귀환: 애증의 변증'에서는 고향이 낭만적인 향수를 자극하는 곳이 아니라 끝없는 반성과 성찰을 요구하는 장소로 재현된다는 점을 주의 깊게 읽었다. 역사적 폭력으로 인해 얼룩진 상처와 개발독재 근대화로 인한 피폐화된 고향은 서정인, 이청준, 한승원, 임철우에게 각각 무질서와 타락(돈), 매혹과 분리(햇덩이와 섬), 유민의 뿌리(불덩이와 바다), 추방과 구원(별) 등 서로 다른 서사와 이미지로 펼쳐진다.

작가들의 고향 쓰기는 잃어버린 고향과 사라져가는 전통에 대한 향수이거나 복원이 아니라 역사적인 고통의 근원을 상기하는 '기억작업'(프루스트)이라는 점을 간과하지 않아야 한다. 다시 말해 귀향은 전근대적인 세계나 유년의 기억으로의 퇴행이 아니라 근대에 대한 전면적인 비판 작업, 즉 저 먼 역사 기억과 당대의 현실로 더 깊게 들어가는 과정이라고 할 수 있다.

고향은 단 하나의 기원이나 의미로 수렴되는 것이 아니라 애증이 교차하는 역동적인 공간이다. 고향에 대한 강렬한 애착은 크게 두 갈래의 방향으로 작동한다. 고향의 부정적 현실을 긍정의 힘으로 읽어내는 하나의 방향과, 부정의 부정을 거듭하면서 부정의 상태를 견지하는 방향이 그것이다. 고향에 대한 부정적 의식을 긍정적으로 통합하기보다는 부정의 부정을 긍정으로 통합하지 않으려는 안간힘이 이들의 소설에는 더 강하게 자리해 있다.

귀향은 변함없이 아름다운 고향으로 돌아가는 것을 의미하지 않는다. 귀향은 깊게 맺힌 역사 기억의 매듭을 찾고 고향의 이면에 깊숙하게 자리한 혼란과 상실의 풍경을 새롭게 읽는 과정이다. 이들의 귀향이 낭만적인 도피거나 기원에의 향수가 아니라 현실비판적인 성격을 지니고 있다고 할 수 있는 것은 그 때문이다.

고향에 대한 애증은 사랑하는 대상을 잃었다는 상실감과 마땅히 살아야 할 터전을 빼앗겼다는 부당한 현실에 대한 증오감이 동반된다. 고향을 잃었다는 상실감의 자각에서 고향을 앗아간 모든 것들에 대한 증오가 싹튼다. 그래서 이 증오는 고향에 대한 지독한 사랑과 고향을 앗아간 체계 전체에 대한 저항을 감추고 있다. 부정성에 대한 단호한 의식 속에서 어떤 가능성을 놓지 않으려는 안간힘이 곧 고향이라는 공간에 대한 애증이 팽팽하게 자리한다. 그 힘의 방향은 글쓰기의 본질을 구성하는 전제 조건이 된다.

고향에 대한 양가 감정은 고향에 대한 부정의 부정을 거듭하면서 '부정변증법'(아도르노)의 사유와 태도로 나아간다. 그럼으로써 고향에 자리한 다층적 흔적을 드러낸다. 다시 말해 고향 쓰기는 자기정체성의 근원을 재확인하는 작업이자 실패한 삶을 진단하는 반성의 자리다. 고향은 이전과 다른 삶을 전개하는 변곡점이자 새로운 대안을 기획하는 망명의 시작점이라 할 수 있다. 이들의 귀향이 낭만적인 도피가 아니라 현실비판적인 성격을 지니고 있다고 할 수 있는 것은 그 때문이다.

그 귀환의 여정은 각각 다른 방식으로 전개된다. 이들의 귀환은 변하지 않는 본래의 고향으로 돌아가는 것을 의미하지 않는다. 이 기나긴 귀환은 지금 여기와 다른 어떤 곳, 즉 '현실과 유토피아'의 간극을 질문하는 과정이자 당대의 역사와 현실에 대한 끊임없는 문제를 제기하는 바탕이 된다. 이들이 고향을 다시 읽고 쓰는 이유는 근대화로 인해 지역의 고유한 문화가 상실되어가는 현실에 대한 비애감을 넘어선 것, 그것은 근대화로 인해 훼손된 지역의 실상을 보여줌으로써 근대적 개념과 가치에 대한 비판을 의도한다. 귀향은 깊게 맺힌 기억의 매듭을 풀어내는 치유 공간으로서의 고향을 발견하는 일이 아니라 고향의 이면으로 더 깊숙하게 들어가 그곳에 자리한 혼란과 아픔을 새로운 의미로 바꾸어 읽는 과정이다.

떠남과 되돌아옴을 반복하는 과정에서 우리가 읽어야 할 것은 바로 남루하고 피폐한 고향으로 '귀향'하는 여정이다. 이 귀향은 한국적 모더니티를 반성적으로 성찰하고 그것을 넘어설 수 있는 대안을 탐색하는 지속적인 과정이었다. 이 점에서 이들의 귀환은 일반적인 의미의 귀향을 넘어선 것, 즉 역사와 현실을 총체적으로 반성하는 작업이었다고 말할 수 있다. 주변부의 상황과 조건에 대한 통증을 호소하는 것이 아니라 그것에 대한 구체적인 자각과 분석에서 출발하여 비극적인 역사와 현실에 대해 끊임없는 물음을 던지는 과정에서 미적 저항의 함의를 찾을 수 있다.

4부 '전통의 변용과 근대에 대한 탐문: 구원과 치유의 (불)가능성' 에서는 작가들이 호남 지역의 여러 전통문화를 어떻게 수용 혹은 변용함으로써 근대 비판의 미적 전략으로 삼아 왔는지를 살폈다. 한(恨)의 정서와 도깨비, 이어도, 아기장수 등 설화를 다시 쓰는 과정에서 용서, 자유, 사랑, 구원 등에 관한 깊은 성찰에 이르고 있음을 볼 수 있었다. 특히 신화적 상상력이 작가들에게 글쓰기의 지속적인 동력이자 근대 비판의 미학적 응전의 하나로 수용되고 있음을 확인하였다.

이들의 귀향 소설이 공통적으로 던지고 있는 물음들은 다음과 같다. 역사적 고통과 기억을 말과 글로 그대로 옮길 수 있는가. 역사가 남긴 상처와 그 흔적을 진정 치유할 수 있는가. 역사 속에서 뒤얽힌 가해자와 피해자의 자리를 분별하고 진정한 용서와 화해를 할 수 있는가. 역사 속에서 원통하게 죽은 자들의 떠도는 넋을 어떻게 구원할 수 있을 것인가.

이청준과 한승원의 소설에서 일제강점기, 해방, 제주4·3, 여순사건, 한국전쟁, 5·18광주항쟁, 해외이주 등 역사적 트라우마를 치유하려는 노력을 도깨비, 이어도, 아기장수, 꽃씨 등 설화적 모티프를 변형, 생성하는 과정을 통해 읽어 보았다.

한승원과 이청준의 소설에서 도깨비와 이어도는 삶과 죽음의 경계에 있는 사이영역을 가리키며 그곳은 현재의 삶과 분리될 수 없는 역사적 상흔이 거주하는 곳이다. 또 한승원과 이청준의 소설에 수용된 아기장수 설화는 날개가 잘린 채로 살아가는 제주도 아기장수의 모티프를 근간으로 하고 있다는 점에서 공통적이다.

한승원의 소설은 날개 잘린 아기장수형의 인물을 통해서 해방 이후 좌우익의 갈등과 5·18광주항쟁에서 희생된 사람들의 역사를 드러낸다. 이청준의 소설에서는 아기장수와 용마전설을 다양하게 변형하여 백제 유민의 아픔과 제주4·3의 고통과 그 해원의 가능성을 모색한다. 이들의 소설에서 아기장수는 구원의 표상이 아니라 지속되는 아픔을 완전히 치유하는 것이 불가능하다는 것을 보여주는 비극적인 존재로 형상화된다.

한승원과 이청준의 소설에서 설화적 상상력은 역사적 상흔이 여전히 현실의 고통으로 지속되고 있음을 다시 확인시켜 준다. 삶과 죽음의 경계에 있는 넋들의 환상과 고통의 역사에서 추방된 희생양, 그 떠도는 넋들의 역사를 치유하는 것이 쉽지 않다는 것을 보여준다. 지속된 설화 다시 쓰기는 아직 충분히 말해지지 않았고 말해질 수도 없는 역사적 고통의 흔적, 그리고 침묵한 채 은폐된 역사적 기억을 드러내는 데에 기여한다.

이들의 소설은 설화의 변형과 생성을 통해서 그 치유될 수 없는 역사적 트라우마를 현재의 시간으로 소환한다. 설화 다시 쓰기는 결코 지울 수 없는 역사적 상흔이 지금 여기에서도 지속되고 있다는 사실을 환기시킨다. 이야기하기는 과거와 현재에 대한 성찰과 요청을 바탕으로 하여 미래의 기획이다. 이들의 소설에서 설화와 역사, 다시 쓰기가 갖는 미학적 정치성은 여기에서 찾을 수 있다.

이 같은 문제의식들은 아직 완결되지 않은 과제로서 여전히 우리 시대에도 유효한 물음들이다. 역사적 고통이 지속되고 있는 현실에서 고통의 기억과 넋들의 아픔을 완전히 극복하는 길은 미완의 과제일 수밖에 없다. 이들의 소설은 역사적 트라우마를 과거의 유물로 화석화하지 않으면서 그 상흔을 지속적으로 환기시킨다.

이와 더불어 작가들이 지역의 소리문화와 한의 정서를 재해석한 작업은 특기할 만한 대목이다. 서정인은 한을 원망이나 분노나 슬픔이 아니라 그것을 '뛰어넘는 조용함'으로 설명한다. 한승원은 한을 도깨비의 얼굴을 가진 끈질길 생명력과 뜨들이기로 해석한다면 이청준에게 한은 삭임과 풀이, 즉 삶의 한 과정으로 이해된다. 이러한 해석을 거쳐 속죄와 용서, 그리고 화해의 가능성을 다시 묻지만 그 구원과 치유가 결코 쉽지 않다고 답한다.

이들의 소설에서 말할 수 있는 치유란 아픔의 완전한 극복과 치료가 아니라 삶의 원래 상태를 '회복'해야 한다는 요청을 함축하고 있다. 이 자리에서 지역의 공간, 역사, 언어를 다시 사유하는 과정에서 자유, 사랑, 해방, 용서 등과 같은 근대적 이념과 가치를 재검토하기 시작한다. 이제 고향은 단 하나의 의미로 수렴되는 기원적 장소가 아니라 근대의 가치들을 탐문하는 역동적 장소가 된다.

지금까지 우리는 서정인, 한승원, 이청준, 임철우 소설의 미적 근대성을 주변부의 특수성과 감성의 층위에서 읽어 보았다. 이들의 소설에서 고향 쓰기는 지역의 사라진 전통과 기억을 복구하는 작업이 아니라 지역의 구체적인 현실을 통한 시대 현실에 대한 그침 없는 탐색이었다. 이들의 문학세계가 보여준 미적 근대성은 호남 지역의 주변부적 상황과 조건에 대한 섬세한 분석에서부터 비극적인 역사와 동시대의 현실에 대한 진단과 성찰을 멈추지 않았던 그 지속의 과정에서 확인된다.

## | 참고문헌 |

### 1. 주요 작품집 및 에세이


- 김승옥, 『무진기행』, 문학동네, 2000.
- 김승옥, 『환상수첩』, 문학동네, 2004.
- 김승옥, 『내가 훔친 여름』, 문학동네, 2004.
- 서정인, 『강』, 문학과지성사, 1976.
- 서정인, 『가위』, 홍성사, 1977.
- 서정인, 『토요일과 금요일 사이』, 문학과지성사, 1980.
- 서정인, 『벌판』, 나남출판, 1984/1988.
- 서정인, 『철쭉제』, 민음사, 1986.
- 서정인, 『달궁』(1~3), 민음사, 1987~1990.
- 서정인, 『붕어』, 세계사, 1990.
- 서정인, 『지리산 옆에서 살기』, 미학사, 1990.
- 서정인, 『해바라기』, 청아출판사, 1992.
- 서정인, 『철쭉제』, 동아출판사, 1995.
- 서정인, 『베네치아에서 만난 사람』, 작가정신, 1999.
- 서정인, 『모구실』, 현대문학, 2004.
- 서정인, 『가위』, 책세상, 2007.
- 서정인, 『빗점』, 양영, 2011.
- 서정인, 『개나리 울타리』, 양영, 2012.
- 서정인/한순미 대담, 「남도의 흙과 빛으로 빚어낸 말과 글」, 『호남 이

야기』(호남학연구원 엮음), 전남대학교 출판부, 2013.
- 이청준, 『사라진 밀실을 찾아서』, 월간에세이, 1994.
- 이청준, 『벌레 이야기』, 열림원, 1998.
- 이청준, 『자서전들 쓰십시다』, 열림원, 1998.
- 이청준, 『서편제』, 열림원, 1998.
- 이청준, 『이어도』, 열림원, 1998.
- 이청준, 『오마니』, 문학과의식, 1999.
- 이청준, 『가위 밑 그림의 음화와 양화』, 열림원, 1999.
- 이청준, 『눈길』, 열림원, 2000.
- 이청준, 『인문주의자 무소작씨의 종생기』, 열림원, 2000.
- 이청준, 『예언자』, 열림원, 2001.
- 이청준, 『야윈 젖가슴』, 마음산책, 2001.
- 이청준, 『숨은 손가락』, 열림원, 2001.
- 이청준, 『가면의 꿈』, 열림원, 2002.
- 이청준, 『춤추는 사제』, 열림원, 2002.
- 이청준, 『당신들의 천국』, 문학과지성사, 1976/2003.
- 이청준, 『신화를 삼킨 섬』(1~2), 열림원, 2003.
- 이청준, 『흰옷』, 열림원, 2003.
- 이청준, 『꽃 지고 강물 흘러』, 문이당, 2004.
- 이청준, 『그와의 한 시대는 그래도 아름다웠다』, 현대문학, 2003.
- 이청준, 『그곳을 다시 잊어야 했다』, 열림원, 2007.
- 이청준, 『신화의 시대』, 물레, 2008.
- 이청준/김치수 대담, 「복수와 용서의 변증법」, 『박경리와 이청준 소설의 세계』, 민음사, 1982.

• 이청준/우찬제 대담, 「'우리들의 천국' 을 향한 '당신들의 천국' 의 대화」, 『문학과 사회』 봄호, 문학과지성사, 2003.
• 한승원, 『한승원창작집』, 세운문화사, 1972.
• 한승원, 『앞산도 첩첩하고』, 창작과비평사, 1977.
• 한승원, 『불의 딸』, 문학과지성사, 1983/1996.
• 한승원, 『아제아제 바라아제』, 삼성출판사, 1985.
• 한승원, 『아버지와 아들』, 나남, 1989.
• 한승원, 『우리들의 돌탑』, 문학과지성사, 1989.
• 한승원, 『열애일기』(시집), 문학과지성사, 1991/1992.
• 한승원, 『해일』(1~3), 범조사, 1991.
• 한승원, 『동학제』(1~7), 고려원, 1994.
• 한승원, 『아버지를 위하여』, 문이당, 1995.
• 한승원, 『불의 딸』, 문학과지성사, 1983/1996.
• 한승원, 『포구』, 문학동네, 1997.
• 한승원, 『목선』, 문이당, 1999.
• 한승원, 『누이와 늑대』, 문이당, 1999.
• 한승원, 『아리랑 별곡』, 문이당, 1999.
• 한승원, 『해변의 길손』, 문이당, 1999.
• 한승원, 『내 고향 남쪽바다』, 문이당, 1999.
• 한승원, 『사랑』, 문이당, 2000.
• 한승원, 『초의』, 김영사, 2003.
• 한승원, 『흑산도 하늘길』, 문이당, 2005.
• 한승원, 『잠수거미』, 문이당, 2004.
• 한승원, 『차한잔의 깨달음』, 김영사, 2006.

• 한승원, 『키조개』, 문이당, 2007.
• 한승원, 『희망사진관』, 문학과지성사, 2009.
• 한승원, 『한승원의 소설쓰는 법』, 랜덤하우스, 2009/2010.
• 한승원, 『보리 닷 되』, 문학동네, 2010.
• 한승원, 『사랑아 피를 토하라』, 박하, 2014.
• 한승원/정경운 대담, 「소설 속 남도 사람들의 삶과 감성」, 『호남 이야기』(전남대학교 호남학연구원 엮음), 전남대학교 출판부, 2013.
• 임철우, 『아버지의 땅』, 문학과지성사, 1984.
• 임철우, 『그리운 남쪽』, 문학과지성사, 1985.
• 임철우, 『달빛 밟기』, 문학과지성사, 1987.
• 임철우, 『붉은 산, 흰 새』, 문학과지성사, 1990.
• 임철우, 『그 섬에 가고 싶다』, 살림, 1991.
• 임철우, 『봄날』(1~5), 문학과지성사, 1997~1998.
• 임철우, 『등대』, 문학과지성사, 2002/2007.
• 임철우, 『백년여관』, 한겨레신문사, 2004/2005.
• 임철우, 『이별하는 골짜기』, 문학과지성사, 2010.
• 임철우, 『황천기담』, 문학과지성사, 2014.

## 2. 국내 논문과 저서

• 4월혁명연구소 엮음, 『한국 사회 변혁 운동과 4월 혁명(1·2)』, 한길사, 1990.
• 강은해, 「도깨비 설화의 전통과 현대소설-韓勝源의 「물아래긴서방」

을 중심으로」, 『계명어문학』 4집, 한국어문연구학회, 1988.
• 강은해, 「도깨비의 공간론-현실과 초월의 다리」, 『한국문학이론과 비평』 제20집, 한국문학이론과 비평학회, 2003.
• 강정민, 「한나 아렌트의 방법론 : 이론으로서의 '이야기 하기'」, 『인문연구』 58호, 영남대학교 인문과학연구소, 2010.
• 강진호·이상갑·채호석 엮음, 『증언으로서의 문학사』, 깊은샘, 2003.
• 고석규, 『한국학과 지방학, 21세기 한국학, 어떻게 할 것인가』(한림대학교 한국학연구소 엮음), 푸른역사, 2005.
• 공임순, 『스캔들과 반공국가주의』, 앨피, 2010.
• 공제욱 엮음, 『국가와 일상』, 한울, 2008.
• 공종구, 「임철우 소설의 트라우마 : 광주 서사체」, 『현대문학이론연구』 11집, 현대문학이론학회, 1999.
• 곽신환, 『주역의 이해 : 주역의 자연관과 인간관』, 서광사, 2010.
• 권도경, 「호남 지역 '아기장수 전설'의 유형적 특징과 지역적 특수성에 관한 연구」, 『코기토』 63집, 부산대학교 인문학연구소, 2008.
• 권오룡 엮음, 『이청준 깊이 읽기』, 문학과지성사, 1999.
• 구모룡, 『지역문학과 주변부적 시각』, 신생, 2005.
• 구모룡, 『감성과 윤리』, 산지니, 2009.
• 구모룡, 「한국근대문학과 미적 근대성의 관련 양상-미적 근대성론의 한계를 중심으로」, 『국제어문』 29집, 국제어문학회, 2003.
• 구모룡, 「세계화와 지역문학의 여러 층위들」, 『이청준과 남도문학』, 소명출판, 2012.
• 국립소록도병원, 『소록도 80년사』, 1996.
• 국토해양부 국토정보지리원, 『한국지명유래집-전라·제주 편』, 2010.

• 권영민, 『한국현대문학사 1945~1990』, 민음사, 1993.
• 권오룡 엮음, 『이청준 깊이 읽기』, 문학과지성사, 1999.
• 김남주, 『조국은 하나다』(백낙청·염무웅·황석영 엮음), 도서출판 남풍, 1988.
• 김동규, 『하이데거의 사이-예술론』, 그린비, 2009.
• 김동규, 『멜랑콜리 미학』, 문학동네, 2010.
• 김동윤, 「4·3의 기억과 소설적 재현의 방식」, 『민주주의와 인권』 5권 1호, 전남대학교 5·18연구소, 2005.
• 김동윤, 『제주문학론』(제주학총서11), 제주대학교 출판부, 2008.
• 김두규, 『우리 풍수 이야기』, 북하우스, 2003.
• 김득중, 『빨갱이의 탄생』, 선인, 2009.
• 김민수, 『환멸의 세계, 매혹의 서사』, 거름, 2002.
• 김병택, 『한국문학과 풍토』, 새미, 2002.
• 김병익, 「60년대 문학의 가능성」, 『한국현대문학의 이론』, 민음사, 1972.
• 김병익·김현 엮음, 『이청준-우리 시대의 작가연구총서』, 은애, 1979.
• 김병익, 「연민 혹은 감싸안는 시선」(작품 해설), 『달빛 밟기』, 문학과지성사, 1987.
• 김병익, 「말의 탐구, 화해에의 변증」, 『이청준 깊이 읽기』, 문학과지성사, 1999.
• 김병익, 「이청준, 한스런 삶에서 화해의 문학으로」, 『남도문화연구』 16집, 순천대학교 남도문화연구소, 2009.
• 김성례, 「근대성과 폭력-제주 4·3의 담론정치」, 『근대를 다시 읽는다 2』(윤해동·천정환·허수·황병주·이용기·윤대석 엮음), 2006.

- 김수남, 「서정인 소설의 담론 연구-「철쭉제」를 중심으로」, 『한국문예비평연구』 15집, 한국문예비평학회, 2004.
- 김수영, 『김수영 전집 2-산문』, 민음사, 1981/2000.
- 김영찬, 「망각과 기억의 정치-임철우 장편소설 『백년여관』(한겨레신문사, 2004)에 담긴 역사적 트라우마를 중심으로」, 『문화예술』 306호, 한국문화예술진흥원, 2005.
- 김영찬, 『근대의 불안과 모더니즘』, 소명출판, 2006.
- 김영화, 『변방인의 세계-제주문학론』, 제주대학교 출판부, 1998/2000.
- 김윤식, 「60년대 문학의 특질」, 『한국문학의 근대성과 이데올로기 비판』, 서울대학교 출판부, 1987.
- 김인환, 『언어학과 문학』, 고려대학교 출판부, 1999.
- 김재영, 「서정인 소설 '달궁'의 서술특성과 현실성」, 『상허학보』 20집, 상허학회, 2007.
- 김종욱, 「언어의 산상 축제-서정인의 『철쭉제』론」, 『달궁가는 길-서정인의 문학세계』(이종민 엮음), 서해문집, 2003.
- 김종회, 「바다, 고향, 그리고 원시적 생명력의 절창-「목선」에서 『동학제』까지(문학적 연대기)」, 『작가세계』 겨울호, 1996.
- 김주연, 「새시대 문학의 성립-인식의 출발으로서의 60년대」, 『68문학』, 1968.
- 김주연, 「샤머니즘은 한국인의 정신인가-한승원의 『불의 딸』」(작품해설), 문학과지성사, 1983/1996.
- 김주현, 「서정인 소설 문체의 양면성」, 『어문논집』 32집, 중앙어문학회, 2004.

• 김주현, 「1960년대 한국적인 것의 담론 지형과 신세대의식」, 『상허학보』 제17집, 상허학회, 2006.
• 김진수 엮음, 『호남문학 연구』, 한국문화사, 2001.
• 김춘식, 『미적 근대성과 동인지 문단』, 소명출판, 2003.
• 김치수, 『박경리와 이청준』, 민음사, 1982.
• 김치수 외 엮음, 『이청준론』, 삼인행, 1991.
• 김치수, 「이청준 문학의 화해와 사랑」, 『본질과 현상』, 본질과현상사, 2008.
• 김행선, 『박정희와 유신체제』, 선인, 2006.
• 김현, 「세계 인식의 변모와 그 의미」, 『강』, 문학과지성사, 1976/1996.
• 김현, 「아름다운 무서운 세계」(작품 해설), 『아버지의 땅』, 문학과지성사, 1984.
• 김현, 「떠남과 되돌아옴: 이청준의 최근작품들에 대하여」, 『이청준론』, 삼인행, 1991.
• 김현, 「이청준에 대한 세 편의 글」, 『문학과 유토피아』, 문학과지성사, 1992/1993.
• 김현, 「한국에서의 지라르 수용」, 『폭력의 구조/시칠리아의 암소』, 문학과지성사, 1992.
• 김현, 「구원의 문학과 개인주의」, 『현대한국문학의 이론/사회와 윤리』, 문학과지성사, 1995.
• 김현, 「60년대 문학의 배경과 성과」, 『분석과 해석/보이는 심연과 안 보이는 역사 전망』, 문학과지성사, 2003.
• 김현, 「지적 문체의 문제점」, 『우리 시대의 문학/두꺼운 삶과 얇은

삶』, 문학과지성사, 2006.

- 김형중, 「호남 현대소설에 나타난 바다 이미지의 정신분석학적 고찰-바다와 모더니티」, 『현대문학이론연구』 28집, 현대문학이론학회, 2006.
- 김형중, 「오월문학과 실어증-야콥슨, 바디우, 랑시에르를 중심으로」, 『인문학연구』 45집, 계명대학교 인문과학연구소, 2011.
- 김형중, 「지역문학 담론에 대한 비판적 고찰」, 『이청준과 남도문학』, 소명출판, 2012.
- 김형효, 『노장 사상의 해체적 독법』, 청계, 1999.
- 김형효, 『원효의 대승철학』, 소나무, 2006.
- 김홍중, 「멜랑콜리와 모더니티 : 문화적 모더니티의 세계감(世界感) 분석」, 『한국사회학』 40집 3호, 2006.
- 김홍중, 『마음의 사회학』, 문학동네, 2009.
- 김환희, 「설화와 전래 동화의 장르적 경계선-아기장수 이야기를 중심으로」, 『옛이야기의 발견』, 우리교육, 2007.
- 나병철, 『한국문학의 근대성과 탈근대성』, 문예출판사, 1996.
- 남송우, 「지역문학 연구의 현황과 과제」, 『국어국문학』 144집, 국어국문학회, 2006.
- 남진우, 「삶의 무거움과 아이러니의 정신」, 『해바라기』(서정인자선대표작품집), 청아출판사, 1992.
- 남진우, 『미적 근대성과 순간의 시학』, 소명출판, 2001.
- 노자, 오강남 역주, 『도덕경』, 현암사, 1995.
- 도수희, 『한국의 지명』, 아카넷, 2003.
- 동국대학교 한국문학연구소 엮음, 『불교사상과 한국문학』, 아세아문

화사, 2001.
• 동국대학교 한국문학연구소 엮음, 『전쟁의 기억, 역사와 문학(상·하)』, 월인, 2005.
• 동국대 문화학술원 한국문학연구소 엮음, 『'고향'의 창조와 재발견』, 역락, 2007.
• 류보선, 『또 다른 목소리들』, 소명출판, 2006.
• 문무병, 「제주도 도깨비 신앙」, 『한국학논집』 30집, 계명대학교 한국학연구소, 2003.
• 민족문학사연구소 현대문학분과 공저, 『1960년대 문학연구』, 깊은샘, 1998.
• 민족문학사연구소 현대문학분과 공저, 『1970년대 문학연구』, 소명출판, 2000.
• 민주화운동기념사업회 연구소 엮음, 『한국민주화운동사1-제1공화국부터 제3공화국까지』, 돌베개, 2008/2012.
• 민주화운동기념사업회 연구소 엮음, 『한국민주화운동사2-유신체제기』, 돌베개, 2009.
• 박이문, 『자연, 인간, 언어』, 철학과현실사, 1998.
• 박준상, 『빈 중심』, 그린비, 2008.
• 박태일, 『한국 지역문학의 논리』, 청동거울, 2004.
• 방민호, 「장인의 손길로 보듬은 사람들」(작품 해설), 『꽃 지고 강물 흘러』, 문이당, 2004.
• 상허학회 엮음, 『1960년대 소설의 근대성과 주체』, 깊은샘, 2004.
• 서동욱, 『차이와 타자』, 문학과지성사, 2001.
• 서울대학교 사회발전연구소, 『한센인 인권 실태조사』(국가인권위원

회 인권상황실태조사 연구용역보고서), 2005.12.
- 성민엽, 「4·19의 문학적 의미」, 『문학과 빈곤』, 문학과지성사, 1988.
- 성민엽, 「겹의 삶 겹의 문학: 후기 이청준에 대하여」, 『이청준 깊이 읽기』, 문학과지성사, 1999.
- 성춘경·최인선, 「순천시의 불교유적」, 『순천의 문화유적』, 정문사, 1992.
- 손유경, 『고통과 동정』, 역사비평사, 2008.
- 송기섭, 「지역문학의 정체와 전망」, 『현대문학이론연구』 24집, 현대문학이론학회, 2005.
- 송명희, 「탈식민주의와 지역문학연구」, 『현대소설연구』 19집, 현대소설학회, 2003.
- 신덕룡, 「바다, 욕망과 반역의 공간-한승원의 『동학제』론」, 『한승원 삶과 문학』(임철우·임동확·하응백 엮음), 문이당, 2000.
- 신동흔, 「아기장수 설화와 진인출현설의 관계」, 『고전문학연구』 5집, 한국고전문학연구회, 1990.
- 신형기, 『분열의 기록-주변부 모더니즘 소설을 다시 읽다』, 문학과지성사, 2010.
- 심전황, 『소록도 반세기』, 전남매일출판국, 1979.
- 양운덕, 「침묵의 증언, 불가능성의 증언」, 『인문학연구』 37집, 조선대학교 인문학연구원, 2009.
- 양진오, 「바다, 어머니의 자궁 그리고 신화-한승원 초기 중·단편을 중심으로」, 『작가세계』 겨울호, 1996.
- 양진오, 「섬, 바다, 강 그리고 인간의 운명」(작품 해설), 『이어도』, 열림원, 1998.

- 양진오, 『임철우의 『봄날』을 읽는다』, 열림원, 2003.
- 역사문제연구소 엮음, 『전통과 서구의 충돌』, 역사비평사, 2001.
- 역사문화학회 엮음, 『지방사연구입문』, 민속원, 2008.
- 오생근, 「단절된 세계와 고통의 언어」(작품 해설), 『그리운 남쪽』, 문학과지성사, 1985.
- 오생근, 「이청준의 마지막 소설들과 신화」, 『본질과 현상』 가을호, 본질과 현상사, 2011.
- 5월문학총서간행위원회 엮음, 『5월문학총서』, 문학들, 2012~2013.
- 오은엽, 「이청준 소설의 신화적 상상력과 공간: 『신화의 시대』와 『신화를 삼킨 섬』을 중심으로」, 『현대소설연구』 45집, 한국현대소설학회, 2010.
- 우찬제, 「대화적 상상력과 광기의 풍속화」, 『세계의 문학』 겨울호, 민음사, 1988.
- 우찬제, 「한국 소설의 고통과 향유」, 『문학과 사회』 겨울호, 문학과지성사, 1999.
- 우찬제, 「풀이의 황홀경과 다시 태어나는 넋: 이청준의 『신화를 삼킨 섬』 읽기」(작품 해설), 『신화를 삼킨 섬』, 열림원, 2003.
- 우찬제, 「자유의 스타일, 스타일의 자유」, 『4·19와 모더니티』, 문학과지성사, 2010.
- 유영대·이기갑·이종주 공저, 『호남의 언어와 문화』, 백산서당, 1998.
- 유임하, 『기억의 심연』, 이회문화사, 2002.
- 유임하, 『한국문학과 불교문화』, 역락, 2005.
- 윤병렬, 「퓌시스·존재·도(道)-헤라클레이토스·하이데거·노자의 시원적 사유」, 『존재론 연구』 5집, 한국하이데거학회, 2000.

- 윤해동 외 엮음, 『근대를 다시 읽는다 2』, 역사비평사, 2006.
- 이강래 외 지음, 『통하다-호남의 감성』(전남대학교 호남학연구원 감성총서 3), 전라도닷컴, 2011.
- 이광호, 『미적 근대성과 한국문학사』, 민음사, 2001.
- 이광호, 「4·19의 '미래'와 또 다른 현대성」, 『4·19와 모더니티』, 문학과지성사, 2010.
- 이경엽, 「씻김굿의 제의적 기능과 현세주의적 태도」, 『한국민속학』 31집, 한국민속학회, 1999.
- 이두현, 「단골巫와 冶匠 : 東北亞細亞 샤머니즘과 韓國巫俗과의 比較研究」, 『정신문화연구』 50권, 한국학중앙연구원, 1993.
- 이삼성, 『20세기의 문명과 야만 : 전쟁과 평화, 인간의 비극에 관한 정치적 성찰』, 한길사, 2006.
- 이윤옥, 『비상학, 부활하는 새, 다시 태어나는 말』, 문이당, 2005.
- 이은봉 외 엮음, 『고향과 한의 미학』, 태학사, 2005.
- 이재복, 「역사적 정신태를 넘어 넋으로: 이청준의 『신화의 시대』에 부쳐」(작품 해설), 『신화의 시대』, 물레, 2008.
- 이재봉, 「지역문학사 서술의 가능성과 방향」, 『국어국문학』 144집, 국어국문학회, 2006.
- 이청준, 「삶의 과정으로서의 한(恨)」, 『코리안이마고』 2권, 한국라깡과현대정신분석학회, 1998.
- 이해준, 『지역사와 지역문화론』, 문화닷컴, 2001.
- 인천문화재단 한하운 전집 편집위원회 엮음, 『한하운 전집』, 문학과지성사, 2010.
- 일연, 이가원·허경진 역, 『삼국유사』, 한길사, 2006/2008.

- 임명진, 「새로운 리얼리즘의 모색과 그 가능성」, 『달궁가는 길-서정인의 문학세계』(이종민 엮음), 서해문집, 2003.
- 임성운, 『남도문학과 근대』, 케포이북스, 2012.
- 임종명, 「여순사건의 재현과 폭력」, 『한국근현대사연구』 32집, 한국근현대사학회, 2005.
- 임철우·임동확·하응백 엮음, 『한승원의 삶과 문학』, 문이당, 2000.
- 장일구, 「호남방언과 서사 문체-사회언어학적 시론」, 『한국문학이론과 비평』 28집, 한국문학이론과 비평학회, 2005.
- 장주근, 「제주도 무속의 도깨비 신앙에 대하여」, 『국어교육』 18~20집, 한국어교육학회, 1972.
- 전남대학교 인문한국사업단 엮음, 『감성 담론의 세 층위-균열 분출 공감』, 경인문화사, 2010.
- 전남대학교 호남학연구원 엮음, 『호남 이야기: 원로 명사에게 듣는』, 전남대학교 출판부, 2013.
- 전종한·서민철·장의선·박승규 공저, 『인문지리학의 시선』, 논형, 2006.
- 전태일기념관건립위원회 엮음, 『어느 청년노동자의 삶과 죽음-전태일(全泰壹) 평전』, 돌베개, 1983.
- 전흥남, 「원망(願望)의 좌절과 해원(解寃)의 방식-이청준의 『신화를 삼킨 섬』을 중심으로」, 『영주어문』 8집, 영주어문학회, 2004.
- 전흥남·이대규, 「'남도작가'의 소설에 나타난 고향탐색과 공간화 전략」, 『어문연구』 52집, 어문연구학회, 2006.
- 정과리, 「유혹, 그리고 공포」, 『문학, 존재의 변증법』, 문학과지성사, 1985.

• 정과리, 「용서, 그 타인됨의 세계」, 『이청준 깊이 읽기』, 문학과지성사, 1999.
• 정근식, 「20세기 한국사회의 변동과 근대성」, 『현대문학이론연구』 10집, 현대문학이론학회, 1999.
• 정대현 외 공저, 『감성의 철학』, 민음사, 1996.
• 정문길·최원식·백영서·전형준 엮음, 『주변에서 본 동아시아』, 문학과지성사, 2004.
• 정백수, 「'한(恨)' 담론의 자민족 중심주의」, 『문학과사회』 여름호, 문학과지성사, 2006.
• 정양, 『판소리 더늠의 시학』, 문학동네, 2001.
• 정호웅, 「타락한 세계에 대한 비평적 진단-서정인의 『달궁』 『봄꽃 가을열매』론」, 『작가세계』 6권 2호, 세계사, 1994.
• 정호웅, 「기록자와 창조자의 자리-임철우의 '봄날' 론」, 『작가세계』, 세계사, 1998.
• 정호웅, 「씻김굿의 새로운 형식」(작품 해설), 『흰옷』, 열림원, 2003.
• 제주4·3연구소 엮음, 『이제사 말햄수다』(4·3증언자료집1), 한울, 1989.
• 조동일, 『민중영웅 이야기』, 문예출판사, 1992.
• 조성윤, 「이어도에 관한 제주도 주민들의 이미지」, 『탐라문화』 39집, 제주대학교 탐라문화연구소, 2011.
• 조영래, 『전태일 평전』, 돌베개, 1991/2005.
• 주강현, 『유토피아의 탄생: 섬-이상향/이어도의 심성사』, 돌베개, 2012.
• 차혜영, 「냉소적 이성과 권력의 거리, 이청준 후기 소설연구: 『신화를

삼킨 섬』을 중심으로」, 『한국언어문화』 39집, 한국언어문화학회, 2009.
• 천이두, 『한의 구조 연구』, 문학과지성사, 1993.
• 천정환·김건우·이정숙, 『혁명과 웃음』, 앨피, 2005.
• 최문규 외 지음, 『기억과 망각 : 문학과 문화학의 교차점』, 책세상, 2003.
• 최원식·임규찬 엮음, 『4월혁명과 한국문학』, 창작과비평사, 2002.
• 최현주 엮음, 『이청준과 남도문학』, 소명출판, 2012.
• 하응백, 「신화와 한의 소설 미학」(작품 해설), 『목선』, 문이당, 1999.
• 하응백, 「동(動)의 바다, 정(靜)의 바다」, 『한승원 삶과 문학』(임철우·임동확·하응백 엮음), 문이당, 2000.
• 하정일, 『20세기 한국문학과 근대성의 변증법』, 소명출판, 2000.
• 하정일, 「주체성의 복원과 성찰의 서사」, 『1960년대 문학연구』, 깊은샘, 1998.
• 한국문학연구학회, 『20세기 문학연구의 쟁점과 과제』, 국학자료원, 2003.
• 한국현대문학회, 『한국문학과 풍속 2』, 국학자료원, 2003.
• 한순미, 「지명과 문학적 상상력-순천 지역의 지명을 중심으로 본 서정인의 소설 세계」, 『현대문학이론연구』 33집, 현대문학이론학회, 2008.
• 한순미, 「고통, 말할 수 없는 것」, 『호남문화연구』 45집, 전남대학교 호남학연구원, 2009.
• 한순미, 「처용과 아기장수의 문학적 변용에 담긴 비극성」, 『한국언어문학』 70집, 한국언어문학회, 2009.

• 한순미, 「나환과 소문, 소록도의 기억」, 『지방사와 지방문화』 15권 1호, 역사문화학회, 2010.
• 한순미, 「한국현대문학에서의 어머니 표상과 희생 서사」, 『석당논총』 50집, 동아대학교 석당학술원, 2011.
• 한순미, 「주변부의 역사 기억과 망각을 위한 제의」, 『한국민족문화』 38집, 부산대학교 한국민족문화연구소, 2011.
• 한순미, 「소리의 징후, 원한의 역사성」, 『기호학 연구』 28집, 한국기호학회, 2010.
• 한순미, 「고통의 시대와 저항담론으로서의 불교사상」, 『호남문화연구』 51집, 전남대학교 호남학연구원, 2012.
• 한순미, 「소설 속의 지명과 감성지도」, 『지명학』 19집, 한국지명학회, 2013.
• 『해석과 판단』 비평공동체, 『지역이라는 아포리아 : 지역에 대한 존재론적 사유와 실천적 질문』, 산지니, 2009.
• 현길언, 『제주도의 장수 설화』, 홍성사, 1981.
• 현길언, 「구원의 실현을 위한 사랑과 용서」, 『이청준론』, 삼인행, 1991.
• 현용준, 『제주도 신화의 수수께끼』, 집문당, 2005.
• 황국명, 「지역을 통한 사유와 지역문학의 전망」, 『계간 시』 겨울호, 2001.
• 황종연, 「말의 연기와 리얼리즘」(작품 해설), 『붕어』, 세계사, 1994.
• 홍영기 엮음, 『여순사건자료집1』(전남동부지역사회연구소 자료총서 1), 선인, 2001.
• Bulletin 『한(恨)과 미(美)와 공생(共生)』(Vol. Ⅸ), University of

Tokyo Center for Philosophy, 2007. 9.
• 1962년 〈경향신문〉 1월 4일자, 〈동아일보〉 1월 6일자, 〈동아일보〉 1월 14일자 기사 참조(네이버 신문 검색).
• 남도문학기행(www.gonamdo.or.kr), 순천대학교 남도문화연구소 기획 제작.
• 2013년 4월, 광주트라우마센터에서 열린 '5·18 민주화운동 트라우마, 치유의 첫발을 내딛다' 주제 발표회. http://www.hani.co.kr/arti/society/area/581203.html 참조.

## 3. 국외 문헌

• 和辻哲郎, 박건주 옮김, 『풍토와 인간』, 박건주 옮김, 장승, 1993.
• 飼哲, 박성관 옮김, 「어떤 감정의 미래 『부끄러움(恥)』의 역사성」, 『흔적』 1호, 문화과학사, 2001.
• 丸山圭三郎, 고동호 옮김, 『존재와 언어』, 민음사, 2002.
• 徐京植·高橋哲哉 , 김경윤 옮김, 『단절의 세기 증언의 시대』, 김경윤 옮김, 삼인, 2002.
• 中村良夫, 강영조 옮김, 『풍경의 쾌락』, 효형출판, 2007.
• 小森陽一, 허보윤 외 옮김, 『감성의 근대, 1870~1910년대 Ⅱ』, 소명출판, 2011.
• Yi-Fu Tuan, 구동회·심승희 옮김, 『공간과 장소』, 대윤, 2007.
• Padma Sambhava, 류시화 옮김, 『티벳 死者의 書』, 정신세계사, 1995/2007.

- Carlo Ginzburg, 김정하 옮김, 『실과 흔적』, 천지인, 2011.
- Dominik Lacapra, 육영수 편역, 『치유의 역사학으로』, 푸른역사, 2008.
- Edward Relph, 김덕현·김현주·심승희 옮김, 『장소와 장소장실』, 논형, 2005.
- Emmanuel Levinas, 강영안 옮김, 『시간과 타자』, 문예출판사, 2001.
- Ervin Goffman, 윤선길 옮김, 『스티그마』, 한신대학교출판부, 2009.
- Gilbert Durand, 진형준 옮김, 『상징적 상상력』, 문학과지성사, 1988.
- Giorgio Agamben, 박진우 옮김, 『호모 사케르-주권 권력과 벌거벗은 생명』, 새물결, 2008.
- Hannah Arendt, 이진우·박미애 옮김, 『전체주의의 기원』(1~2), 한길사, 2006.
- Hannah Arendt, 김선욱 옮김, 『예루살렘의 아이히만』, 한길사, 2009.
- Hans Robert Jauß, 김경식 옮김, 『미적 현대와 그 이후-루소에서 칼비노까지』, 문학동네, 1999.
- Immanuel Wallerstein, 나종일·백영경 옮김, 『역사적 자본주의/자본주의 문명』, 창작과비평사, 1991.
- Jacques Derrida, 김성도 옮김, 『그라마톨로지』, 민음사, 1996.
- Jack Barbalet, 박형신 옮김, 「왜 감정이 중요한가」, 『감정과 사회학』, 이학사, 2009.
- Lynn Hunt, 조한욱 옮김, 『문화로 본 새로운 역사, 그 이론과 실제』,

소나무, 2000.
• Marshall Berman, 윤호병·이만식 옮김, 『현대성의 경험』, 현대미학사, 1994.
• Michel Foucault, 「계몽이란 무엇인가」, 『모더니티란 무엇인가』(김성기 엮음), 민음사, 1994.
• Merleau-Ponty, 류의근 옮김, 『지각의 현상학』, 문학과지성사, 2002.
• Maurice Blanchot, 이달승 옮김, 『문학의 공간』, 그린비, 2010.
• Mircea Eliade, 이재실 옮김, 『이미지와 상징 : 주술적-종교적 상징체계에 관한 시론』, 까치글방, 2002.
• Matei Calinescu, 이영욱·백한울·오무석·백지숙 옮김, 『모더니티의 다섯 얼굴』, 시각과언어, 1998.
• Michael Howard·Roger Louis, 차하순 외 공역, 『20세기의 역사』, 가지않은길, 2000.
• Nicole Lapierre, 이세진 옮김, 『다른 곳을 사유하자-정주하지 않는 지식인의 삶과 사유』, 푸른숲, 2007.
• Primo Levi, 이현경 옮김, 『이것이 인간인가』, 돌베개, 2009.
• Raymond Williams, 성은애 옮김, 『기나긴 혁명』, 문학동네, 2007.
• Raymond Williams, 이현석 옮김, 『시골과 도시』, 나남, 2013.
• Rene Girard, 김진식 박무호 옮김, 『폭력과 성스러움』, 민음사, 2000.
• Rene Girard, 김진식 옮김, 『희생양』, 민음사, 1998/2007.
• Richard Kearney, 이지영 옮김, 『이방인·신·괴물 : 타자성 개념에 대한 도전적 고찰』, 개마고원, 2004.

- Roland Barthes, 김웅권 옮김, 『밝은 방』, 동문선, 2006.
- Seyla Benhabib, 이상훈 옮김, 『타자의 권리』, 철학과 현실사, 2008.
- Sigmund Freud, 정장진 옮김, 『창조적인 작가와 몽상』, 열린책들, 1996.
- Sigmund Freud, 윤희기·박찬부 옮김, 『정신분석학의 근본개념』, 열린책들, 1997.
- Susan Sontag, 이재원 옮김, 『타인의 고통』, 이후, 2007.
- Theodor W. Adorno, 최문규 옮김, 『한줌의 도덕 : 상처입은 삶에서 나온 성찰』, 솔, 2000.
- Walter Benjamin, 반성완 옮김, 『발터 벤야민의 문예이론』, 민음사, 1983.
- Walter Benjamin, 김영옥·윤미애·최성만 옮김, 『일방통행로/사유이미지』, 길, 2007.
- Walter J. Ong, 이기우 외 옮김, 『구술문화와 문자문화』, 문예출판사, 1995.